De Maffiazoon

De Maffiazoon

Een liefdevolle vader verandert in een
meedogenloze maffiabaas

Albert DeMeo

in samenwerking met

Mary Jane Ross

TIRION

Dit boek is gepubliceerd door
Tirion Uitgevers BV
Postbus 309
3740 AH Baarn
www.tirionuitgevers.nl

Omslagontwerp: Myosotis Reclame Studio, Arjan van den Bos
Vertaling: Dick Poons

ISBN 90.4390.592.5
NUR 330

Voor het eerst gepubliceerd in de Verenigde Staten in 2002 door Broadway Books
Oorspronkelijke titel: *For the sins of my father: a Mafia killer, his son, and the legacy of a Mob life*
This translation published by arrangement with The Doubleday Broadway
Publishing Group, a division of Random House, Inc., London

© 2002 Albert De Meo
© 2004 voor de Nederlandse taal: Tirion Uitgevers BV, Baarn

Voor mijn vader,
moge hij verlossing vinden

Dankwoord

Een innig woord van dank aan onze agent, Alan Nevins van Renaissance Agency, omdat hij de eerste was die in dit boek geloofde en een mogelijkheid vond om het te laten verschijnen. Dank ook aan zijn assistente, Karima Ridgley, voor haar consequente hulpvaardigheid. Aan Charlie Conrad en Becky Cole, onze redacteuren, onze dank voor hun inspanning om de tekst in recordtijd te drukken en dat met bewonderenswaardige aandacht voor de details. Ook dank aan hun ondersteunende collega's bij Broadway Books; het uitgeven van dit boek was waarlijk teamwerk.

Op een meer persoonlijk vlak zijn we dankbaar voor de praktische steun van vrienden en familie. Dank aan Tommy, die hielp met zijn herinneringen en zijn onwankelbare vriendschap; aan Dolores die voortdurend laat zien wat een goede buur betekent; aan Erma, de eerste om te luisteren en de laatste om te oordelen; aan Joe en Maryann, die ons hebben geholpen de puzzel van de familie samen te stellen; aan Julie, die de eerste drukproef heeft gelezen en op alle juiste plekken gelachen en gehuild heeft; en aan Christie, die talloze uren heeft doorgebracht met luisteren naar moeder als ze over het boek praatte.

Elk boek is een product van samenwerking. Wij zijn iedereen dankbaar die dit boek mogelijk hebben gemaakt.

Albert DeMeo
Mary Jane Ross

Inhoud

In 1942 werd Roy Albert DeMeo, arbeiderszoon van Italiaanse immigranten, geboren in Brooklyn, New York. Nog voor zijn twintigste begon hij, omdat zijn baantjes na schooltijd niet genoeg opleverden, een bescheiden woekeraarspraktijk. In het begin van de jaren 1960 maakte hij kennis met John Gotti en andere leden van de misdadige Gambinofamilie en al snel werd hij een Gambinosoldaat onder Anthony Gaggi. In 1976, na Carlo Gambino's dood, bevorderde diens opvolger, Paul Castellano, Roy tot capo, een ingewijde in de familie. Het zakelijk instinct van Roy maakte hem tot een waardevolle financiële aanwinst voor Castellano, die hem toestond lucratieve ondernemingen te beginnen op het gebied van pornografie, woekerleningen, smokkel en autodiefstal.

Roy was het meesterbrein achter de grootste autodiefstallenbende in de geschiedenis van New York. Tegen het einde van de jaren 1970 was hij een van de meest gevreesde huurmoordenaars in de stad geworden. In 1983 werd hij, in het kader van Castellano's zuivering van familieleden die de aandacht van de FBI hadden getrokken, vermoord door zijn eigen medewerkers. In de jaren na zijn dood schreven vroegere medewerkers, uit op strafvermindering, hem tientallen moorden toe. Hoewel veel van die beschuldigingen nooit konden worden bewezen, werd Roy postuum berucht door de beschrijving van de lugubere details van de manier waarop hij zich, om ontdekking te voorkomen, ontdeed van de lichamen van de slachtoffers. Roy DeMeo liet zijn vrouw, Gina, zijn zoon, Albert, en twee dochters achter, die allen bezig zijn met het nastreven van succesvolle, legitieme carrières.

Ik ben voor hen die mij haten een jaloerse God die de schuld
van de vaders wreekt op hun kinderen, tot het derde
en vierde geslacht.

Exodus 20:5

Charons oversteek

Pasen 1968: voor ons eerste huis in Massapequa

Ik kom om u te leiden naar de overzijde,
Naar eeuwige duisternis, vuur en ijs.

DANTE, De hel

Tot nog toe verliep alles volgens plan. De laatste weken was ik elke middag langs de voor ons huis staande patrouillewagens gefietst. Dan stapte ik een paar kilometer verder af, voor een frisdrankje of een hapje bij een van de buurtcafés, reed wat rond door de vertrouwde straten van Massapequa, om daarna te verdwijnen via de fietspaden die zich door de bebossing langs de baai slingeren. Gewoon een dertienjarig joch op een fiets. Langs die nauwe paden kon geen auto me volgen. Mijn enige metgezellen waren andere fietsers en af en toe een jogger.

Elke dag wisselde ik van route en elke dag kwam ik op een andere plek te voorschijn om de wacht te houden bij steeds weer een andere publieke telefooncel in de buurt. Die middag was het telefoontje eindelijk gekomen. Het was een verademing eindelijk tot actie te kunnen overgaan.

Tegen mijn moeder had ik gezegd dat ik een paar dagen bij mijn vader zou doorbrengen. Zij wist dat hij al langer dan een maand voor zaken op pad was. Maar meer dan dat wist ze niet of wilde ze niet weten. Dat was veiliger, zowel voor ons gezin als voor haar gemoedsrust. Zij vroeg geen nadere bijzonderheden en ik gaf er geen. Ze had zich er allang bij neergelegd dat ik, als enige zoon, tijdens mijn vaders afwezigheid de man in huis was. Ik kwam en ging wanneer ik wilde. Vragen werden niet gesteld.

Die avond liep ik na het eten naar het bureau in mijn vaders studeerkamer om het door hem gevraagde geld op te halen. Daarna ging ik naar mijn kamer om te pakken: voldoende kleren voor een paar weken, een paar kranten en, vanzelfsprekend, mijn pistool. Die droeg ik nu al maanden, zorgvuldig verborgen onder mijn kleding. Mijn vader vond het geen prettig idee dat ik er een droeg, maar hij had me uitgelegd dat het noodzakelijk was. Ons gezin kon zich niet de hele dag in huis verstoppen. Daarom hield ik de pistool verborgen voor mijn zusjes en mijn angst verborg ik voor mezelf. Dat is wat een man doet, had mijn vader me geleerd.

Ik controleerde nogmaals de dingen die ik had verzameld, verpakte ze waterdicht in een plastic vuilniszak, trok mijn zwembroek aan en ging op mijn bed liggen wachten. De wekker was gezet voor half vier, maar van slapen kwam niets. In plaats daarvan lag ik maar wat, in het warme duister, klam door de vochtigheid, en ik zag de lichtgevende wijzers naast mijn bed langs de uren kruipen, milliseconde na milliseconde.

Om vijf voor halfvier zette ik de wekker af. Stilletjes gleed ik van het bed en ik pakte de vuilniszak van de vloer. Op blote voeten glipte ik door de hal, langs de kamers van mijn zusjes, alleen even stilstaand bij de grote slaapkamer om naar mijn moeder te luisteren. Secondenlang hield ik mijn adem in. Volledige stilte. Goed. Na heimelijk de trap te zijn afgedaald zocht ik mijn weg door de keuken en het souterrain en bereikte ik, voorbij de schietbaan en het atelier van mijn zusje, het boilerhok.

De volgende etappe was riskant. Ik moest mijn zaklantaarn gebruiken. Ik klikte de dunne lichtstraal aan en richtte die zorgvuldig op het kozijn. Mijn hand beefde niet. Ik schoof een platte klem over de draad die het alarmsysteem moest activeren. Daarna ontgrendelde en opende ik met ingehouden adem het raam. Tot mijn opluchting ging het alarm niet af. Ik klom door het venster en kwam in de bergruimte onder het balkon achter het huis. Achterover leunend greep ik de vuilniszak waarin zich mijn spullen bevonden. Ik kon de met de wind meegevoerde zilte lucht ruiken. Ik sloot het venster, verwijderde de klem en sloop naar de deur. Daarachter bevond zich de stenen trap die naar het kanaal achter ons huis leidde.

Toen ik de deur opende hoorde ik Major jammeren. Ik bleef even staan en fluisterde: 'Het is goed, knul.' Hij hief zijn snuit op om mijn hand te likken. Ik beval hem daar te blijven en wachtte nog even, om in de duisternis te speuren naar een teken van indringers. Niets. In het donker langs de leuning naar de drijvende steiger achter ons huis. Ik ging aan de rand van het plankier zitten, tot mijn enkels in het water en begon de vuilniszak om mijn lichaam te binden.

Het was een prachtige nacht. De zomerlucht was van een fluwelen warmte, het duister werd alleen af en toe doorbroken door een speldenprik licht die in het water rond de steigers van de buren scheen. Maar ik was immuun voor het moois dat me omringde en concentreerde me alleen maar op de mij wachtende taak. Ik trok nog eens aan het koord om er zeker van te zijn dat ik de zak goed had vastgebonden. Voorzichtig liet ik me in het kille water zakken, er mocht geen geplons te horen zijn.

Ik begon te zwemmen en mijn spieren warmden door de inspanning snel op. De enige geluiden die de stilte doorbraken waren mijn adem, het wijken van het water als ik mijn armen uitsloeg en het vage geraas van de Atlantische Oceaan, een kilometer verderop. Mijn ogen wenden snel aan de duisternis en ik concentreerde me op de contouren van het stukje onbebouwde kust, bijna driehonderd meter verder. Toen ik dichterbij kwam, werd de begroeiing zichtbaar, zwakjes beschenen door een lantaarn in de tuin van een buurman. Niet ver meer.

Eindelijk voelden mijn vingers zand en ik wankelde naar de schemerige oever, waar het riet in het duister spookachtig wuifde. Ik maakte de zak los, sloeg mijn armen er als een slapend kind omheen en klom voorzichtig de wal op, temidden van schouderhoog gras. Een paar meter verder bereikte ik een smal straatje dat doodliep op het kanaal. In het donker stond een auto te wachten, de lichten gedoofd, de motor soepel zoemend. Ik stapte zwijgend in en gooide de druipende vuilniszak op de achterbank. Daarna keek ik opzij, naar de chauffeur. Hij had zijn baard laten staan, als vermomming, maar zelfs in het halfduister van de auto was het profiel vertrouwd.

'Heeft iemand je gezien?'

'Nee.'

Hij reed weg de nacht in, strekte een arm uit en gaf me een schouderklopje.

'Goed gedaan, Al.'

Ik liet mijn hoofd rusten tegen de zachte, lederen bekleding, ademde de vertrouwde aftershave in en sloot mijn ogen.

Ik was veilig. Ik was bij mijn vader.

een

Familie

De familie van mijn vader, omstreeks 1943

Laat ons gaan dan, jij en ik
Als de avond langs de hemel ligt gespreid
Zoals een patiënt onder narcose op een tafel ligt;
Laat ons gaan, door bepaalde halfverlaten straten,
Die je prevelend hoort praten
Van rusteloze nachten in hotelletjes voor één nacht
En zaagsel op de vloer van oesterbars;
Straten die je volgen als eentonige onenigheid
Met de geniepige opzet
Je te leiden naar een vraag die onweerstaanbaar is...
O, vraag toch niet : 'Waar gaat het om?'
Laat ons op bezoek gaan, kom.

T.S. ELIOT, Het liefdeslied van J. Alfred Prufrock

Mijn vroegste herinnering is die van blindheid. Ik was vier jaar oud en werd wakker in een ziekenhuisledikantje, met pleisters over mijn ogen, duisternis alom, totaal alleen. Verward en gedesoriënteerd begreep ik even niet waar ik was of waarom mijn ouders me daar alleen hadden gelaten. Dan wist ik het weer: ik was geopereerd om mijn loensheid te corrigeren. Angst en eenzaamheid fluisterden in de onzichtbare kamer waarin ik lag, en ik riep om mijn moeder en vader. Toen een paar dagen later het verband werd verwijderd, was het eerste beeld dat uit de troebelheid opdook mijn vaders bezorgde gezicht. Als ik terugblik lijkt dat beeld passend. Sindsdien heb ik dertig jaren besteed aan de worsteling om hem scherp in beeld te krijgen.

Ik ben geboren in 1966, in een rustige woonwijk in Brooklyn, als tweede kind van ouders die nog maar net volwassen waren. Ik had een ouder zusje, Debra en als stiefbroer een tiener die wij oom Joe noemden. Mijn grootvader DeMeo stierf toen Joe nog een baby was, en omdat oma DeMeo zonder Joe terugkeerde naar haar Italiaanse geboortegrond, namen mijn ouders hem op als hun eigen kind. Wij vormden met zijn vijven een gelukkig, traditioneel Italiaans-Amerikaans gezin. Een jaar later verhuisden we naar het voorstadje Massapequa, waar mijn jongere zusje Lisa werd geboren. Oma keerde kort voor Lisa's geboorte terug naar Brooklyn, waar ze introk bij haar beste vriendin, mevrouw Profaci, die door mij 'mevrouw P.' werd genoemd. De familie was weer verenigd.

Mevrouw P. woonde iets verder in dezelfde straat waar het twee verdiepingen tellende, halfvrijstaande huis stond waarin mijn vader was opgegroeid. In de lente was het een groene buurt met een hoog, door de jaren verdicht bladerdak en met in vrijwel elke voortuin een aan de Maagd Maria gewijd kapelletje. Het hoog oprijzende, bakstenen herenhuis van de Profaci's domineerde de rustige straat. Twee keer per jaar, tot ik een jaar of vijf, zes was, nam mijn vader me mee naar mijn grootmoeder. We liepen dan de Flatbush Avenue af en kwamen via een wirwar van zijstraten bij het huis van mevrouw Profaci.

Dat huis leek een andere wereld, een domein van tijdloze elegantie. De salon stond vol met perfect onderhouden goudgerand Frans meubilair. Voor de ramen hingen lichtgetinte satijnen gordijnen en kanten sierstroken. Met haar hoge hakken en parels was Mevrouw P. al net zo elegant. Wanneer zij zich naar me vooroverboog voor een kus, kringelde de geur van Chanel No. 5 in mijn neusgaten. Met haar tot een sierlijke wrong gevlochten zilverblonde haar leek ze de menselijke belichaming van het vergulde meubilair dat haar huis vulde.

Mevrouw P. bezat geen televisie en daarom werden onze avonden na het diner gevuld met rustige gesprekken in de keuken. Oma en mevrouw P. spraken onderling Italiaans, maar met mij spraken ze Engels. Oma praatte graag over Mevrouw P.'s zwager, Joseph Profaci. Oma bewonderde hem in alles: zijn maatkleding, zijn luxueuze auto, de gulle giften aan zijn familie en bovenal de manier waarop de mensen tegen hem opkeken. 'Jouw grootvader was gewoon een eenvoudige arbeider, Albert,' vertelde ze me, 'maar Joseph Profaci was een bijzonder mens. Ik bid tot God dat jouw vader ooit in zijn schaduw kan staan.' Op een dag vroeg ik mevrouw P. hoe haar zwager zo rijk was geworden, maar zij veranderde van onderwerp. Het kwam mij voor dat mevrouw P. niet graag over hem sprak.

Tien van mijn eerste elf jaren woonde ik in Massapequa op Long Island. Het was een geweldige plek om op te groeien. De straten in onze buurt waren breed en schoon; overal zag je kinderfietsjes op de trottoirs. Het was het soort buurt waar je op een zomernacht volkomen veilig buiten kon slapen. Mijn eerste jaren waren een en al vrolijkheid en tevredenheid. En het middelpunt van mijn gevoel van geborgenheid was mijn vader.

Niemand kon zich een betere vader wensen dan de mijne. Hij was een stevig gebouwde man met donker haar en vriendelijke, bruine ogen, en hoewel hij slechts een meter vijfenzestig lang was, leek hij mij een reus. Hij kon mij oppakken en rondzwaaien alsof ik een bolletje watten was en dat deed hij vaak. Ik hield ervan op zijn schouders gedragen te worden. Hij bracht meer tijd met mij door dan enige andere vader in de buurt tijd aan zijn kinderen besteedde. De meeste andere vaders waren brandweerlieden, politieagenten, onderwijzers of eigenaren van kleine bedrijven, die op het eiland werkten en alle ochtenden om negen uur op hun werk moesten verschijnen. Mijn vader was anders. Hij was 's morgens thuis en daarom bracht hij me naar school, terwijl mijn moeder het huis aan kant maakte en het middageten voorbereidde. Als de andere kinderen hun moeders een afscheidskus gaven, omhelsde ik mijn vader. Soms, als hij me uren later ophaalde, bracht hij een donut voor me mee. Wat mijn vader voor de kost deed wist ik niet zo precies en dat interesseerde me ook niet. Ik was gewoon graag bij hem.

Op zonnige weekeinden nam vader mijn zusjes en mij mee voor trektochten in het naburige natuurreservaat. Hij hield ervan met ons de natuur in te gaan. Vader, onze Duitse herder Major, mijn zusjes en ik gingen dan na het ontbijt op pad, gewapend met door mijn moeder ingepakte zakjes oud brood. Het voetpad achter het huis van onze buren leidde naar een spoor tussen de bomen en, ongeveer een halve kilometer verder, naar een reservaat met bossen en een klein meer. In dat meer zwommen veel eenden en zwanen en mijn zusjes en ik hurkten bij de waterkant om ze met de stukjes oud brood naar ons toe te lokken. Daarna dwaalden we door het bos tot we moe werden. Als het tijd werd om te rusten, wandelden we naar de grote boomstronk bij onze favoriete boom om daarop te gaan zitten. Vader had altijd een zakmes bij zich. Op een middag nam hij het mes uit zijn zak en sneed hij al onze namen in de boom, samen met de datum. Voortaan was het onze boom en wij gingen er als het maar even kon naartoe. Het werd een DeMeo-familiegeheim, ons bijzondere plekje in het bos.

Soms nam vader mij in het weekeind mee voor tochtjes in de auto. Op een zaterdag zei hij me dat we naar het vliegveld gingen, om iemand te ontmoeten die Oom Vinny heette. 'Oom Vinny is niet echt familie van ons, Allie, alleen maar een vriend van mij,' vertelde hij me, terwijl hij de auto bij de aankomsthal parkeerde. Ik was zo geïnteresseerd in de vertrekkende en landende vliegtuigen dat ik nauwelijks oplette toen vader mij aan oom Vinny voorstelde.

'Hoe gaat-ie, Albert?' vroeg Vinny, terwijl hij zich vooroverboog om mijn hand te schudden. Hij droeg een blauw uniform, zijn naam stond gebor-

duurd op zijn overhemd. Wij liepen met Vinny de bagageafdeling binnen
zodat mijn vader met hem kon praten, maar ik verstond er niets van door de
herrie van de vliegtuigen. Ik verkende de stoffige bagageruimte terwijl vader
en oom Vinny in gesprek waren. Vinny keek bijzonder ernstig en zwaaide
veel met zijn handen terwijl mijn vader zijn hoofd schudde zoals hij dat
deed als ik stout was. Ten slotte overhandigde oom Vinny vader een enveloppe en wij vertrokken.

Al snel daarna zag ik oom Vinny weer. De volgende zaterdag, vroeg in
de ochtend, kwam Vinny aanrijden in een stationcar vol met kratten vers
fruit. Mijn zusjes en ik stelden ons op aan de kant van de weg om te kijken
hoe hij de houten kratten naar binnen droeg. Wij hadden nog nooit zoveel
soorten fruit gezien. Behalve de bekende bananen en sinaasappelen was er
exotisch fruit als guava, dat zelfs mijn moeder nog nooit had gezien. Moeder
schudde haar hoofd en mompelde dat er genoeg was voor de halve buurt.
Oom Vinny glimlachte charmant: 'Een cadeautje voor u en de kinderen,
mevrouw DeMeo.' De volgende zaterdag bracht hij ons dozen geïmpor-
teerde chocolade. Het weekend daarna bracht hij prachtige London Fog
regenjassen mee voor de kinderen. Ik liep hem na naar de achterzijde van de
auto en vroeg hem waar hij al die spullen vandaan had.

'Ze zijn V-V-G, Albert,' vertelde hij me. Toen ik hem niet begrijpend
aankeek, knipoogde hij naar me: 'Je weet wel, V-V-G. Van Vrachtwagens
Gevallen.' Dat verbaasde me. Hoe konden vrachtwagenchauffeurs zo dom
zijn? Dit waren veel spullen. Die moesten verschrikkelijk veel geld waard
zijn. Oom Vinny had meer jassen meegebracht dan we konden gebruiken en
daarom gaf moeder de rest aan de beste vrienden van mijn ouders in het
woonblok, Barbara en Jim, voor hun kinderen. Jim was politieagent en verdiende niet veel, dus Barbara was heel blij met de jassen. Vinny bleef ten
minste één keer per week spullen bij ons afleveren. Na een tijdje begon ik
me af te vragen waarom de vrachtwagenchauffeurs die spullen niet gewoon
opraapten als ze niet beschadigd waren.

Ten slotte vroeg ik mijn vader ernaar. Hij keek me even aan, glimlachte
en zei: 'Jongen, kun je een geheim bewaren? Tussen mannen onder elkaar?'

Natuurlijk kon ik dat. Ik was er trots op dat vader mij vertrouwde.

'Oom Vinny steelt dingen. Hij is een aardige vent, maar hij steelt zo
ongeveer alles wat hem onder handen komt. En hij wedt veel op paarden,

daarom heb ik hem wat geld geleend en dat kan hij niet terugbetalen, omdat hij doorgaat met wedden. Dit is zijn manier om me terug te betalen. Ik vraag hem nooit waar die spullen vandaan komen. Dat wil ik niet weten.'

Oom Vinny een dief? Maar hij leek zo aardig, en ik voelde dat vader hem aardig vond. Als mijn vader hem aardig vond, moest hij wel oké zijn.

De zaterdagen waren oké, maar zondag was de beste dag van de week. Mijn vader stond 's zondags vroeg op om het ontbijt voor ons klaar te maken. Mijn zondagse wekker was het geluid van de citruspers, waarmee vader vers sinaasappelsap voor bij het eten maakte. Op een ochtend, laat in de lente, verdrongen mijn zusjes en ik elkaar in de keuken, waar de tafel beladen was met stapels pannenkoeken, boter en warme stroop, gebakken aardappels, eieren naar keuze en bacon en worstjes. Wij aten tot we maagpijn kregen en vader keek glimlachend toe hoe wij genoten. Daarna jaagde moeder ons de trap op om ons klaar te maken voor de kerk.

Een halfuur later waren we allemaal weer beneden, in onze zondagse kleren. Mijn zusjes hadden mooie jurkjes aan en lakschoentjes, en ik droeg een net pak en een das; mijn schoenen waren gepoetst en mijn nagels verzorgd. Terwijl vader de ontbijtspullen opruimde, reed moeder met ons naar de plaatselijke lutherse kerk, waar ze ons naar onze respectievelijke klaslokalen bracht. Daarna vertrok ze om boodschappen te doen in de tijd dat mijn zusjes en ik de lessen van de zondagsschool volgden en de mis bijwoonden. Ze ging nooit met ons mee. Moeder was luthers opgevoed en vader katholiek. Geen van beiden waren ze nog belijdende christenen, maar ze wilden dat wij opgroeiden met een geloof in God en goede normen en waarden, gewetensvol, welgemanierd, eerlijk en respectvol. Ik was beleefd en welgemanierd in de kerk, maar ik vond de meeste lessen vervelend. Na de les pikte moeder ons op met de Cadillac en bracht ons naar huis, waar het middagmaal werd bereid en de gezelligheid wachtte.

Kort nadat we van de kerk thuis waren gekomen, parkeerde oom Joe zijn limousine op onze oprit. Joe had de limo voor honderd dollar gered van het autokerkhof en hij had de carrosserie zelf opgeknapt. Met mijn vader en zusjes had ik wekenlang elke zaterdag op het autokerkhof zitten toekijken hoe Joe aan de auto werkte. Hij gebruikte een hijskraan om de auto op de ene zijde te kantelen, daarna op de andere, enzovoort. Iets gavers hadden wij kinderen nog nooit gezien. Het was een glanzende, zwarte Fleetwood

Cadillac, model 1960, met alle extra's: leren banken, radio, intercom en telefoon. Toen oom Joe hem eindelijk rijklaar had gemaakt, gebruikte hij hem
om ons op zondagmiddagen mee uit rijden te nemen. Op een zondag bracht
hij ons naar *Coney Island Joe's*, voor de beste hamburgers en hotdogs in de
stad; de volgende zondag propte hij ons met een dozijn buurkinderen in de
wagen om een ijsje te kopen. We maakten ruzie wie er als boordschutter
voorin mocht zitten. Wij kregen hoorntjes met twee scheppen ijs en daarna
reden we terug voor het zondagavondmaal. Mijn zusjes hadden ieder een
vriendinnetje uitgenodigd om met ons mee te eten. Ik wilde niemand uit-
nodigen. Ik gaf er de voorkeur aan bij vader en Joe in de werkplaats of in de
tuin rond te hangen, met gesprekken over mannenzaken, zoals auto's.
Barbara en Jim kwamen later in de middag met hun kinderen. Jim deed
nooit zondagdienst. Hij kwam de trap af naar vader en Joe en mij. Barbara
ging naar binnen om moeder te helpen.

Zondag was 'sausjesdag' voor onze uitgebreide Italiaanse familie. Tegen
de tijd dat wij met Joe thuiskwamen had mijn moeder urenlang staan koken
in de grote keuken beneden. Ze had dan ingrediënten gehakt voor de marinarasaus, deeg gekneed voor zelfgemaakte pasta en worst fijngemalen voor
Italiaanse gehaktballetjes. Barbara waste en mengde de groenten voor de
slaatjes en sneed het brood. Oom Vinny had die ochtend een aantal mandjes met vers brood bezorgd. Terwijl wij de vorige dag met vader op stap
waren, had moeder desserts klaargemaakt: chocoladecake, taart en drie soorten koekjes. Gedurende onze verplichtingen in de kerk had vader ook zijn
specialiteit bereid – zabaglione: een eiervla, bereid met muskaatwijn en
warm geserveerd over het fruit. Om het uur ging ik het huis in om van het
lekkers te proeven. De geuren in de warme keuken bezorgden me een zwe-
verig gevoel in het hoofd. Mikey Hammer en zijn vrouw kwamen om ongeveer vier uur de keuken binnenlopen. Evenmin als oom Vinny was Mikey
werkelijk familie, maar dat zou je niet zeggen. Mijn ouders kenden hem nog
van de jaren in Brooklyn. Oom Mikey was een van mijn favoriete ooms. Hij
was stevig en sterk, met grijs haar en handen als kolenschoppen. Hij was
tevens zo goed als doof. Ik moest schreeuwen om gedag te zeggen. De
vrouw van Mikey en mijn moeder begonnen over tuinieren te praten en
daarom daalde oom Mikey af naar het souterrain waar de mannen over
auto's praatten.

Alles was volmaakt totdat mijn grootmoeder opstond van haar middag-
dutje. Oma DeMeo was de vorige middag toen ik met vader op stap was, in
vol ornaat gearriveerd. De eerste aanwijzing dat ze zou blijven overnachten
kreeg ik toen ik tegen bedtijd haar ondergoed in de badkamer zag hangen.
Mijn grootmoeder droeg altijd een grote korset-brassièrecombinatie, gestut
door forse baleinen die sterk genoeg waren om het geheel zelfstandig
rechtop te laten staan. Ik begreep niet waarom iemand een dergelijk martel-
werktuig wilde dragen. Haar binnenkomst overschaduwde de vrolijke keuken. Ze zat kaarsrecht op de kunstlederen stoel, met een onberispelijk verzorgd kapsel en haar gezicht uitgebreid opgemaakt. Oma was een statige
vrouw, met een flink ontwikkelde boezem en overdreven ijdel. Ze leek de
hele ruimte te vullen. Plotseling getroffen door claustrofobie haastte ik me
naar de tuin om mijn vader te zoeken.

Precies op het moment dat moeder klaar was met het avondeten arriveerde tante Marie met mijn neven. Mijn vader dwong me hen gezelschap
te houden. Benny, de oudste, was tien jaar ouder dan ik en gedroeg zich op
een manier waarbij ik me niet op mijn gemak voelde. Hij was altijd bezig
ons huis te controleren en telkens als vader een nieuwe auto had keek Benny
me met een vreemd lachje aan. Ik begreep zijn veelbetekenende grijns niet.
Die avond, gezeten op de bank bij onze grote roodhouten picknicktafel,
staarde hij als gehypnotiseerd naar mijn vader. Er was iets aan de manier
waarop hij naar mijn vader keek die me niet beviel. Ik ging terug naar
binnen, waar mijn grootmoeder was begonnen de tafel in de eetkamer voor
het avondeten te dekken.

Oma had een grote braadpan meegebracht, met daarin haar speciale
lasagne en toen ze die op het kanten tafellaken zette, kreeg ik een ingeving.
Toen ze terugliep naar de keuken rende ik naar mijn kamer om de rubberen
hondenuitwerpselen te pakken die ik had gekocht in mijn favoriete feestartikelenwinkel. Ik sloop terug door de hal en drapeerde ze zorgvuldig op
oma's fameuze lasagne. Zij was al bijna klaar met het tafeldekken voordat ze
het opmerkte. Zij greep naar haar borst, werd paars en begon Italiaanse ver-
wensingen te krijsen. Ze pakte een houten pollepel, rende de trap af en de
tuin in, op zoek naar de hond. Tegen de tijd dat ik haar had ingehaald, had
ze het arme dier al bij zijn halsband vastgegrepen en begon ze hem te slaan,
terwijl de hond huilde van angst. Mijn vader schreeuwde: 'Wat ben je ver-

domme aan het doen? Laat die hond los!' Ze liet de halsband los, gaf hem nog een laatste schop en ging het huis weer in.

'Moet je zien wat hij gedaan!' raasde ze, terwijl mijn vader haar de trap op volgde. Ze stormde de eetkamer weer in en wees ze op de braadpan. 'Dat stomme beest, hij poepen mijn lasagne helemaal onder!'

Ik had tegen die tijd al meer dan een minuut aan haar mouw getrokken en eindelijk merkte ze dat. 'Wat wil je toch, Albert?' zei ze, zich lostrekkend.

'Oma, het was niet de hond, ik was het. Ik heb het gedaan. Ik had wat namaakhondenpoep uit de winkel.'

Haar gezicht vertrok. 'Jij doet wat? Ik zal je...' Ze pakte me bij mijn pols en boorde haar tanden zo diep in mijn onderarm dat er bloed vloeide en daarna begon ze met de houten pollepel, die ze nog steeds in haar andere hand hield, op mijn hoofd te slaan.

Tegen die tijd was mijn moeder uit de keuken gekomen en ik hoorde haar roepen: 'Mama, in godsnaam!' Het volgende wat ik weet is dat mijn vader me de keuken indroeg, terwijl mijn moeder probeerde mijn grootmoeder te kalmeren.

Teneinde oma van haar zenuwaanval om de geruïneerde lasagne af te leiden stelde moeder voor dat we buiten zouden gaan eten, omdat het zo'n prachtige avond was. Barbara en de vrouw van oom Mikey pikten de hint snel op en begonnen het voedsel en de borden naar buiten te dragen, naar de picknicktafel waaraan de mannen zaten. Het was een enorme roodhouten tafel die vader voor ons had laten maken. Hij was drie meter lang en er konden bijna twintig mensen aanschuiven. Mijn moeder hielp oma in een stoel, op een warm plekje en maakte de tafel klaar voor het eten.

Het was die avond prachtig in de tuin. De kinderen van Barbara speelden op de grote schommel en Lisa was in het speelhuis dat vader daar vlak naast had gebouwd, in de schaduw van de grote boom. Ik wilde gaan zwemmen, maar mijn vader vond het water te koud. Mijn vader en ik hadden de vorige zomer een viereneenhalf bij negen meter groot zwembad met een houten plankier gebouwd. Ook hadden we voor moeder aan de voor- en zijkanten van het huis een rozenperk aangelegd, waardoor de tuin in de avondlucht naar rozen geurde. Reusachtige, gele zonnebloemen, dubbel zo hoog als ik, flankeerden de picknicktafel. Mijn grootmoeder had geen oog voor al dat moois. Ze bleef klagen hoe ziek ze was, hoe onbemind, hoe verwaarloosd.

'Albert,' zei ze, 'jij bijna mijn dood met jouw grapjes. Wacht maar. Een van deze ochtenden word ik wakker en ik ben dood!' Mij leek ze zo sterk als een os. Ik liep naar de glijbaan en begon omhoog te klimmen. Vader ging terug het huis in om nog een fles wijn te halen.

Ik was halfweg op de glijbaan toen ik aan de voet van de boom een eekhoorn zag zitten. Iets aan het dier zag er niet goed uit en daarom liep ik naar de plek waar de volwassenen zaten en zei dat er iets mis was met de eekhoorn bij de boom. Binnen enkele seconden brak er een enorm tumult uit.

Iedereen rende erheen om te kijken en mijn grootmoeder had het nog niet gezien of ze begon hysterisch in het Italiaans te schreeuwen: 'Roy, kom vlug, er is een hondsdolle eekhoorn!' Mijn tante begon de kinderen naar de andere kant van de tuin te jagen, terwijl vader naar buiten kwam rennen om te zien waar al dat geschreeuw voor nodig was.

Hij hoefde alleen maar even te kijken om te zien dat mijn grootmoeder gelijk had. Hij greep de grote roodhouten tafel beet, duwde die om en riep dat iedereen naar de veilige kant achter die versperring moest gaan. Voedsel en eetbenodigdheden vlogen alle kanten op. We kropen allemaal achter de tafel en vader stoof de garage in. Een paar seconden later kwam hij met zijn geweer in de hand terug. Tegen die tijd was de eekhoorn bang geworden van alle commotie en rende hij opgewonden door de tuin. Mijn grootmoeder, die de hele tijd doorging met gillen, schreeuwde uit alle macht: 'Schiet, Roy, schiet!' en mijn vader legde aan.

Tegelijkertijd riep hij: 'Bukken! Bukken!' en hij opende het vuur op de eekhoorn. De kogels troffen de eekhoorn terwijl hij over het roodhouten plankier naar het zwembad stoof, ze doorboorden het lichaam van de eekhoorn en de zijwand van het bad. De eekhoorn strompelde en er begon water uit de zijkanten van het bad te gutsen. Mijn vader rende terug de garage in om het geweer weg te bergen en iets te zoeken om het water te stoppen. Wij gingen snel kijken of de eekhoorn echt al dood was. Vader riep waarschuwend: 'Blijf daar weg, kinderen! Raak hem niet aan! Het is nog steeds gevaarlijk!'

Al die tijd was mijn grootmoeder zo hard mogelijk blijven gillen, in een mengsel van Italiaans en Engels. 'Hij heeft hem gedood! O mijn god, Roy heeft hem gedood!'

Terugrennend, met lappen in zijn handen om het water te stoppen, schreeuwde mijn vader woedend: 'Jij zei dat ik moest schieten! Jij wilde dat ik schoot!', maar oma ging door met haar klaagzang.

Inmiddels had mijn moeder, die met Barbara in de keuken was, het geweervuur gehoord en rende ze in paniek naar de achterdeur, net op tijd om oma te horen schreeuwen: 'Roy heeft hem gedood!' Ik keek op en zag mijn moeder in de deuropening staan, afschuw op haar gezicht. Ze riep naar mijn vader: 'O mijn god, Roy! Roy! Zeg me dat je niemand hebt neergeschoten! Zoiets doe jij toch niet!'

De kinderen werden naar binnen gestuurd en de volwassenen ruimden de boel op, stopten de gaten in het bad en begroeven de eekhoorn. Benny en ik gingen naar beneden om in de hobbykamer tv te kijken en dat deden de meisjes ook, in de woonkamer boven. Er was een film, genaamd *The Valachi Papers*, met Charles Bronson als Joe Valachi, een van de eerste mannen die de FBI informatie over de maffia verschafte. Ik zou er niet veel aandacht aan besteed hebben, ware het niet dat Benny maar naar me bleef omkijken. Ik vroeg me af wat er mis was met hem. Na ongeveer een halfuur film kwam er een scène waarin Joseph Profaci, de peetvader van de maffiafamilie, de mannen kiest die voor hem willen werken. Neef Benny draaide zich met een vette grijns op zijn gezicht naar me toe en zei: 'Je weet toch wel wie dat is? Dat is de zwager van mevrouw P.!'

'O, eh-eh,' antwoordde ik, 'oma praat wel eens over hem.' Ik begreep niet wat hem bezielde.

Benny begon te lachen. Ik wist dat hij mij uitlachte, maar ik begreep de grap niet. Ik had altijd al het gevoel dat Benny iets bedoelde zonder het te zeggen. Wanneer hij me aan iemand voorstelde zei hij nooit: 'Dit is mijn neef Albert.' Hij zei altijd: 'Dit is Albert, je weet wel, de zoon van Roy DeMeo, daar heb ik je al over verteld,' en de ander bekeek me dan van top tot teen, alsof ik een zeldzame diersoort was.

Iets later haalden mijn vader en oom Joe wat hamburgers en hotdogs bij het restaurantje in de buurt en we aten allemaal in stilte boven, aan de keukentafel. Allemaal, behalve oma, die niets naar binnen kon krijgen. Zij hield niet op te zeggen dat haar hart zo snel sloeg, dat ze vast weer een hartaanval kreeg, dat niemand zich ooit om haar welzijn en veiligheid bekommerde. Voor één keer was zowaar ook mijn vader te moe om haar dit uit het hoofd te praten. Ik was opgelucht toen tante Marie 's avonds afscheid nam en oma en mijn neven meenam. Oom Mikey en zijn vrouw vertrokken korte tijd later, weldra gevolgd door Jim en Barbara.

Iedereen zag er moe en een tikje neerslachtig uit en daarom zei mijn vader: 'Wat dacht je van een paar moppen, Albert?' Bijna elke zondag vertelde ik moppen na het eten. Het was een vast ritueel. Iedereen hielp mijn moeder met afruimen en terwijl zij de spullen in de vaatwasmachine stopte, pofte vader een grote ketel Jiffy Pop popcorn, die hij naar de woonkamer bracht. Tegen die tijd zat ik dan klaar met mijn doos vol spullen uit de feestwinkel aan het eind van de straat. Ik had daarin allerhande soorten grappige brillen: Groucho Marx-brillen met een snor en neus, röntgenbrillen, brillen met oogballen die grillig bewogen aan het uiteinde van kronkelende metalen draadjes en Chinese brillen met spleetogen. Die avond zette ik de snorbril op en ik deed mijn beste imitatie van Groucho. Iedereen lachte, zelfs mijn zusjes, en al snel voelden we ons een stuk beter.

Daarna pakte vader Lisa's favoriete teddybeer op van zijn vaste plek aan het einde van de bank en plaagde haar door te zeggen dat het nu zijn beer was. Het was haar meest geliefde spel. Ze krijste: 'Pappa!' en dook naar de beer als mijn vader hem wegtrok. De jacht was begonnen, mijn vader rennend en wegduikend door de woonkamer, met Lisa op zijn hielen. Toen ze te dichtbij kwam, greep vader haar beet en gooide haar in de lucht. Moeder protesteerde dat hij haar zou laten overgeven, zo kort na het eten. Hij reageerde daarop door mij met zijn andere arm op te tillen en ons allebei te kietelen. Pas toen het schreeuwen en giechelen ons had uitgeput, werden we weer neergezet. Het was tijd voor *The Wonderful World of Disney*. Wij moesten van moeder eerst onze pyjama's aantrekken en daarna kropen we bij vader op de bank om popcorn te smikkelen en tv te kijken. Tegen die tijd eiste de opwinding van die dag zijn tol en ik begon aan mijn vaders brede borst in te dutten. Lisa lag al vast in slaap tegen zijn andere schouder. Ik kroop dichter tegen hem aan en vaders bostharen prikten door zijn gebreide hemd heen in mijn oor.

Hij tilde ons elk op een arm en droeg ons de donkere hal door. Met Lisa nog steeds op zijn andere arm, legde hij mij voorzichtig in bed en trok de deken op tot onder mijn kin. Die nacht viel ik in diepe slaap, boordevol voedsel en tevredenheid.

De meeste weekends brachten we thuis door, samen met mijn moeder en
zusjes. Toch moest mijn vader soms wat zaken doen op de zaterdagen. Vanaf
ongeveer mijn vijfde jaar begon hij me mee te nemen op sommige van zijn
zaterdagse boodschappen. Dan gingen we meestal naar Long Island, waar
vader een autoshowroom had, of naar winkeltjes en kantoorgebouwen. Ik
vond het fijn om in de grote wagen te rijden en zijn interessante kennissen
te ontmoeten. Het was op die zaterdagse uitjes dat ik langzamerhand vertrouwd raakte met de vele 'ooms' die zo'n vast onderdeel van mijn leven zouden worden. Zij vonden mij aardig en ik hen ook. In het bijzonder hun bij-
namen interesseerden me.

Zo was er mijn oom Frankie, ook bekend onder de naam Frankie the
Wop. De dag dat ik hem voor een groentewinkel ontmoette, zat hij op een
gammele houten stoel melk te drinken en repen Kit Kat te eten. Mijn vader
stelde ons aan elkaar voor en de grinnikende oom Frankie gaf me een volle
doos Kit Kats. Ik was opgetogen. Oom Frankie was de dikste man die ik
ooit had gezien. Iemand die hem kende vertelde me dat hij tweehonderd
pond woog. Oom Frankie deed zaken met mijn vader. Tenminste, dat vertelde mijn vader me, hoewel Frankie nooit iets anders leek te doen dan eten.
Zijn favoriete bezigheid was naar zaken gaan waar je 'onbeperkt' kon eten
en daar de hele dag te blijven. Vader vertelde me dat oom Frankie dan at tot
zijn maag de tafel aanraakte. Na een tijdje begonnen de restaurants waar ze
oom Frankie kenden hem te betalen om weg te gaan. Op een dag ging oom
Frankie in een van de restaurants naar het toilet en hij zat nog niet op de wc
of er vloog een mug naar binnen. Oom Frankie raakte in paniek en probeerde hem met de houten pleeborstel weg te jagen. Tevergeefs. Hij pakte
de wc-verfrisser om het insect weg te spuiten. Dat hielp ook al niet en hij
was nu werkelijk in alle staten. Hij was zelfs bang op te staan van de bril, uit
angst dat daardoor de aandacht van de mug getrokken zou worden, vooral
omdat hij in dat nauwe hok zijn blote achterwerk nauwelijks kon keren. Ten
slotte trok hij wanhopig zijn .38 pistool en schoot de mug neer. Toen de
politie hem een paar minuten later kwam arresteren wegens het gebruik van
een vuurwapen, waren ze stomverbaasd. Hij had de mug met één enkel
schot geraakt.

Ik ontmoette op onze zaterdagse tochtjes ook nog een andere oom
Frankie. Deze oom Frankie had als bijnaam Frankie Elbows. Volgens mijn

vader was dat omdat zijn armen zo lang waren dat iedereen grapte dat zijn ellebogen over de grond sleepten, zoals die van een chimpansee. Frankie Elbows was een begrafenisondernemer die mijn vader af en toe hielp bij diens zaken.

Een oom die nooit bij ons thuis kwam, was mijn oom Nino. Zijn echte naam was Anthony Gaggi en hij was een zakenpartner van vader. Thuis had ik zijn naam al heel vaak horen noemen. Soms kwam mijn vader 's avonds thuis met wat speelgoed of kleingeld en dan zei hij dat het van oom Nino was. Ik was een jaar of zes toen ik hem eindelijk ontmoette.

Vader had me op een zaterdag in de auto mee naar de stad genomen, waar hij was gestopt om met een paar bekenden van hem te praten. We waren alweer op weg naar huis om te eten, toen vader in Manhattan bij een publieke telefooncel stilhield om even te bellen. Nadat hij weer was ingestapt zei hij me dat we nog een bezoekje moesten afleggen voordat we naar huis gingen. Wij reden nog een aantal kilometers verder, naar een kapperszaak in de buurt van de financiële wijk. Tegen de tijd dat we de auto parkeerden en uitstapten was het al bijna donker.

Terwijl we naar de kapperszaak wandelden, kwam er een man naar buiten. Hij was van middelbare leeftijd, had een duur Italiaans pak aan en zijn zwarte haar begon al aardig uit te dunnen. Er hing een aura van macht om hem heen die ik meteen voelde. Ondanks de invallende duisternis droeg hij een zonnebril met zwarte glazen die zijn ogen volledig verborgen. Ik herinner me hoe vreemd ik dat vond. Nooit eerder had ik iemand 's avonds een zonnebril zien dragen. Hoe kon hij daarmee zien nu het buiten toch al zo donker was?

Nino draaide zich naar ons toe en begroette mijn vader hartelijk door hem te omarmen en op zijn rug te slaan. Mijn vader bleef oom Nino glimlachend aankijken. Het was voor het eerst dat ik zag hoezeer mijn vader zijn best deed iemand te plezieren. Daarna boog Nino zich naar mij toe en hij stelde zich voor als mijn oom Nino. Hij was erg aardig, erg vriendelijk. Ik kuste hem gehoorzaam op de wang, zoals ik dat geleerd had: het gebruikelijke teken van respect. Nino glimlachte naar me en ik vroeg me af of zijn ogen ook glimlachten. Later vroeg ik vader wat voor kleur Nino's ogen hadden. Donkerbruin, zei hij. Die avond kreeg ik Nino's ogen niet te zien, geen enkele avond trouwens. Hij zette die donkere bril nooit af.

Na nog wat heen en weer lachen met mijn vader en na te hebben gepronkt met de nieuwe jas die zijn vrouw voor hem had laten maken, begonnen oom Nino en mijn vader de straat in te lopen, zacht pratend onder het wandelen. Ik liep stilletjes naast mijn vader te luisteren naar hun vreemde gesprek waarvan ik niets begreep.

'Heb je dat zaakje geregeld waar we het over hebben gehad?' vroeg oom Nino.

'Dat is geregeld.'

'En die andere toestand?'

'Precies als afgesproken.'

'*Bene.*' Daarna wendde oom Nino zich tot mij: 'Zo, Albert, ik heb gehoord dat je nu naar school gaat. Hoe bevalt het je daar?'

Ik zei dat het prima ging. Na nog wat minuten beleefdheden te hebben uitgewisseld nam Nino afscheid van ons en vervolgde zijn weg door de straat.

Toen we een paar minuten later weer in de auto zaten, vroeg ik: 'Is oom Nino jouw baas, pappa?'

Vader dacht een moment na. 'Niet echt. Hij is meer een collega. Wij werken voor dezelfde familie.'

Dat was interessant. 'Werkt oom Nino voor onze familie?'

'Niet onze familie, jongen, niet zoals jij dat bedoelt. Oom Nino loopt al wat langer mee dan ik en daarom hecht ik waarde aan wat hij zegt. Het is belangrijk te luisteren naar mensen met meer ervaring.'

Ik knikte nadenkend. Oom Nino moest wel erg belangrijk zijn als vader zich tot hem wendde voor advies. Mijn vader wist alles.

······································

twee

Eerste lessen

Mijn eerste schoolfoto;
mijn vader in 1959, na zijn
examen van de middelbare school

Onderricht de knaap hoe zijn weg
dient te zijn en zelfs in zijn
ouderdom wijkt hij er niet van af.

Spreuken 22:6

In de eerste klas vroeg de onderwijzer ons de klasgenootjes te vertellen wat het beroep van onze vaders was. De andere kinderen stonden een voor een op en vertelden dat hun vader dokter was, of zakenman. Toen het mijn beurt was, kreeg ik het benauwd. Ik wist niet wat ik moest zeggen. Ik wist niet precies wat mijn vader deed. Wat het nog erger maakte, was dat een paar kinderen uit mijn buurt elkaar aankeken en vreemd glimlachten toen ik mijn verhaal moest vertellen. Daarom vroeg ik mijn moeder mij naar de bibliotheek te brengen en daar pakte ik een van die kinderboeken over 'Wat vaders doen', waarin ik probeerde het beroep van mijn vader te vinden. Maar hoe langer ik zocht, hoe meer ik in de war raakte. Mijn vader droeg een wapen, maar hij was geen politieagent. Hij moest gevaarlijk werk doen, waarom anders dat wapen? Hij droeg een pak, maar hij werkte niet op een kantoor. Hij had geen kantoor en zijn pakken leken niet op de pakken die andere vaders droegen. Hij droeg maatpakken, maar nooit een gesteven hemd met een das. Door het boek bladerend kreeg ik maagpijn, maar toch vroeg ik het niet aan mijn moeder.

Ik begon ook thuis verschillen te ontdekken. De vaders van mijn schoolkameraadjes werden altijd met hun beroep aangeduid: Jimmy's vader was politieagent, die van Tony monteur. Maar niemand in de buurt zei ooit maar iets over wat mijn vader voor de kost deed. Als ze bij ons langskwamen voor een praatje, spraken de meeste vaders over wat zij op kantoor deden, of in hun politiedistrict. Ze vroegen elkaar hoe het op het werk was. Geen van de andere mannen vroeg ooit naar mijn vaders werk. Ik vroeg me af waarom.

Zelfs thuis sprak niemand over mijn vaders werk. Op een zondagavond, tijdens het eten, vroeg mijn tante Marie me wat ik wilde worden als ik groot was. Ik antwoordde prompt: 'Hetzelfde als mijn vader.'

Zij en mijn moeder keken elkaar aan en na enige stilte zei mijn moeder: 'Nee, Al, dat wil je niet. Je moet iets kiezen dat *jij* wilt.' Ik keek neer op mijn bord en wist niet wat ik moest zeggen.

Daarom verzon ik maar wat, de volgende keer dat iemand me vroeg wat mijn vader deed. Daarmee zette ik de eerste stap op weg naar het belangrijkste overlevingsmechanisme in een criminele familie: liegen. Waar andere kinderen naar sprookjes luisterden, leerde ik om die te vertellen. Omdat niemand mij de benodigde antwoorden gaf, voorzag ik daarin zelf en ik probeerde te geloven dat ze waar waren. Als iemand me ernaar vroeg, zei ik dat mijn vader auto's verkocht.

Ook andere vreemde kleinigheden begonnen me op te vallen. Ik vroeg me af waarom mijn vader overdag zo laat naar zijn werk ging en soms pas lang na middernacht thuiskwam. Ik vroeg me af waarom hij altijd een zakje met kleingeld voor de publieke telefooncel bij zich droeg. Wanneer wij samen uitgingen stopte hij bijna altijd bij bepaalde telefooncellen om gesprekken te voeren. Soms rinkelde een van die telefoons terwijl ik in de auto bleef wachten, en het telefoontje was altijd voor mijn vader. Hoe wist hij dat het voor hem was? Waarom gebruikte hij niet de telefoon thuis, net als andere vaders? En waarom bewaarde hij geld in enveloppen en niet in zijn portefeuille?

De buren waren over het algemeen vriendelijk. Maar als zij dachten dat ik niet keek stootten zij elkaar aan als mijn vader om de zes maanden een nieuwe auto op de oprit parkeerde. Niemand anders had zo vaak een nieuwe auto als wij. Ook kende ik niemand die zoveel geld had als wij. Mijn zusjes en ik kregen een aantal keren per jaar een nieuwe garderobe. Onze nagels werden geregeld gemanicuurd. Maar toch vonden de buren ons aardig, of misschien verbeeldde ik me dat maar.

Over het algemeen ging het tamelijk goed op school. Ik had wat problemen met schrijven en daarom huurden mijn ouders een leraar om me bijles te geven. Elke dag na schooltijd zat ik dan met hem te werken aan de grote tafel in de kleine keuken boven. Gelukkig leerde ik snel en goed te lezen; tegen de tijd dat ik overging naar de tweede klas, kon ik lezen als een zesdeklasser. Ik was beleefd en goedgemanierd en de onderwijzers leken me aardig te vinden. Ik kon het ook best wel goed vinden met de andere kinderen, maar ik nodigde ze haast nooit uit bij mij thuis te komen spelen. Dat leek me op de een of andere manier niet zo'n goed idee. Ik had ook geen boezemvriend, zoals de meeste kinderen die hebben als ze naar school gaan. Mijn vader bleef mijn beste vriend. Met hem bracht ik mijn weekends door en hij begon naarmate ik ouder werd aan het langzame proces om mij steeds meer in zijn wereld te introduceren.

Dat gebeurde meestal op de zaterdagen, als Debra bij haar vriendinnen van de brugklas was en Lisa thuis bij moeder. Dan reden vader en ik de Sunrise Highway af en door Long Island, en vader wees me op de merken en het bouwjaar van auto's die we passeerden. Tegen de tijd dat ik zes was kon ik de meeste auto's foutloos identificeren. Af en toe stopten we bij een kapper of een stomerij, waar vader binnenging om een paar minuten later terug te komen en verder te rijden. Hij liet mij dan meestal in de auto wachten omdat het zaken betrof die niet veel tijd vergden. Soms zag ik dat hij, als hij weer naar buiten kwam, een enveloppe in zijn zak stopte. Onze laatste halte was vaak zijn favoriete adres: een van die ouderwetse ijzerwarenwinkels, waar je alles kon krijgen wat je maar wou. De eigenaar was een oude man die de zaak al jaren dreef en mijn vader maakte graag een praatje met hem. Mijn vader beschreef dan het een of ander dat hij nodig had voor een van de karweitjes waarmee we thuis bezig waren en binnen een paar minuten ging de man naar het magazijn om terug te keren met precies het juiste gereedschap of bevestigingsmiddel. Ik herinner me hoe verbaasd ik was toen vader een kristallen deurknop beschreef, waarna de eigenaar terugkwam met een exacte kopie ervan. Het leek wel alsof hij alles wat een mens zich kon wensen in die mysterieuze ruimte achter de winkel in voorraad had.

Mijn vader begon me ook aan meer van zijn vrienden voor te stellen. Een ervan was Freddy DiNome, een vriend van mijn vader uit de vroegere jaren in Brooklyn. Freddy was een dragracer die niet ver van het huis waar mijn vader was opgegroeid een autowerkplaats bezat. Freddy's wedstrijdnaam was Broadway Freddy. Mijn vader vertelde me dat Freddy min of meer een beroemdheid was. Hij racete met zijn auto's in Englishtown, New Jersey, en hij was heel goed. Soms hoorde ik zijn races vermelden op de autoradio als ik met mijn vader op weg was en mijn vader had me in de krant foto's van zijn races aangewezen. Op een zaterdagmiddag nam vader me mee om Freddy in zijn werkplaats in Brooklyn te bezoeken.

Het was een hete zomermiddag toen we op de oprit voor Freddy's garage parkeerden. Wij gingen naar binnen en daar stond Freddy te werken, gebogen onder de motorkap van een auto. Hij had ons niet horen aankomen. De persoon die opkeek na vaders groet was de vuilste mens die ik ooit had gezien.

Freddy was een potige vent van ongeveer een meter vijfenzestig, een fractie korter dan mijn vader, en elke centimeter van hem was vet van de olie. Het leek wel alsof zijn poriën motorolie uitzweetten. Freddy had vuilblond haar, een scheve neus en tatoeages die beide armen bedekten. Zijn tanden waren verkleurd en onregelmatig en zijn vingernagels waren smerig. Mijn vader liet zijn eigen nagels elke week manicuren en het leek me vreemd dat hij een vriend had met rouwnagels. Toch had het gezicht dat op me neerkeek warme bruine ogen, en toen Freddy me optilde om me te omhelzen, terwijl hij riep: 'Dit is dus Albert!', mocht ik hem meteen. Ik mocht hem zelfs nog meer toen hij begon te zoeken naar snoep of limonade om me te trakteren. Een minuutje later kwam hij terug met een ijskoude cola in zijn hand en ik ging gemakkelijk zitten om in het koele duister van de garage mijn cola op te drinken, terwijl hij en mijn vader met elkaar in gesprek waren.

'Ik heb die takelwagen voor je omgekat, Roy,' zei hij, terwijl ze samen naar buiten liepen. Freddy wees naar iets verderop in de straat. Een paar minuten later stopte een andere man voor de garage in een goed onderhouden Chevrolet. Hij stapte uit de wagen en liep naar Freddy en vader. De nieuwe man droeg een donkerblauwe broek en een shirt dat leek op het uniform van een pompbediende, en zijn vingernagels waren bijna net zo zwart als die van Freddy. Die scheen de man te kennen; Freddy knikte naar hem en zei iets tegen mijn vader. Mijn vader en de man spraken heel even met elkaar en daarna liepen ze naar de straat, in de richting waarin Freddy had gewezen. Tegen die tijd was mijn drankje op. Ik wandelde naar de plek waar Freddy en vader hadden staan praten. Een half blok verder zag ik een langs de stoep geparkeerde takelwagen staan, tegenover een leeg parkeerterrein. De nieuwe man liep om de wagen heen, knikte naar mijn vader en nam een witte enveloppe uit zijn zak. Mijn vader pakte de enveloppe aan, liet hem in zijn borstzak glijden en schudde de hand van de man. Ik hoorde de motor van de takelwagen aanslaan en de man reed weg, terwijl mijn vader en

Freddy terugliepen naar waar ik stond te wachten. Mijn vader zei dat het tijd was om te gaan.

'Dank u voor de cola, meneer DiNome,' zei ik, terwijl ik met mijn vader naar de auto liep.

Freddy grinnikte. 'Noem me maar Freddy,' zei hij en mijn vader zei dat ik Freddy gedag moest kussen. Ik plantte een beleefde kus op Freddy's vettige wang en stapte bij mijn vader in de auto.

Zodra we reden vroeg ik: 'Waarom is Freddy's neus zo scheef?'

'Die is een paar keer gebroken.'

'Bij het racen?'

'Ja, maar ook wel bij het vechten.'

Hmm. 'Pappa, wat bedoelde Freddy toen hij zei dat de takelwagen was omgekat? Ik heb geen enkele kat gezien.'

Mijn vader keek me even aan en antwoordde toen: 'Omkatten betekent het veranderen van het nummerbord dat bij een auto hoort. Als je een gestolen auto wilt verkopen, moet je er een nieuw nummerbord op doen, zodat de politie niet kan vaststellen van wie de wagen was.'

Zwijgend verwerkte ik deze informatie. Ik wist al dat mijn vader een wagenpark bezat aan de snelweg, niet ver van ons huis. Hij had me daar vaak genoeg mee naartoe genomen. Nu had hij het ineens over gestolen auto's. Freddy had het nummerbord veranderd, dat had ik hem horen zeggen. Maar de man die langs kwam en de takelwagen kreeg, had een enveloppe aan mijn vader gegeven, niet aan Freddy. Wat zat er in die enveloppe? Soms, als ik bij vader was als hij zich voor het slapen gaan omkleedde, zag ik hem met geld gevulde enveloppen uit zijn zakken nemen en in een lade stoppen. Zat er ook in deze enveloppe geld? Er groeide een kleine knoop in mijn maag. Ik negeerde het. Als mijn vader dit deed, moest het wel in orde zijn.

Hierna zag ik Freddy vaker. Het was me al vanaf het begin duidelijk dat hij mijn vader vereerde. Hij zag naar mijn vader op met de bewondering van een trouwe hond, en een paar weken later kreeg ik te horen waarom.

Vader had me naar Freddy's huis gebracht om met zijn kinderen te spelen terwijl hij en Freddy wat zaken bespraken. Ik was nooit eerder in Freddy's huis geweest en ik vond het er bijzonder gaaf. Het huis stond op bijna twee hectare grond en Freddy's achtertuin leek op een dragracebaan. Hij had daar raceauto's en motorfietsen en hij beloofde me dat ik, zodra ik groot genoeg was, op een van die motoren mocht rijden. Hij had ook een kelder die tot de nok toe gevuld was met elektronica. Honderden opgestapelde, nieuwe elektronische apparaten – tv-toestellen, videorecorders, stereosets, van alles – vulden zijn kelder, allemaal nog in hun dozen. Het was dolle pret daar op ontdekkingsreis te gaan, want de voorraad, zoals ik al snel merkte, veranderde voortdurend. Door de kelder van Freddy zwerven was zoiets als losgelaten worden in een elektronicawarenhuis.

Nadat mijn vader en Freddy hun zakengesprek hadden beëindigd, zette Freddy's vrouw voor ons allemaal in de woonkamer hapjes en koele drankjes neer en Freddy begon te vertellen wat een geweldige kerel mijn vader was. 'Wist je dat jouw vader een held is, Albert?' Ik glimlachte alleen maar, terwijl hij vervolgde: 'Wist je dat jouw vader een keer mijn leven heeft gered?'

Dit begon interessant te worden. 'Wat heeft hij dan gedaan, Freddy?'

'Hij heeft me uit een brand gered, dat heeft-ie gedaan. Hier, ik zal het je laten zien. Ik heb de bandopname.' En hij begon onmiddellijk in de andere kamer te zoeken, terwijl mijn vader gegeneerd protesteerde. Freddy negeerde hem, kwam een paar minuten later terug en duwde een videoband in de recorder. Een paar seconden later kwam het beeld sputterend op. Het was een nieuwsuitzending over een van Broadway Freddy's races.

De film liet zien hoe Freddy's auto op een racebaan buiten controle raakte, tegen een muur knalde en in brand vloog, terwijl de toeschouwers schreeuwden van ontzetting. Een reddingsteam rende naar de auto, maar trok zich terug toen de hitte van de vlammen hen bereikte. Ik kon Freddy, die bewusteloos over het stuur hing, nauwelijks zien. Plotseling rende een andere man naar de deur aan de chauffeurskant, die zijn hand in het vuur stak en de deur openrukte. Het reddingsteam schreeuwde naar de man dat hij ervandoor moest gaan voordat de auto zou exploderen. Ik kon de man zien worstelen met iets in de wagen, terwijl de nieuwslezer uitlegde dat de onbekende goede Samaritaan bezig was met een mes de autogordel van Freddy los te snijden. In de tijd die de nieuwslezer nodig had om dat te vertellen, trok de man Freddy uit de vlammenzee en sleurde hem weg van de auto, strompelend onder diens gewicht. Terwijl de wagen op de achtergrond ontplofte, legde de man Freddy op de grond en zakte hij zelf zwaar hijgend in elkaar. Daarna keek hij op naar de camera, en ik herkende het gezicht van mijn vader.

Iets verbazingwekkenders had ik nog nooit gezien, net iets uit een film, behalve dan dat dit werkelijkheid was. Tranen van trots vulden mijn ogen. Ik hoorde hoe Freddy met een gezicht dat gloeide van dankbaarheid mij het einde van het verhaal vertelde. Freddy had aan die dag een hersenschudding en een paar niet al te ernstige brandwonden overgehouden en mijn vader had zijn handen en armen verbrand door Freddy uit de vlammen te trekken. Ze waren allebei naar het ziekenhuis gebracht om hun verwondingen te laten behandelen, maar geen van beiden hadden ze blijvende verwondingen opgelopen.

'Als je vader er niet geweest was, Albert, zou ik nu dood zijn,' vertelde Freddy. Daarna wendde hij zich tot mijn vader. 'Dat zal ik nooit vergeten, Roy. Nooit.'

Mijn vader voelde zich duidelijk niet op zijn gemak en kondigde aan dat het tijd was om op te stappen. De trots, diep in me, gloeide de hele weg naar huis. Die avond in bed gleed ik in een slaap die gevuld was met heroïsche daden. Ik zou als ik groot was net zo worden als mijn vader.

Tot mijn meest geliefde tochtjes met mijn vader behoorden onze bezoeken aan oom Frank, in Greenwich Village. Anders dan mijn andere 'ooms' was oom Frank werkelijk een familielid, een oudoom van mijn vaders kant. Hij was chef-kok in een restaurant dat The Vineyard heette en aan mijn vader toebehoorde. Oom Franks oorlogsbelevenissen waren een favoriet thema in onze familie. Oom Joe vertelde mij daar graag over, en dat deed hij nooit zonder te lachen.

In de Tweede Wereldoorlog was oom Frank de persoonlijke kok geweest van generaal MacArthur, gestationeerd op een schip dat de generaal van de ene haven naar de andere vervoerde. Zoals verscheidene van mijn voorouders was oom Frank iets te verzot op een goed glas wijn en hij kroop als het zo uitkwam in een van de 50-mm geschutspoorten aan dek, om een fles of twee weg te slapen. Op een dag, aan boord van zijn schip in Pearl Harbour, besloot oom Frank een feestje te geven voor een stel bezoekende verpleegsters. Nadat ze zich lam hadden gegeten en gedronken, kroop oom Frank in zijn favoriete geschutspoort om te gaan slapen. Jammer voor hem was dit geen gewone dag. Het was zeven december 1941 en zodra hij in een diepe, dronken slaap was gevallen vielen de Jappen aan. Opgeschrikt uit zijn staat van bedwelming greep oom Frank, op zoek naar houvast, het grote kanon beet en hij begon wild in het rond te schieten. Volkomen per ongeluk wist hij een Japans kamikazevliegtuig te raken. Niet alleen overleefde oom Frank de aanval, maar hij werd ook nog oorlogsheld, inclusief de bijbehorende medaille. En wat het voorval nog lachwekkender maakte, was dat hij zich na afloop nauwelijks kon herinneren met het kanon te hebben geschoten.

Ik vond het verhaal dolkomisch, maar het interesseerde me niet of oom Frank werkelijk een oorlogsheld was. Ik was al tevreden met zijn voedsel. Elke keer als ik in de keuken van The Vineyard kwam, werd ik verwelkomd door de heerlijkste geuren. Oom Frank had altijd wel een verse schotel antipasti of linguini met mosselen voor me klaarstaan om van te smullen terwijl hij met mijn vader over zaken sprak. Als mijn bord leeg was, kon ik gaan waar ik wilde. Ik zocht mijn weg door de keuken, waar in pannen marinarasaus pruttelde, in ovens lasagne werd gebakken en waar de koelcel planken vol taarten en Italiaanse puddinkjes herbergde. Ik kon kiezen wat ik wilde. De koksmaten lachten me toe en lieten me proeven als ik voorbijkwam. Alsof dat al niet opwindend genoeg was, bezat mijn vader ook een pizzeria aan de overkant. Na zijn praatje met oom Frank wandelden we daar meestal naartoe om de vispizza te proeven. Na zo'n middag in de Village, vol met pasta en saus, kon ik op weg naar huis nauwelijks mijn ogen openhouden.

Als we daar waren, hing er meestal een kerel rond die Crazy Mark heette. Mark deed af en toe karweitjes en boodschappen voor mijn vader. Iedereen noemde hem Crazy Mark, omdat hij af en toe stemmen in zijn hoofd hoorde. Ik denk dat mijn vader medelijden met de man had, omdat niemand anders hem werk wilde geven. In mijn ogen was Mark een beetje vreemd, maar ongevaarlijk. Crazy Mark was er altijd op gebrand mijn vader en mij een genoegen te doen. Als ik ook maar iets wilde, van kauwgum tot een chocoladereep, rende Mark weg om het te halen. Dan kwam hij binnen de kortste keren terug om te vragen of ik nog iets anders wilde.

Onze tochtjes naar oom Frank waren geruime tijd heel plezierig, maar toen gebeurde er iets. Een occulte winkel, The Dark Crystal genaamd, had aan de overkant van The Vineyard zijn deuren geopend, vlak naast de pizzeria van mijn vader. De eigenaars droegen zwarte gewaden en de etalage was gevuld met vreemde spullen die volgens oom Frank gebruikt werden voor hekserij en het aanbidden van de duivel. Dag en nacht kwam er vreemd uitziend volk langs, met Gothic make-up en gehuld in bizarre kledij. Ik hoorde mensen in de buurt zeggen dat er zich daar als het donker was satanische rituelen afspeelden. Het was een enge plek voor een zesjarige, iets als in een griezelfilm en ik was er bang van. Dat wist mijn vader en hij schepte er genoegen in mij daarmee te plagen. De eigenaars hadden in de steeg achter de winkel een reusachtig ouijabord opgesteld, vlak naast de afvalcontainer van de pizzeria. Mijn vader liet me een keer afval naar buiten brengen, zodat ik wel vlakbij dat ouijabord moest komen. Op het moment dat ik de achterdeur uit liep, deed mijn vader de deur op slot, zodat ik voorlopig niet terug naar binnen kon. Ik vond het niet echt grappig, maar vader vond het een giller.

Maar na een tijdje vond ook mijn vader die zaak niet meer zo grappig. De buurt was overwegend katholiek en veel mensen waren al bang om er alleen maar langs te lopen. De zaken in zowel The Vineyard als in de pizzeria gingen steeds slechter. Er moest iets gebeuren.

Op een zaterdagochtend, een maand of wat nadat de winkel was geopend, zat ik in de keuken van oom Frank knoflookbrood te peuzelen, terwijl de taartenbakker van mijn vader klaagde dat hij klanten verloor door The Dark Crystal. Crazy Mark zat vlakbij naar hen te luisteren. Een paar minuten later vertrok Mark, terwijl vader en de taartenman hun gesprek voortzetten. Ongeveer een halfuur later vonden mijn vader en ik het wel genoeg voor die dag. Tegen de Cadillac van vader geleund stonden we op de stoep voor The Vineyard van onze gekoelde drankjes te genieten en grapjes te maken met oom Frank. Plotseling hoorden we in de occulte winkel snerpende kreten klinken. Mijn vader zette zijn drankje neer en ging op het geschreeuw af. Een ogenblik later rende de winkelier in zijn wapperende zwarte gewaad, met zijn Gothic gezicht vertrokken tot een masker van angst, de stoep op. Seconden later kwam Crazy Mark hem achterna. Mark zwaaide met een machete, als een buiten zinnen geraakte Magere Hein met zijn zeis, in de richting van het hoofd van de duivelaanbidder en schreeuwde: 'Weg, Satan! Ik drijf je uit in de naam van de Vader, de Zoon en de Heilige Geest! Wegwezen jij en val mijn vriend Roy niet langer lastig!' Ik hoorde mijn vader mompelen: 'Wat voor de duivel!' terwijl zij langs ons renden. De man in het zwart sprintte als een bezetene, geleidelijk de afstand tussen hem en Mark vergrotend, terwijl ze de straat uitrenden. Niemand in

de buurt heeft de man ooit teruggezien. De volgende dag werd de mysterieuze handel verwijderd en werd de winkel dichtgespijkerd.

Mark was opgetogen dat hij mijn vader deze 'dienst' had kunnen bewijzen. 'Ik heb het voor jou gedaan, Roy,' deelde hij mij vader opgewekt mee,
toen we hem de volgende week tegenkwamen. Hij straalde van vreugde en
verwachtte duidelijk de goedkeuring van mijn vader. Mijn vader luisterde
zwijgend en gaf Mark een paar bankbiljetten voordat hij hem wegstuurde.
Daarna keek hij mij hoofdschuddend aan en mompelde: 'Maffe eikel.'
Tientallen mensen uit de buurt kwamen naar ons toe om mijn vader te
bedanken. Zij allen namen grif aan dat mijn vader 'het probleem uit de weg
had geruimd'. Terwijl ik ze zo zag begon ik te beseffen dat mijn vader over
een invloed beschikte die ik niet kon verklaren, en op de een of andere
manier verontrustte dat besef mij. Ik was trots op het respect dat iedereen
mijn vader betuigde. Maar toch wist ik, zo jong als ik was, dat deze bizarre
actie van Crazy Mark, alleen maar om mijn vader een plezier te doen, niet
normaal te noemen was. Wat was er toch met mijn vader dat iedereen zo
graag bij hem in de gunst kwam?

Het aan mijn zevende verjaardag voorafgaande kerstfeest werd een van de
meest gekoesterde herinneringen van mijn jeugd. Dat jaar importeerde
vader verscheidene auto's uit Italië, om ze tijdens de autoshow op Madison
Square Garden een paar dagen voor Kerstmis tentoon te stellen. Ik was dolblij toen mijn vader zei dat ik met hem mee mocht en dat Adam West en
Burt Ward (Batman en Robin in de televisieserie) er met de originele
Batmobile zouden verschijnen. De avond ervoor was ik te opgewonden om
te kunnen slapen.

Het was een prachtige rit door Manhattan. De Thanksgivingparade van
Macy's was nog maar een paar dagen geleden gehouden en ik staarde met
grote ogen naar de kerstetalages van Macy's, waar we langsreden alvorens af
te buigen naar Madison Square Garden. Binnen het enorme, verlichte
gebouw leek het op een reusachtige speelgoedwinkel, maar dan met speelgoed voor volwassenen. Auto's in alle kleuren en soorten glommen op hun
verhogingen, terwijl mensen elkaar in de gangpaden verdrongen om ze goed
te kunnen bekijken. Vader leidde me door het gewoel naar zijn eigen tentoonstelling.

Een vriend van hem stond ons daar al op te wachten. Vader stelde de man aan mij voor als Chris Rosenberg. De naam Chris was bij ons thuis al eerder gevallen, maar ik had hem niet eerder ontmoet. De manier waarop mijn vader hem op de rug klopte, maakte me duidelijk dat hij hem graag mocht. Chris boog zich voorover om hartelijk mijn hand te schudden, van man tot man, en hij zei: 'Hoe is het ermee, Albert?' Hij kon toentertijd niet veel ouder zijn geweest dan twintig, was atletisch gebouwd, had donker-blond haar en groene ogen. Hij droeg designjeans, een polohemd en dure sportschoenen. Zijn leren jasje verschilde in niets van dat van mijn vader en hij zag er al even onberispelijk verzorgd uit als vader. Zijn linkerarm rustte in een mitella.

'Wat is er met uw arm gebeurd, meneer Rosenberg?' vroeg ik hem.

'Niets bijzonders. Die heb ik een paar dagen geleden bij een karweitje bezeerd. Noem me maar Chris, Albert.'

Met ons drieën maakten we een ommetje door de tentoonstelling. De Garden was gevuld met glimmende, nieuwe auto's die glansden en fonkel-den als de kerstuitstalling bij Macy's. Een hele afdeling was gewijd aan van televisie en film bekende voertuigen. Vader en Chris namen me mee om Batman en Robin te ontmoeten en ik ging in de rij staan voor hun handte-keningen. Batman was erg aardig en nam een moment de tijd om met me te praten, terwijl hij zijn foto signeerde, maar ik kreeg niet de kans om in de Batmobile te zitten. Daarna gingen we naar een andere stand, waar ik Roddy MacDowell ontmoette en een aardige vrouw met een bekende stem. Mijn vader legde uit dat zij de acteurs waren die Cornelius en Zera speel-den in *Planet of the Apes*, een van mijn favoriete films. Ik wist al dat de apen niet echt waren en daarom was ik niet teleurgesteld de acteurs te ontmoeten zonder dat zij als apen waren opgemaakt; ik was alleen maar opgewonden. Ten slotte gingen we naar een stand van een film die ik nog niet had gezien, *The Godfather* geheten. Die film kon ik bekijken als ik wat groter was, zei mijn vader. De auto uit die film stond er ook, een met kogelgaten door-zeefde Lincoln Continental uit 1948. Mijn vader tilde me op zodat ik de auto beter kon zien en liep om de auto heen, terwijl hij nauwkeurig uitlegde hoe de filmstunt tot stand was gekomen.

De filmmensen hadden een oude Lincoln te pakken gekregen, vertelde hij, waarna ze hem naar de staatspolitie hadden gebracht met het verzoek

hem met kogels te doorzeven, net als bij een echte politieaanval. De came-
raman filmde de agenten terwijl zij op de wagen schoten. Nadat de politie
de auto met echte machinepistoolkogels had beschoten, namen de filmmensen hem mee naar de studio. Daar hadden de speciale-effectenspecia-
listen zorgvuldig elk kogelgat gevuld met knalvuurwerk, waarna ze de auto
opnieuw verfden en polijstten totdat hij er als nieuw uitzag. Ten behoeve van
de filmopname van de scène werd het knalvuurwerk in dezelfde volgorde tot
ontploffing gebracht als die van de echte beschieting door de politie. Op die
manier zag de scène er volstrekt realistisch uit, maar raakte niemand
gewond.

De uitleg fascineerde mij. Wat een slim idee. Dat vonden mijn vader en
Chris duidelijk ook. Nadat we de wagen hadden bekeken, gingen we naar
het stalletje waar de rekwisieten van de film zich bevonden. Het waren er
een heleboel, maar al wat ik me herinner is het paardenhoofd. Het was een
echt paardenhoofd, gevuld en opgezet voor het belangstellende publiek. Ik
huiverde van heerlijke afschuw. Dit zou een fantastisch verhaal zijn om
mijn zusjes misselijk te maken als we thuiskwamen. Daarna gingen we naar
de afdeling van de tentoonstelling waar de auto's van mijn vader stonden.
Mijn vader liet me zien hoe het dak van de Lamborghini kon worden opge-
trokken, zodat de chauffeur in en uit de laaggebouwde sportwagen kon
stappen. Dat was ongelofelijk gaaf. Tegen de tijd dat wij terugkwamen bij
de Cadillac om naar huis te gaan, was ik uitgeput door de opwinding van
die dag.

Over een paar weken zou het Kerstmis zijn en mijn vader en ik begonnen de volgende zaterdag de buitenkant van het huis te versieren. Wij versierden alle bomen, hekpalen, vensters en lege muren met kerstverlichting,
de ouderwetse soort met meerkleurige lampjes. We bonden rond de pilaren
aan beide kanten van de veranda rode en witte lampjes, zodat ze op zuurstokken leken. Er waren geen plekken meer over om verlichting op aan te
brengen en we begonnen aan de kerststukjes. We plaatsten grote plastic
kerstmannen, elfjes en rendieren op het dak en in de tuin en spijkerden
plastic zuurstokken aan elke paal van de omheining van ons stuk grond.
Moeder vroeg vader aan de veranda luidsprekers óp te hangen en liet de ste-
reoset de hele dag kerstliedjes spelen. Zij en mijn zusjes versierden de
binnenkant van het huis met kransen en slingers en zij bakte ook letterlijk

honderden koekjes, zodat de buren die langskwamen iets te snoepen zouden hebben. Ik hield zelf het meest van mijn moeders gemberkoekjes. Zij deden het hele huis naar Kerstmis ruiken.

Debra was verantwoordelijk voor onze presentjes voor moeder en vader. Wij hadden alledrie wekenlang ons zakgeld opgespaard. Op een heldere middag voerde Debra onze kleine processie aan tijdens de fietstocht van nog geen kilometer naar het winkelcentrum. Eerst gingen we naar May's, naar de afdeling porselein. Moeder hield van beeldjes, speciaal de lichte blauw-met-witte Lladros uit Spanje, en we kozen er een uit om als geschenk te laten inpakken. Ze waren duur en daarom betaalden we alledrie mee. Daarna was het vaders beurt. Mijn zusjes vonden voor hem een mooie sweater, maar ik gaf er de voorkeur aan hem gereedschap te geven. Het maakte niet echt veel uit wat we kochten, want vader zou het vast en zeker leuk vinden, maar wij wilden desondanks iets bijzonders voor hem kopen.

Debra was ook op een bepaalde manier verantwoordelijk voor onze sur-prises, hoewel mijn ouders dat niet wisten. Vanaf mijn vijfde had ik niet meer in Santa Claus geloofd; Debra had me al jong ingewijd in de geheimen van 'zijn' surprises. Zij wist dat onze ouders onze presentjes bewaarden in de grote kast in hun slaapkamer en toen ze deze bergplaats eenmaal had ontdekt, durfde ze de uitdaging aan. Een paar dagen voor Kerstmis, terwijl vader aan het werk was en moeder boodschappen deed, trokken wij ten aanval. We slopen de kamer van moeder en vader binnen en Debra beduidde Lisa en mij dat we stil moesten zijn, waarna ze vakkundig een haarspeld in het slot van de kastdeur stopte en het opende. Mijn zusje leek wel een beroeps. Stuk voor stuk pakte ze kalmpjes de cadeautjes uit de kast, die ik op de vloer legde. Daarna sneed ze met een scheermesje uit haar handarbeiddoos het pakpapier zo zorgvuldig open dat ik de snee niet kon zien en haalde ze de presentjes eruit om ze aan ons te tonen. We giechel-den en fluisterden opgewonden terwijl we ze bekeken; daarna stopte Debra ze een voor een terug in hun verpakking en sloot ze met plakband, precies over het oorspronkelijke plakband heen.

De afsluitende truc bestond eruit ze in precies dezelfde volgorde terug te leggen als we ze hadden gevonden, zodat moeder en vader niet zouden merken dat er aan geknoeid was. Daarna sloot Debra de kast en we slopen weer weg om te oefenen op onze onschuldige gezichtsuitdrukkingen voor wanneer moeder thuiskwam. Als mijn moeder al iets vermoedde, liet ze dat nooit merken. En wij gaven op kerstochtend alledrie een voorstelling weg die een Oscar waard was, inclusief blij verraste uitroepen, alsof we de surprises voor het eerst zagen.

Het meest opwindende deel van de officiële voorbereiding was de tocht naar het tuincentrum om een kerstboom te kopen. Op een avond, een paar dagen voor Kerstmis, hulde mijn moeder ons in onze warmste kleren en stuurde ons met vader op pad om de perfecte boom uit te zoeken. Dat uitstapje had iets magisch. We gingen lekker zitten in de grote, warme wagen en tuurden door de ramen naar de kerstlichtjes die in de vrieskou langs de Sunrise Highway twinkelden. Ik duwde mijn mond tegen het koude glas en keek toe hoe de mist zich als zwakke sneeuwvlokken over het autoraam verspreidde. Op het terrein verspreidden wij ons in alle richtingen, banjerend door het zaagsel, om opgewonden de beste boom uit te zoeken. Mijn wangen tintelden van de kou en de dennengeur vulde mijn neusgaten. Het maakte me vrolijk. Nadat we eindelijk klaar waren met onze meningsverschillen en het eens werden over een boom die we allemaal mooi vonden, tilde vader het ruim twee meter hoge prachtexemplaar op en hij bond het vast in de grote kofferbak van de Cadillac. Daarna ging het weer op huis aan, waar moeder ons in de woonkamer opwachtte met warme chocola en de kerstboomversiering.

Zoals altijd plaatsten we de boom in de grote erker van de woonkamer. Vader bevestigde de kerstverlichting en daarna begon iedereen de boom te versieren met de spulletjes die mijn moeder had verzameld. Ieder van ons hing de speciale, zelfgemaakte versierselen op, die we door de jaren heen voor moeder hadden vervaardigd. We knabbelden op de zelfgemaakte popcornslingers terwijl we ze op de takken legden en moeder gaf ons zonder al te veel overtuiging een standje omdat we van de versierselen aten. Zij maakte elk jaar grote bollen voor ons van popcorn en spekkies, die wij dan in plastic wikkelden en met linten aan de takken moesten hangen. We mochten ze niet voor kerstochtend uitpakken. Moeder hing zelf de ouderwetse glazen versierselen op. Zij waren bijzonder breekbaar. Toen alle versierselen waren aangebracht, tilde vader Lisa in de hoogte om de goud-met-witte engel op de top van de boom te plaatsen. En daarna kwam het grote moment. Mijn moeder deed de lichten in de woonkamer uit en vader sloot de lichtjes in de boom aan. Iedereen stond paf en slaakte kreten van bewondering over de kleurenpracht.

De enige domper op de feestvreugde was een klein voorval, twee dagen voor Kerstmis. 's Nachts had iemand al de plastic zuurstokken gestolen die vader en ik aan de palen van de omheining hadden bevestigd. Mijn vader was echt pissig dat iemand onze versierselen had weggenomen en hij deed navraag in de buurt of iemand de dieven had gezien. Op de ochtend voor de kerstnacht, toen mijn moeder de deur opende om de krant te pakken, was er iets vreemds gebeurd. Iemand had alle gestolen zuurstokken, bijna honderd in getal, teruggebracht en ze zorgvuldig opgestapeld op onze veranda neergelegd, samen met een briefje waarop 'Het spijt me' stond. Ik was stomverbaasd. Ik dacht dat het de invloed van de kerstsfeer moest zijn.

Die avond diende mijn moeder de traditionele Italiaanse maaltijd voor de kerstnacht op: kreeft en garnalen met vissaus, zelfgemaakte pasta, stapels bijgerechten en meer koekjes dan ik kon tellen. Vader maakte ook dat jaar zijn speciale kerstdessert: *strufale*, gefrituurde deegballetjes, in suiker gerold en overgoten met warme honing. Ze waren ongelofelijk kleverig, maar heerlijk. Oma was er en tante Marie en haar kinderen, oom Louis (de oudste broer van mijn vader) met zijn kinderen en, vanzelfsprekend, mijn oom Joe, iedereen van onder tot boven in nieuwe kleren voor de kerst gestoken. Na het dessert trokken alle kinderen hun pyjama's aan en kwamen we weer samen in de woonkamer bij onze ouders. Mijn vader legde altijd speelgoedspoorbanen rond de kerstboom en mijn jongste neefjes en ik gingen op onze buik op de vloer onder de boom liggen en lieten om beurten de trein een rondje maken. De volwassenen en de oudere kinderen, te volgegeten en te ontspannen om al te veel te praten, gingen op de goudkleurige fluwelen banken zitten en keken naar speciale kerstprogramma's op tv. *March of the Wooden Soldiers* kwam eerst en daarna werd de video met knapperend haardvuur opgezet. Vader had een kartonnen schoorsteenmantel uitgesneden die precies om de tv paste, en toen de brandende houtblokken het scherm vulden leek het werkelijk op een open haard. In de sereniteit en de schoonheid van het flikkerende licht geloofde ik bijna dat het vuur echt was.

Kort voor tienen werden de kinderen naar bed gestuurd. De neefjes in mijn kamer, de nichtjes bij mijn zusjes. Ik viel bijna meteen in slaap, maar kort na middernacht werd ik wakker van mijn moeders stem die vanuit de hal riep: 'De kerstman is gekomen! Opstaan allemaal, de kerstman is gekomen!' Zo snel als onze benen ons konden dragen, renden we met zijn allen naar de woonkamer. En inderdaad, de kerstman was langs geweest. De woonkamer was gevuld met cadeautjes. Dat ik wist waar ze werkelijk vandaan kwamen deed niets af aan mijn geestdrift.

Vrijwel al onze surprises waren speciaal besteld en die van mij waren verbazingwekkend. Dat jaar kreeg ik een safariset, inclusief de bijpassende kleding, een lichtspuwend geweer en een zestig centimeter grote, plastic leeuw die bleef aanvallen totdat ik hem met een lichtstraal raakte. Op het moment dat het licht hem trof, viel de leeuw neer en bewoog niet meer. Maar het mooiste cadeau was een witte Jaguar met open dak, precies op mijn maat. Iets mooiers had ik nooit eerder gezien, een exacte kopie van het origineel. De motor was elektrisch en liep op gedistilleerd water. Mijn vader laadde hem voor me op en ik reed ermee door de woonkamer. Ik was zo opgewonden dat ik nauwelijks adem kon halen. Mijn neefjes kregen ook een heleboel cadeaus, maar die haalden het niet bij mijn auto. Mijn vader stond erop dat zij ook een keer mochten rijden, en een neefje stuurde hem met opzet tegen een leuning, waarna hij me triomfantelijk aankeek. Ik begon te huilen, maar mijn vader verzekerde me dat hij hem de volgende ochtend zou repareren. Toen vader mij naar bed bracht, huilde ik nog steeds. Inmiddels waren mijn tantes en ooms begonnen in te pakken om naar huis te gaan.

De volgende ochtend rook ik bij het wakker worden al de geur van ham en gebakken worstjes. Al het verdriet van de vorige avond was vergeten toen ik in mijn badjas schoot en door de hal naar de keuken rende. Daar was vader bezig een fors ontbijt klaar te maken. Een van de buren had mijn ouders verwend met een grote mand vol uitgelezen vleessoorten en vader had ze in grote plakken gesneden en stond ze te bakken, zodat mijn moeder nog wat kon rusten. Na ons te hebben volgepropt met varkensvlees, eieren, pannenkoeken en al wat we nog meer wensten (vader werkte op bestelling), trokken we onze vrijetijdskleding aan en gingen terug naar de woonkamer om ons nieuwe speelgoed uit te proberen. Al laat in de ochtend konden we het spek en de kalkoen ruiken die moeder in haar dubbele fornuis aan het bakken was. Op kerstavond aten we Italiaans, het kerstdiner was Amerikaans. Wij hadden het beste uit beide werelden.

Die hele dag speelden we, terwijl er mensen op bezoek kwamen. Barbara en Jim kwamen met de kinderen en zaten te praten in de woonkamer, terwijl de kinderen cadeautjes vergeleken en onderhandelden wie ermee mocht spelen. Die middag kwam Freddy langs met zijn kinderen. Zij hadden van de kerstman miniatuurmotorfietsen gekregen, tot op dat moment de enige cadeaus die de vergelijking met mijn Jaguar konden doorstaan. Freddy zei dat ik me geen zorgen hoefde te maken, dat hij me de volgende keer dat ik langskwam zou leren op de motoren te rijden. Grootmoedig stond ik zijn kinderen toe in mijn auto te rijden.

Een uur of twee voor het kerstmaal kwamen oom Mikey en zijn vrouw de woonkamer binnen. Oom Mikey sleepte de grootste kerstkous mee die ik in mijn leven had gezien. Hij was wel tweeëneenhalve meter lang en gevuld met teddyberen en kerstspeelgoed. Slechts één keer eerder had ik een kous gezien die er een beetje bij in de buurt kwam; die had ik zien hangen in de centrale hal van een warenhuis. In feite leek deze kous bijna als twee druppels water op de kous die ik in die zaak had gezien. Oom Mikey zei dat hij voor mij en mijn zusjes was. We omhelsden hem en pakten het ding uit, terwijl hij met een stralend gezicht toekeek. Later vroeg ik fluisterend aan mijn vader. 'Waar heeft oom Mikey die kous vandaan, pappa?'

Vader antwoordde: 'Hij heeft me verteld dat hij die bij het dobbelen heeft gewonnen.' Hij keek me in de ogen en glimlachte.

Ik keek hem even aan en zei ten slotte: 'O.' Een minuut later was ik het alweer vergeten.

Net voor het eten hoorde ik hoe een auto voor het huis geparkeerd werd. Ik keek uit het venster in de erker en riep: 'Daar is Chris!' Hij reed in een beige Mercedes 450 SL met open dak. De gepolijste kap gloeide bijna onder de straatlantaarns. Het was de eerste Mercedes die ik buiten een showroom had gezien.

De deurbel klonk en even later kwam hij met zijn gebruikelijke uitbundigheid de trap op. Zijn vrouw liep vlak achter hem, haar gezicht een en al glimlach, een vrachtje cadeaus in haar armen. De linkerarm van Chris rustte nog steeds in een mitella, maar in zijn rechterhand droeg hij een picknickmand voor mijn moeder.

Bijna meteen na de binnenkomst van Chris klonk de deurbel alweer. Mijn vader ging naar beneden om open te doen en kwam even later terug met een lange, donkere man die hij aan ons voorstelde als Dominick, de neef van oom Nino. De vrouw van Dominick was een mooie brunette en zij droegen allebei een baby. Mijn moeder stelde zich aan hen voor en heette ze welkom. Ik zag hoe zij Dominicks vrouw voorging naar de hal om de baby's te slapen te leggen.

Tegen die tijd kreeg ik honger; een opwindende dag en de verbazing-wekkende geuren die uit de keuken kwamen, deden mijn maag knorren. Korte tijd later riep mijn moeder dat het eten klaar was en ik wist niet hoe snel ik aan tafel moest komen.

Vader schonk wijn in de glazen van de grote mensen en limonade in de onze, waarna hij zijn glas hief voor een toast. 'Op geluk en vriendschap!' Iedereen klonk en mompelde: 'Bona fortuna!' Mijn vader hield het glas tegen zijn lippen en zette het weer neer. Hij dronk zelden alcohol. Dat stompt iemands zinnen af, vond hij. Wij kinderen vulden onze borden aan de grote tafel en daarna gingen we naar de aangrenzende keuken om te eten.

Later die avond, na het eten, liep ik de hal in, naar de badkamer en ik opende de deur om naar binnen te gaan. Ik schrok toen ik zag dat Chris en zijn vrouw daar al waren. Chris had zijn gewonde arm uit de mitella gehaald en liet die op de wastafel rusten. Verbandgaas en buisjes medicijnen lagen op de rand en de vrouw van Chris was net bezig een stuk vuil verbandgaas met sporen van bloed erop in de afvalbak te gooien. Wat me echter deed schrikken was niet het bloed, maar de arm van Chris. Er zat een klein gat van ongeveer een centimeter doorsnee aan de buitenzijde van zijn boven-arm. Bij het licht van de badkamerspiegel kon ik dwars door het gat heen naar de andere kant kijken. Ik verstijfde van angst terwijl ik ernaar keek. Chris en zijn vrouw wisselden een snelle blik, waarna Chris glimlachte en geruststellend tegen me zei: 'Niks aan de hand, Albert. Ze ververst alleen maar het verband waar ik me bezeerd heb.'

Ik knikte en probeerde iets terug te zeggen, maar ik kon geen geluid voortbrengen. Ik liep de hal weer in en sloot de deur achter me.

Als eerste nam oom Mikey afscheid. Kort daarna, iets over zessen, moe van de lange dag, volgde Freddy; zijn vrouw vond het hoog tijd om de kin-deren naar bed te brengen. Chris en zijn vrouw kusten iedereen ten afscheid en ik wist dat Dominicks vrouw ook klaar stond om te vertrekken. De baby's waren onrustig en zij wierp haar man zo'n blik toe waarmee vrouwen aangeven dat ze zich verwaarloosd voelen. Dominick zei dat ze geduld moest hebben, dat hij alleen nog even Roy moest spreken; daarna ging hij met mijn vader naar beneden in de hal om te praten. Mijn moeder stuurde ons naar onze kamers om onze pyjama's aan te trekken.

Weer terug in de woonkamer hoorde ik Dominick en zijn vrouw gedag zeggen. Vader glimlachte. Zodra ook mijn zusjes waren teruggekomen zei hij dat we op de bank moesten gaan zitten. Hij had een cadeautje voor ons, van oom Nino. Wij gingen naast elkaar zitten en vader overhandigde ons ieder een enveloppe met onze naam erop. Een enveloppe? Dat kon niet zo bijzonder zijn. Maar hij was wel flink vol.

Ik hoorde Debra opgewonden schreeuwen toen ik de mijne opende. Er zat een bundel biljetten van honderd dollar in, meer geld dan ik ooit in mijn leven had gezien, veel meer dan ik op mijn leeftijd kon tellen. 'Niet te geloven,' bleef Debra roepen. Het moest voldoende zakgeld zijn voor de rest van ons leven.

Mijn moeders ogen vielen bijna uit haar hoofd. 'Godallemachtig, Roy, hoeveel zit erin?' vroeg ze.

'Ieder vijfduizend,' zei vader. Vijfduizend dollar? Hoeveel was vijfduizend dollar? Het maakte niet uit. Ik wist dat het enorm veel geld was.

'O, jongens toch,' hoorde ik moeder mompelen. Ik kon niet precies uitmaken of ze al dan niet blij was.

Mijn vader haakte in op haar reactie: 'Kijk, kinderen, dit is een heleboel geld voor wie dan ook, in het bijzonder voor een kind. Morgen mogen jullie een van die bankbiljetten meenemen en dan gaan we naar het winkelcentrum. Jullie kunnen ieder iets uitzoeken. Daarna gaan we naar de bank en dan zetten we de rest op een spaarrekening voor de universiteit.'

Dat scheen mijn moeder te vermurwen. Wij waren allemaal een tikkeltje teleurgesteld, maar we wisten wel beter dan te klagen en zeuren. Laten we eerlijk zijn, *vijfduizend dollar*. Wow! Vader nam ons de enveloppen af en zei dat hij ze veilig zou opbergen tot morgen.

Die avond vroeg ik aan mijn vader of hij me naar bed wilde brengen. Terwijl hij me instopte zei ik: 'Pappa, hoe is dat gat in de arm van Chris gekomen?' En ik vertelde hem wat ik had gezien.

Zwijgend stopte hij me verder in, waarna hij me aankeek en nonchalant zei: 'Een schotwond. Wij kunnen hem niet naar een ziekenhuis brengen, want dan wordt de politie erbij gehaald.' Dat was al wat hij zei. Hij kuste me goedenacht, deed het licht uit en sloot de deur achter zich.

Ik was te uitgeput om me te bewegen en bleef nog een tijdje rustig liggen, terwijl beelden van de laatste vierentwintig uur door mijn hoofd jaagden. Kerstkousen en de kerstman en kogelgaten en een bij mijn formaat passende witte Jaguar verdrongen elkaar nog in mijn hoofd toen ik in slaap viel.

Op een zondagmiddag, een dag of wat later, was ik bezig de auto van mijn vader op te ruimen. Een van mijn vaste karweitjes na de kerk bestond uit het schoonmaken van zijn Cadillac. Hij vond dat heel belangrijk. Ik had geen hekel aan dat karwei, want ik trof vaak interessante dingen aan, onder de mat of in de doos die hij in de kofferbak bewaarde. De doos met een pistool erin was verborgen onder het reservewiel, maar die had ik al een tijd geleden ontdekt. Ik wist al dat mijn vader een pistool meenam naar zijn werk; hij sliep zelfs met een pistool onder zijn bed, maar dat kwam me niet zo vreemd voor. Veel mensen die wij kenden bezaten wapens. Maar ditmaal vond ik meer dan zijn pistool. Verborgen onder de vloermat aan de kant van het stuur lag een mes. En toen ik de doos onder het reservewiel opende, vond ik een valse baard en snor, verscheidene hoeden en drie paar latex handschoenen. Het begon te gonzen in mijn hoofd. Waarom zou iemand die spullen mee naar zijn werk nemen? Wat deed mijn vader daarmee? En waarom waren ze verstopt?

Die avond bleef mijn vader weer eens lang weg. In plaats van tegen zijn borst aan te kruipen en in slaap te sukkelen ging ik toen het bedtijd was naar boven om in mijn eentje naar bed te gaan. Daar, in het donker, bleef ik beelden zien van het pistool en het mes en de doos vol vermommingen en het kogelgat in de arm van Chris. Voor het eerst bekroop me een onduidelijke angst. Wat was mijn vader in het donker aan het doen? Wat was zo gevaarlijk dat je er wapens en vermommingen bij nodig had? Wat als hem iets ergs overkwam als hij daarmee bezig was? Wat als hij nooit meer thuiskwam?

drie

....

Kleine man

Mijn vader met oom Albert en oom Dominick; mijn maffiakaart

Schaduwen van de gevangenis beginnen zich te sluiten
Rond de opgroeiende jongen.

WORDSWORTH, 'Ode: Intimations of Immortality
from Recollections of Early Childhood'

Het was mijn vader die me stap voor stap inzicht begon te geven in zijn wereld buiten Massapequa. Zoals andere vaders hun zoon meenamen voor een rondleiding door de brandweerkazerne of het verzekeringskantoor, begon mijn vader mij te laten zien hoe zijn zaken in elkaar zaten, wat zijn hulpmiddelen en gereedschappen waren. Mijn moeder en mijn zusjes waren niet op de hoogte van de kennis die mij ten deel viel. Dat was iets voor mannen, overgedragen van vader op zoon.

Op mijn zesde begon ik vertrouwd te raken met pistolen. Mijn vader gaf die lessen net zo vanzelfsprekend als hij me leerde boekenplanken te maken of versieringen aan te brengen. Vader kocht en verkocht geregeld pistolen en hij was een goed ingevoerde verzamelaar. Hij hield in het bijzonder van antiek, pistolen uit de burgeroorlog en nog ouder. Soms bracht hij een tas vol pistolen thuis, die op de werkbank in de garage werden gelegd om ze te demonteren en schoon te maken. Het mechanisme boeide me en tegen de tijd dat ik acht was kon ik praktisch elk vuurwapen als een expert demonteren en opnieuw in elkaar zetten. Vader was heel voorzichtig en precies met pistolen en hij verzekerde zich ervan dat ik er nooit een ondoordacht aanraakte. Hij droeg altijd handschoenen wanneer hij een wapen oppakte. Latex handschoenen waren het best zei hij, want die maakten het mogelijk dat iemand efficiënt kon werken zonder vingerafdrukken achter te laten. Mijn vader leerde me tevens veel respect te hebben voor de macht die een pistool met zich meebracht. Ik leerde er vanuit te gaan dat een pistool waarschijnlijk geladen is, dat ik nooit een pistool op iemand moest richten als ik er een oppakte, tenzij ik bereid was hem te gebruiken, en dat het gebruiken van een pistool een ernstige zaak was. Mocht het ooit nodig zijn om op iemand te schieten, dan was de veiligste manier op zijn hoofd mikken en minstens twee kogels afvuren. Als je op het lichaam mikte, kon de ander misschien terugschieten voordat je tijd had voor een tweede schot. Ik begreep de ernst van wat hij mij vertelde en het kwam nooit in me op zelf een pistool op een menselijk wezen te richten. Ik wist dat Jimmy's vader voor zijn werk een pistool nodig had en ik voelde dat schieten op de een of andere manier onderdeel uitmaakte van mijn vaders werk. Ik hanteerde nooit een pistool zonder toestemming van mijn vader. Ik wist dat mijn vader altijd een pistool onder zijn bed had liggen, maar het kwam nooit in me op om die aan te raken. Het was vanzelfsprekend dat ik van het wapen moest afblijven. Vader gaf me voor het eerst een pistool toen ik zes was, een kleine .22. Hij nam me mee naar het platteland, naar de boerderij van een vriend, om me te leren schieten. Ik mocht alleen op schietschijven richten. Op een dag schoot ik tijdens het oefenen in de bosjes een eekhoorn en mijn vader was woedend. 'Wat heeft die eekhoorn jou gedaan?' vroeg hij me. 'Je schiet niet op iets zonder een goede reden.'

Tegen de tijd dat ik naar de derde klas ging, begon mijn vader me mee te nemen naar de sociëteiten in Manhattan, in het bijzonder in Little Italy. Zijn zaken vergden intussen steeds meer van zijn tijd. Wanneer ik 's morgens naar school ging, kuste ik hem gedag, maar ik lag meestal al in bed voor hij 's avonds thuiskwam. Daardoor werden de weekends belangrijker dan voorheen. Wanneer hij op een zaterdag of zondagmiddag zaken af te handelen had in de stad vergezelde ik hem op de lange rit over de brug en door de overvolle straten.

De eerste soos die ik me herinner, bevond zich in Manhattan. Ik moet toen een jaar of acht zijn geweest. Ik herinner me de naam ervan niet. Wat ik me wel herinner is het gevoel van veel lawaai en wanorde toen de mannen die de ingang bewaakten de deur voor ons hadden geopend. De zaak stond vol tafeltjes waaraan mannen zaten te kaarten; in een hoek zat een andere groep mannen te kijken naar een paardenkoers op de tv die boven de de bar was opgehangen. Ze schreeuwden allemaal tegen de tv, om de paarden waarop ze hadden gewed aan te moedigen of te vervloeken. Bijna iedereen scheen mijn vader te kennen. Kerels riepen: 'Ha, die Roy!' terwijl mijn vader hier en daar een hand schudde. We waren nog niet binnen of andere mannen kwamen op vader af om naar ballonnen te vragen. De eerste man die ons benaderde, zei: 'Roy, hoe gaat-ie? Ik heb vijftig ballonnen nodig. Kun jij me helpen?'

Vader antwoordde: 'Tuurlijk, geen probleem. Vijftig heb ik wel bij me. Loop even mee.'

We gingen met zijn drieën weer naar buiten en liepen over de stoep, terwijl vader en de man wat keuvelden over hun familie. Ik moest mijn best doen om hen bij te houden, nieuwsgierig als ik was. Ballonnen? Had mijn vader ballonnen? Waar waren die dan? In de kofferbak? Of gingen we ergens anders heen? Een paar blokken verder kwamen we bij een klein café en we gingen naar binnen. Vader bestelde voor ons alledrie een espresso en pasteitjes. Ik trok een gezicht toen ik een slokje nam van het hete, bittere vocht, trots dat ik werd beschouwd als een van de mannen. Vader en de man bleven praten over hun familie, het weer, hoe de Yankees het dat jaar deden. Ten slotte zei mijn vader: 'De gebruikelijke regeling.'

De man antwoordde: 'Tuurlijk, geen probleem.' Vader vroeg de serveerster om de rekening, terwijl hij een briefje van twintig uit zijn zak haalde. Ik zag ook dat hij een paar enveloppen pakte. Terwijl hij met de ene hand het twintigje op de rekening legde, zag ik hoe hij met de andere hand behendig vijf enveloppen onder de tafel door schoof. De andere man stopte de enveloppen in zijn jaszak zonder ernaar te kijken en we stonden op om weg te gaan. Buiten op de stoep schudden vader en de man elkaar ten afscheid de hand en wij liepen terug naar de auto.

Onzeker en een beetje teleurgesteld trok ik aan mijn vaders mouw.

'Pappa?'

'Wat is er, jongen?'

'Mag ik ook zo'n ballon?'

Mijn vader barstte in lachen uit, stond stil en keerde zich naar me toe. Hij boog zich voorover en zei: 'We hadden het niet over echte ballonnen. We hadden het over geld. Een "ballon" staat voor duizend dollar. Die man wilde geld lenen.'

Dat was het dus. In die enveloppen zat geld. Vader leende geld aan de man, net zoals hij het aan oom Vinny leende. Dat was logisch. Ik wist dat mijn vader mede-eigenaar was van een kredietvereniging in Brooklyn; ik was daar een paar keer met hem geweest.

'Waarom ging hij niet naar jouw bank, pappa?'

'Soms hebben mensen problemen waardoor ze geld nodig hebben, maar ze hebben niet genoeg bezittingen als onderpand voor de bank. Je moet dingen bezitten als je geld van een bank wilt hebben. En soms hebben mensen snel geld nodig en duurt het te lang om dat te krijgen. Daarom leen ik het ze dan zelf en zij betalen het dan met een beetje extra terug. Het kost ze iets meer omdat ik daarmee risico loop, maar meestal is het een goede zaak voor alle partijen.'

Dat leek me redelijk.

De zakenwijk was oké, maar ik ging veel liever naar Little Italy. Daar gebeurden zoveel interessante dingen. De naam Little Italy was goed gekozen, want het was een mediterrane natie in het klein, samengebald in een paar vierkante kilometer. De straten waren nauw, propvol voertuigen, handel en mensen. De uithangborden op de gebouwen leken met elkaar te wedijveren om aandacht te trekken: restaurants, Italiaanse delicatessenwinkels, sigarenwinkels, met filmposters beplakte afvalbakken en allerhande kleding. Van alles en nog wat om een koper te interesseren, of om een acht jaar oud joch te fascineren. Met koopwaar volgestouwde vrachtwagens stonden te wachten om te worden gelost en blokkeerden daarmee de straten. De winkelruiten weerspiegelden duizend gezichten, van alle leeftijden, meestal met donkere ogen en rap van tong. Ik zag daar bijna nooit een politieagent, zoals ik die wel zag als we naar andere delen van Manhattan gingen. Er was niemand om het verkeer te regelen als de straten te vol waren. Voetgangers zochten, kraampjes en cafétafeltjes ontwijkend, hun weg langs overbevolkte trottoirs. Maar de meeste mensen bleven druk bezig op een vaste plek; ze stonden tegen auto's geleund te kletsen of zaten dicht op elkaar rond terrastafeltjes. Er waren meer restaurantjes dan alle andere zaken bij elkaar, allemaal propvol op een zonnige weekendmiddag. Af en toe maakten toeristen foto's, maar daar zat niemand mee.

In die dagen was Little Italy voor mij een magische plek. Ik hield ervan samen met vader door zo'n straat te wandelen. Op warme dagen was de lucht altijd gevuld met geuren van knoflook, olijfolie en warm brood als we langsliepen. De tafeltjes op de stoep kwamen in die tijd voor mij tot ooghoogte en terwijl ik naast mijn vader liep kon ik zien wat er gegeten werd. Tijdens die tochtjes droeg ik altijd mijn beste kleren: een net overhemd en een keurige lange broek, en mijn schoenen waren zorgvuldig gepoetst. Als we samen op pad waren, deed ik mijn best er net zo als mijn vader uit te zien, haren glad naar achteren gekamd en een bundeltje met een elastiekje omwikkelde bankbiljetten in mijn zak, net als vader. Zo droeg een man zijn geld. Veel kinderen van mijn leeftijd hielden bij het wandelen de hand van hun vader of moeder vast, maar ik niet. Ik liep met opgeheven hoofd recht voor me uitkijkend als een miniatuurversie van mijn vaders houding. Thuis was ik nog steeds een jongetje, maar in Little Italy liepen er twee mannen – grote man en kleine man – samen zaken te doen in de stad.

Ik hield van vrachtwagens en er leek er een te staan op alle hoeken waar we langskwamen. Ze waren allemaal aan de achterkant geopend en als ik naar binnen keek zag ik rekken met kleding of dozen met elektronica. Er stond altijd wel een man tegen de vrachtwagen geleund of van enige afstand toe te zien hoe andere mannen in en uit de winkels of zijstraatjes liepen om ze uit te laden. Soms brachten ze de dozen van de ene vrachtwagen over in de andere. Het meest opwindende onderdeel van dit alles was dat ik, wanneer ze dat deel van de stad bezochten, zo goed als zeker iets uit zo'n vrachtwagen kreeg. De eerste keer dat mijn vader me meenam naar Mulberry Street werd er een vrachtwagen uitgeladen op een paar meter van waar mijn vader geparkeerd stond. We waren nog niet uit de auto of de man die op de vrachtwagen paste, merkte ons op en snelde naderbij om mijn vader te begroeten. 'Ha, Roy! Wij hebben hier een partij goeie videorecorders. Ik zal er een paar voor je regelen.' Daarna wendde hij zich tot de mannen die aan het uitladen waren en riep: 'Hé, jongens! Pak eens een paar recorders voor Roy!' Binnen enkele minuten was de kofferbak van onze Cadillac gevuld met dozen videorecorders. Vader sloot de klep en glimlachte naar me, terwijl we weer verder liepen.

'Gewoon een klein teken van respect, jongen,' legde hij me uit. Het leek wel alsof iedereen mijn vader respecteerde. Ik vond het fantastisch dat iedereen mijn vader scheen te kennen en dat ze ons iets cadeau wilden doen. Ik merkte dat mijn vader er trots op was dat ik zag hoe geliefd hij was.

Vader en ik ontwikkelden al snel een vast ritueel op deze tochtjes naar Mulberry Street. Eerst stopten we bij een van onze favoriete cafés, waar mijn vader me trakteerde. Ik koos nooit een kinderschotel; mijn voorkeur ging uit naar wat mijn vader nam: een kopje espresso en een San Giuseppe

– een met kaneelhoning doordrenkte oliebol. Wanneer het op betalen aankwam weigerde de eigenaar van de zaak steevast ons de rekening te brengen, naar hij zei omdat hij mijn vaders geld niet wilde. En elke keer als wij weggingen gooide mijn vader in het voorbijgaan een twintigje op de toonbank.

Daarna gingen we oom Nino opzoeken in de Ravenite sociëteit. Hij en mijn vader deden daar zaken. Er stonden altijd veel prachtige auto's in de buurt. Glimmende, zwarte Cadillacs, BMW's en Mercedessen, geparkeerd op de stoep en in de straat voor de ingang. Mannen op iedere hoek en aan de overkant van de straat letten op de auto's. Er hingen meestal verscheidene jonge kerels voor de zaak rond, om de auto's te wassen en te poetsen, of om de mannen die de soos bezochten aan te bieden boodschappen te doen. Zij haastten zich altijd om hun respect voor mijn vader en mij te betuigen. De ingang werd bewaakt door grote kerels in lelijke pakken, die voor sommige mannen de deur openden en andere met fronsende wenkbrauwen wegkeken. Een keer zag ik hoe zo'n man bij de ingang het fototoestel van een toerist afpakte en kapotmaakte, omdat hij weigerde te stoppen met fotograferen. De bewakers knikten naar mijn vader en grepen naar de glimmende koperen klink om de deur voor ons te openen. Eerst keken ze altijd om zich heen, om zich ervan te vergewissen dat er geen vreemde naar binnen kon kijken. De deuren waren donkergroen met bovenin een ruit, afgedekt door kanten gordijntjes die een inkijk vanaf de straat verhinderden. De ramen aan weerskanten ervan, eveneens van gordijnen voorzien, waren altijd goed schoon, met gouden letters erop die aan beide kanten 'Alleen leden' spelden. Ik voelde me belangrijk in de wetenschap dat ik welkom was in een zaak die de meeste mensen de toegang weigerde. Ik heb er nooit een ander kind gezien.

Steeds wanneer ik daar over de drempel stapte, leek de tijd langzamer te verstrijken. De soos binnengaan kwam me altijd een beetje onwerkelijk voor, alsof ik een andere wereld betrad. Zodra de deur achter mij gesloten werd, bevond ik me in een schemerwereld, gevuld met vreemde beelden en geluiden. Kale peertjes met geelbruine glazen kappen bengelden aan het plafond en gaven maar net genoeg licht om te kunnen zien.

Recht voor me bevond zich de bar waar een groot espressoapparaat bovenuit torende, bijna zo hoog als mijn vader. Het was een enorm apparaat van glanzend koper, met een arend erbovenop, de vleugels gespreid alsof hij vloog.

Iets mooiers had ik nog nooit gezien. Vol ontzag keek ik ernaar op. Ik kwam iets dichterbij en werd bijna bedwelmd door de geur van koffiebonen. Door dat aroma heen mengden zich etensgeuren, zo'n beetje als in het restaurant van oom Frank. Een tafel vlakbij de bar stond vol Italiaans gebak, stapels cannoli en andere luxe lekkernijen. Er waren ook grote schalen met antipasti, vol koud vlees en diverse soorten kaas. Om de paar uur kwam een verderop in de straat gevestigd restaurant warm eten bezorgen: pasta, vlees-schotels, wat iemand zich maar kon wensen. De restaurantbedienden zetten het voedsel op de tafels en verwijderden zich dan weer discreet via de achterdeur. Naast de bar stond een ouderwets buffet met snoepgoed, met de vitrines op mijn ooghoogte. Tot mijn teleurstelling zat er nooit snoep in. Het enige snoep dat ik er ooit zag was een bestofte rol Necco's. Die wafels bleven wekenlang onaangeroerd liggen. Daarnaast stond een sigarettenauto-maat, ook al leeg. Ik vroeg mijn vader muntjes voor de automaat, alleen maar voor het plezier om de knoppen in te drukken, maar vader zei dat hij niet in gebruik was.

Er waren op middagen in het weekend meestal zo'n vijftig tot zestig mannen aanwezig, in groepjes van vijf of zes verzameld rond kale houten tafels. Ze zaten op met rood kunstleer en koperen sierspijkers beklede stoe-len. Die stoelen waren, net als zo ongeveer alles in de soos, uitgewoond, maar schoon. De donkere vloer was van hout, uitgesleten door de voeten van vele generaties mannen. De witte muren waren kaal, op een paar prenten van heiligen na. De enige versieringen waren een geverfd houten standbeeld van de paus, een kleine meter hoog, en eentje van de Heilige Maagd Maria met het kindeke Jezus.

De Ravenite bestond uit twee grote kamers: een aan de voorkant, waar mensen aten en kaartten, de ander aan de achterkant, waar privézaken wer-den afgehandeld. Er waren geen vrouwen aanwezig en ik heb er nooit iemand in uniform gezien. Iedereen droeg goedverzorgde vrijetijdskleding of een pak, en de meeste mannen hadden getaande gezichten en donker haar, net als mijn vader. De grootste kamer was vol activiteit, tientallen man-nen zaten er te eten of te kaarten. Voorin die kamer dromden mannen samen om naar de televisie te kijken, die aan de muur bij de ingang was opgehangen. Net als in de soos in de buurt van de zakenwijk werden er voortdurend paardenkoersen getoond, en het geschreeuw en gevloek van de kijkers maakten het moeilijk iets anders te horen. In een kleinere kamer, aan de achterkant, was de sfeer rustiger. Deze kamer was veel donkerder dan de voorkamer. En daar troffen we oom Nino om zaken te doen.

Mensen liepen onophoudelijk af en aan en iedereen scheen wel iets te kopen of te verkopen te hebben. De onderhandelingen verliepen meestal snel en heftig. Drie of vier kerels zaten aan een tafel zaken te doen. De een had een vracht elektronica in de aanbieding, een ander dozen vol mooie horloges, weer een ander exotisch fruit. Soms ging het kopen en verkopen soepel, op andere momenten gingen er reeksen uitgebreide onderhandelingen aan vooraf. De ene kerel bracht een ander in contact met een koper, in ruil voor iets dat hij zelf wilde hebben. Van tijd tot tijd vertrok een van de mannen voor een paar minuten, om weer terug te komen met een monster van zijn koopwaar. Andere mannen praatten over geld. 'Joe hier heeft vijftigduizend dollar nodig, hij moet een vakbondsprobleempje oplossen.' Of: 'Tony heeft wat startgeld nodig voor zijn winkel.' Vaak wilde iemand met mijn vader praten over een beetje hulp. Na een tijdje begon ik me dan te vervelen en ik ging kijken of er niets anders te doen was.

Ik dwaalde meestal af naar de oude mannen die in de soos bijeenkwamen. Terwijl mijn vader saaie zaakjes afhandelde ging ik bij hen aan tafel zitten om te eten en te kaarten. Ik hield van hun verhalen over het oude land. Mijn vader had me geleerd respect te hebben voor oudere mensen; hij zei me dat zij levende geschiedenisboeken waren, vol wijsheid. Na verloop van tijd leerde ik velen van hen kennen. Zij mochten me, want ik was een beleefd kind. Ter begroeting gaf ik een kus, noemde ze 'oom' of 'meneer' en ik vergat nooit 'alstublieft' en 'dank u wel' te zeggen. Sommigen van hen hadden geen kleinkinderen, en omdat ik het enige kind was in de soos, vonden ze het leuk als ik kwam. Ik voelde me een gelukkig kind, want hoewel mijn beide grootvaders al voor mijn geboorte waren overleden, kreeg ik op de soos een kamer vol grootvaders, die me verhalen vertelden, me trakteerden en klopjes op mijn hoofd gaven. Bij hen voelde ik me op mijn gemak, meer dan bij de kinderen op school.

Op een middag in de Ravenite stak mijn vader zijn hoofd buiten de deur van de achterkamer en riep me. 'Ga even naar de auto en breng me dat pakje, je weet wel. Het is voor oom Nino.' Hij gaf me de sleutels van de Cadillac.

Ik ging naar buiten en haalde het pakje uit de kofferbak. Ik wist dat er een pistool inzat, omdat ik had gezien dat mijn vader hem inpakte. Ik stopte het pakje in mijn overhemd, zoals ik mijn vader dat wel met andere pakjes had zien doen en bracht het binnen, naar oom Nino. Hij zat aan de tafel met mijn vader en twee andere mannen die ik niet kende. Terwijl hij het pakje aannam vroeg Nino: 'En, Albert, wat vind jij van het pistool?'

Mijn antwoord was instinctief: 'Welk pistool?' Om de een of andere reden wist ik dat ik niet moest laten merken te weten wat er in het pakje zat.

Oom Nino glimlachte naar me en knikte goedkeurend.

Een paar minuten later zei vader dat hij me wilde voorstellen aan een bijzonder iemand. We gingen de achterkamer weer binnen en ik zag een oudere man naast oom Nino aan de tafel zitten. Hij was van gemiddelde lengte, had dun wit haar en een doorgroefd, getaand gezicht. Hij leek op een gewone, oude grootvader, eentje zoals ik in het park bij ons huis duiven zag voeren. Het enige dat hem anders maakte, was zijn onberispelijke uiterlijk. Hij was duur gekleed, in een Italiaans pak en met schoenen als die van mijn vader. Hij droeg een diamant aan zijn pink en zijn nagels waren smetteloos gemanicuurd. Vader stelde hem aan mij voor als meneer Dellacroce. Ik kuste hem beleefd en hij zei iets tegen mijn vader en gaf me een klopje op mijn hoofd. Daarna zei mijn vader: 'Vertel meneer Dellacroce eens wat je doet als je iemand moet neerschieten, Al.'

Ik kende het antwoord; mijn vader had het mij op een dag geleerd bij het schoonmaken van pistolen in de werkplaats. Prompt zegde ik mijn lesje op: 'Twee in het hoofd, overtuig je ervan dat ze dood zijn.'

Ik zweeg even en mijn vader moedigde me met een knikje aan door te gaan. Ik herinnerde me de rest en vervolgde: 'En daarna snij je zo'n klootzak zijn strot af!'

Mijnheer Dellacroce bulderde van het lachen en daarna zei hij: 'Goed zo!' Hij boog zich voorover om me een zoen te geven. Alle mannen lachten. Mijn vader streek me door mijn haar en straalde van trots. Ik maakte mensen graag aan het lachen. Ik had zelfs hardop een grof woord gebruikt. Vader en ik gebruikten nooit grove woorden als mijn moeder in de buurt was, alleen maar als we samen waren. Ik begon met ze mee te lachen. Het was prettig om de grap te begrijpen. Op de weg terug naar huis, in de auto, vertelde vader me over Neil Dellacroce.

'De macht van een man kun je niet altijd inschatten door alleen maar naar hem te kijken, Al. Die broze, oude man is heel erg machtig. Hij hoeft alleen maar te knikken of honderden mannen zullen voor hem doden. Daarom moet je altijd voorzichtig zijn en respect betuigen. Je weet niet altijd met wie je te doen hebt.' Ik was verbaasd. In mijn ogen was meneer Dellacroce gewoon de zoveelste grootvader die verhaaltjes vertelde.

Jaren later ontdekte ik dat hij het laatst overlevende lid was van Lucky Luciano's Murder Inc., de gevaarlijkste bende in de jaren dertig. Hij was tevens de tweede man van de Gambino-familie.

Tijdens de tientallen tochtjes die ik met mijn vader naar de sociëteiten maakte, vroeg niemand me ooit weg te gaan, zodat zij vrijuit konden praten. Als mijn vader door iemand werd benaderd, liep ik weg, maar zonder uitzondering klonk er dan: 'Nee, nee, blijf maar, Albert, het is oké.' Toch trok ik me meestal iets terug; maar op momenten dat ik wel bleef, begreep ik zelden de inhoud van het gesprek. Ik hoorde heel wat onbegrijpelijks, maar ik wist instinctief dat de gesprekken geheim moesten blijven. Tenzij iemand iets aan het verkopen was, werd het gesprokene zo vaag gehouden dat het voor mij geen betekenis had. Zelfs als ik dat gewild had zou ik niets van belang hebben kunnen herhalen.

Meestal zei ik niets tijdens de gesprekken die mijn vader en oom Nino in de Ravenite voerden. Maar op een middag raakte ik voor het eerst bij hun gesprek betrokken. Zij hadden het over een rechtszaak. Een kennis van hen was gearresteerd en de politie bezat bandopnames van de man die de misdaad had gepleegd. Het was duidelijk dat oom Nino door de politie geholpen werd, want hij vertelde dat een agent hem kopieën van alle processen-verbaal had bezorgd. Oom Nino zat in mijn aanwezigheid de stukken van de agent te lezen. Als hij klaar was met een vel papier gaf hij het aan mijn vader en bespraken ze wat ze hadden gelezen. Oom Nino leek nogal bezorgd.

'We kunnen ons niet veroorloven dat hij daarvoor gepakt wordt. We moeten die banden laten verdwijnen.'

'Ik dacht dat je daar een mannetje had,' antwoordde vader.

'Heb ik ook. Ik zou hem die bandjes uit de bewijskamer kunnen laten pakken, maar dan krijgen ze hem misschien in de gaten. En hij is te waardevol om kwijt te raken. Bovendien zou hij me dan misschien verlinken, als hij een deal moet maken.'

'Er moet een manier zijn om die banden te laten verdwijnen zonder daarbij betrapt te worden.'

Terwijl de mannen hardop nadachten en ideeën opperden, herinnerde ik me iets dat ik op school had geleerd. We hadden les over magneten en de leraar had ons laten zien wat er gebeurde als je een magneet bij een elektronische band hield. De magneet trok de deeltjes los en wiste de band. Ik wachtte tot hij en oom Nino even zwegen en zei toen tegen mijn vader: 'Waarom houdt u niet gewoon een magneet bij de banden. Dan worden ze toch gewist?'

Mijn vader staarde me even aan en vervolgens schoten hij en oom Nino in de lach. Ten slotte zei Nino: 'Die knul heeft gelijk, Roy.' Daarna zei hij tegen mij: 'Jij bent een slimme jongen, wist je dat, Albert?' Mijn hart zwol op van trots. Oom Nino bestelde een ijsje voor me, terwijl mijn vader naar een ijzerwinkel ging om een sterke magneet te kopen. Een paar minuten later kwam hij terug en overhandigde hem aan Nino. Toen we die dag vertrokken, klopten alle mannen me op de rug. Mijn vader straalde van genoegen.

Die avond stapen we uit op de inrit en daar zat Lisa te wachten, op de stoep voor het huis. Haar gezichtje was bleek en betrokken. Zodra mijn vader haar gezicht zag, liep hij naar haar toe, ging naast haar zitten, legde zijn arm om haar heen en keek haar in de ogen.

'Gaat het goed met je, liefje? Is alles in orde?'

Lisa keek ernstig. 'Pappa, ik moet u iets vertellen. Iets ergs.'

'Wat is er dan, schat?'

'Ik heb de achterruit van het souterrain gebroken. Dat was niet expres. Ik speelde met mijn bal. Ik wilde u dat vertellen omdat u me hebt gezegd dat het altijd beter is eerlijk te zijn en ik heb beloofd nooit tegen u te liegen. U kunt het geld voor de reparatie van mijn zakgeld inhouden. Bent u boos op me, pappa?'

Mijn vader trok haar op zijn schoot en hield haar stevig vast. Ik zag hoe zijn ogen zich vulden met tranen.

'Nee, schat, ik ben niet boos op je. Het was een ongelukje. Jij bent mijn eerlijke meisje.' Toen ik naar het ernstige gezicht van mijn zusje keek, voelde ik me plotseling niet meer zo zelfingenomen. Ik ving mijn vaders blik op en hij keek weg. We gingen naar binnen om te eten en het leek alsof er een steen in mijn maag zat.

Een maand of wat later vroeg ik vader hoe het met die banden was afgelopen. Hij zei dat een politiefunctionaris de magneet bij de banden in de bewijskamer had gehouden, waardoor alles was alles gewist, precies zoals ik had verwacht. De officier van justitie wilde ze in de rechtszaal afspelen, maar er was louter stilte te horen. De officier was woedend, maar niemand wist hoe dit had kunnen gebeuren.

Sinds die tijd genoot ik in de soos nieuw aanzien bij de metgezellen van mijn vader. Ik had bewezen meer te zijn dan alleen maar de zoon van Roy. Steeds wanneer ik met mijn vader de stad in ging, wedijverden mannen om de eer mij iets te geven. Ik kon kiezen wat ik wilde uit de vrachtwagens die in Mulberry Street werden uitgeladen. Kerels van de soos brachten van restaurants lekkere hapjes voor me mee. Ik kon wanneer ik maar wilde beschikken over het beste voedsel in Little Italy, in welke hoeveelheid dan ook. Wanneer ik zei dat ik zin had in een ijsje of een reep chocola, ging iemand er vandoor om het te halen. Als ze de verkeerde smaak meebrachten, verdwenen ze meteen weer om de goede te kopen. Op school was ik een oppassende derdeklasser, die op de achterste rij zijn tafels van vermenigvuldiging leerde, maar in de sociëteiten was ik een kleine man die zich koesterde in de macht van zijn vader.

Toen dat voorjaar de warmte was teruggekeerd, was mijn vader vaker thuis in de weekends, om de grond te bewerken voor de planten van mijn moeder. Ik ging aan de slag in de kleine tuin die mijn vader voor me had afgeperkt en plantte groenten voor de zomer. Het was een goed gevoel om buiten te zijn in plaats van in rokerige ruimtes. De bollen van mijn moeder kwamen al uit en diverse narcissen loerden door de spleten in de omheining. Het was al bijna Pasen en ik bereidde me voor op mijn eerste communie in de lutherse kerk, waar mijn zusjes en ik de zondagsschool bezochten. Mijn moeder ging met me naar May's om voor die gelegenheid een nieuw pak te kopen en ze zei tegen me dat het paasdiner dat jaar iets heel bijzonders zou zijn ter ere van mijn communie. Vader bracht voor dat feestmaal een varken mee van de slager en mijn familie en oom Mikey werden voor deze gebeurtenis uitgenodigd.

Het varken werd gevuld met fruit en draaide tegen de tijd dat we op paasmorgen opstonden, aan een spit in de keuken. De paashaas kwam altijd de avond tevoren om onze mandjes te verstoppen en hoewel ik het geloof in de haas had verloren, was ik de mand nog niet ontgroeid. Zelfs mijn oudste zusje, al bijna veertien, hield van de jaarlijkse speurtocht naar de mand. We sprongen alledrie uit bed om nog voor het ontbijt te gaan zoeken. De 'Haas' was vreselijk slim wanneer het erop aankwam mandjes te verstoppen en dat jaar kostte het ons ruim een uur noest speurwerk om ze te vinden. We spitten het hele huis door, openden kasten en doorzochten alle mogelijke schuilplaatsen.

Eindelijk vond Debra haar mandje, verstopt tussen dozen met souvenirs op zolder. Het mijne was achter een doos met gereedschap van mijn vader geprop, in de werkplaats in het souterrain, maar dat van Lisa was nergens te vinden. Nadat wij de onze hadden gevonden hielpen Debra en ik haar een handje, maar het lukte niet; het was nergens te vinden. Ten slotte begon Lisa te huilen en ze rende voor troost naar mijn vader, omdat de paashaas haar had vergeten.

Vader tilde haar op en verzekerde haar dat de haas nooit een meisje dat zo lief was als zij zou vergeten. Dan nam hij haar mee de trap op en suggereerde dat ze hem misschien wel in de tuin zou zien als ze door het raam van de bovenverdieping zou kijken. Lisa stak haar hoofd door het raam en daar, van de zolder neergelaten aan een touw, hing haar mandje. Ze schreeuwde van blijdschap, terwijl vader het voor haar naar het raam trok. Alles in onze mandjes, zelfs de chocolaatjes, was zelfgemaakt en werkelijk heerlijk. Wij waren gelukzalig besmeurd met suikerstroop en chocolade toen moeder ons naar de ontbijttafel riep, waarop al veel te veel stond om op te kunnen eten. Mijn moeder lachte alleen maar toen ze ons zag en stuurde ons naar de badkamer om ons te wassen en aan te kleden voor de zondagsschool. Even later stonden we klaar voor inspectie, ik in mijn nieuwe pak en mijn zusjes in prachtige, pastelkleurige jurken. Daarna op weg naar de kerk en de paasdienst.

Tegen de tijd dat we thuiskwamen begonnen de eerste familieleden al te arriveren, maar mijn vader moest vóór het eten nog iets in Little Italy regelen en hij nam mij mee. Hij had me voor mijn communie een kleine diamanten pinkring, die op de zijne leek, cadeau gedaan en toen we in de stad waren, liet hij me daar eerst mee pronken bij de mannen in de Ravenite. Toen ik hem aan de eerste man toonde en hem vertelde waarom ik hem had gekregen, stond hij onmiddellijk op, feliciteerde me met mijn communie en gaf me een biljet van vijftig dollar. Van alle kanten stonden andere mannen op en gingen in de rij staan om mij hun respect te betuigen. De een na de ander wenste me geluk en stopte een honderd-dollarbiljet in mijn hand. Niemand anders gaf me minder dan honderd dollar en sommigen gaven me er tweehonderd. Tegen die tijd bemerkte de eerste man die me had gefeliciteerd beschaamd hoeveel de anderen me gaven. Daarom ging hij weer in de rij staan, gaf me nog een honderdje en noemde het 'een toegevoegde gift'. Ik keek verbaasd naar de groeiende stapel bankbiljetten en bedankte beleefd iedere man als hij me het geld gaf en zich vooroverboog om me op de wang te kussen. Na afloop kon ik bijna drieduizend dollar toevoegen aan mijn bundeltje bankbiljetten. Voor de rit naar huis stopte ik het geld diep weg in mijn broekzak.

Toen we thuiskwamen waren oom Joe, oom Louis en tante Marie en alle neefjes en nichtjes er al. Ik legde het geld op de bovenste plank van mijn kamer, in de doos waarin ik mijn toverkaarten en andere schatten bewaarde, en ging naar buiten om te spelen. Opgewonden door al het zoets dat we die ochtend hadden gegeten, renden we door de achtertuin en ruïneerden we onze nieuwe kleren, terwijl de vrouwen de laatste hand legden aan het paasdiner. Mijn oma had voor haar paasbrood een geheim recept gebruikt. Het was machtig en rijk gevuld met eieren en boter. Mijn moeder had een graantaart gemaakt, volgens een traditioneel Italiaans recept dat voorschreef dat ze de voorafgaande nacht de graankorrels moest laten weken, waarna ze werden vermengd met ricottakaas en suiker. Zij had al twee soorten taart gemaakt en cake en haar anisettekoekjes, een andere paasspecialiteit. Mijn tante had pizza rustica gemaakt, een pizza met ham en een potpourri van Italiaanse kazen.

Het geroosterde varken werd op een grote schaal geserveerd, in het midden van de eetkamertafel. Toen iedereen zat, hield mijn moeder een korte toespraak waarin ze me feliciteerde met mijn eerste communie en iedereen wenste me geluk. Vader liet me aan iedereen mijn nieuwe ring showen. Ik zag mijn oudere neef Benny met zijn ogen rollen en naar zijn zusje kijken, maar alle anderen complimenteerden me met mijn ring, toen ik trots vertelde dat hij net als die van vader was. Daarna riep mijn moeder: 'Aan tafel!' en niemand dacht nog aan iets anders dan eten.

Oom Mikey was zojuist met zijn vrouw teruggekeerd van een vakantie in Italië en onder het eten hield hij iedereen bezig met verhalen over zijn reizen. Vader had voor hen een bezoek aan ons voorvaderlijk huis geregeld en zij reisden in stijl. Mikeys vrouw vertelde van de villa's en tuinen, maar oom Mikey had betere verhalen in petto. Hij had op de harde manier ontdekt dat sommige wc's in dat gebied tamelijk achtergebleven waren en hij was er niet op voorbereid dat er geen wc-papier was. Al wat hij bij zich had was zijn portefeuille, volgepropt met Italiaanse lires, en daarom had hij een handjevol daarvan gebruikt om zijn achterste af te vegen. Later vertelde hij dit aan zijn gastheer, een lach verwachtend, maar de man was alleen maar verbaasd dat iemand rijk genoeg was om zoiets te doen. Al spoedig ging de mare door het dorp dat Mikey fabelachtig rijk was. En ook al waren lires dan veel minder waard dan dollars, een paar ondernemende tieners gingen schatgraven in het toilet en slaagden erin de lires op te vissen. Oom Mikey bulderde van het lachen toen hij me dat vertelde. Ik zag aan het gezicht van moeder dat zij het geen passend verhaal vond om aan een eettafel te vertellen, maar daar zat ik niet mee. Ik schaterde zo hard dat ik mijn voedsel uitspuugde.

Die avond, toen vader naar mijn kamer kwam om me in te stoppen, lag ik nog steeds te glimlachen om oom Mikeys verhaal. Terwijl mijn vader met de deken bezig was, vroeg ik: 'Pappa?'

'Wat is er, jongen?'

'Waarom noemt iedereen oom Mikey "Mikey Hammer"? Zijn vrouw wordt door niemand mevrouw Hammer genoemd.'

Mijn vader antwoordde: 'Ach, weet je, oom Mikey was nogal een harde jongen toen hij jonger was. Hij haalde geld op bij mensen die mij en wat andere kerels geld verschuldigd waren. Soms betaalden die mensen niet terug wat ze schuldig waren. En je oom Mikey is echt een zachtmoedig type, maar wat kun je doen als iemand niet betaalt? En daarom brak oom Mikey dan af en toe een paar van hun knokkels met een hamer, als een soort aansporing toch maar liever te betalen. Na verloop van tijd begonnen de mensen hem Mikey Hammer te noemen.'

Ik voelde hoe mijn vingers onwillekeurig verstrakten. Oom Mikey? De knokkels van mensen breken? Hij was een van de aardigste mensen die ik kende. Het leek niet logisch. Ik duwde dat beeld weg uit mijn gedachten en draaide me op mijn zij om te gaan slapen. Ik sukkelde in slaap en droomde van chocoladehazen, honderd-dollarbiljetten en gebroken knokkels.

Eindelijk was het schooljaar voorbij en mijn zusjes en ik hadden weer de vrijheid dagelijks te zwemmen en 's avonds te barbecuen. Die zomer hadden vader en ik rond de barbecuekuil achter de werkplaats cement gestort. Dit was ook de zomer dat mijn vader een door zijn familie in de achtertuin verlaten kleine kikker redde. Vader redde voortdurend dieren. Mijn oom Joe vertelde me dat hij en mijn vader al in hun kinderjaren naar de achtertuin gingen als de vogels zich in de bomen nestelden. Hij zei dat mijn vader dan doodstil bleef staan en dat de spreeuwen op zijn armen en handen landden. Hij had nog nooit zoiets gezien. Vader groef in de vochtige grond onder de veranda achter het huis voor het kikkertje een beschut plekje en bracht, elke morgen voor hij naar zijn werk ging, een palmblad vol voer om het kleine schepsel met de hand te voeren. De kikker stond verder niemand van ons toe in zijn nabijheid te komen, maar hij was niet bang voor mijn vader en sprong zelfs op diens hand om gestreeld te worden. Al snel kwam hij vanonder de veranda aangehuppeld als hij de voetstappen van mijn vader hoorde. Mijn vader waarschuwde de man die ons gazon maaide extra voorzichtig te zijn in de buurt van de veranda, zodat de kikker niets zou overkomen.

Op een ochtend werd ik wakker doordat mijn vader buiten tegen iemand stond te schreeuwen. Ik rende naar beneden, de tuin in, waar mijn vader tekeerging tegen de tuinman. Vaders gezicht was paars van woede. Zo had ik hem nog nooit gezien. Ik hoorde hem schreeuwen: 'Verdomde idioot, wat heb ik je nou gezegd? Wegwezen hier en wegblijven! Je bent ontslagen!' In zijn hand hield hij een klein, misvormd groen ding. Ik liep naar hem toe en zag dat het zijn lievelingskikker was, het onderlichaampje afgesneden door de grasmaaier. Hij was dood. Vaders hand beefde en er stonden tranen in zijn ogen.

Hij zei niets tegen mij. In plaats daarvan liep hij me voorbij, de werkplaats in, om even later terug te keren met een tuinschepje. Hij liep naar de grote boom naast de schommel en knielde neer om een gat van twintig centimeter breed en bijna even diep te graven. Heel voorzichtig boog hij zich voorover om de verminkte overblijfselen van het kikkertje in het gat te leggen. Daarna vulde hij het met wat modder, streek voorzichtig het heuveltje met zijn hand glad en strooide er wat gras overheen. Hij ging weer naar binnen en ik raakte in het voorbijgaan zijn hand aan. Hij deed zijn best om naar me te glimlachen.

Freddy bracht in augustus zijn kinderen bij ons om in ons zwembad te zwemmen en het weekend daarop vroeg vader of ik zin had met hem naar Freddy's huis te gaan om daar op de motorfietsen te rijden. Ik was heel enthousiast. Ik ging graag naar Freddy's huis. Dan zat ik in de keuken koffie te drinken met mevrouw DiNome, terwijl Freddy en mijn vader naar het souterrain gingen om te praten. Een paar minuten later hoorde ik vanuit het raam beneden de stem van mijn vader. Hij klonk woedend. Ik liep de trap af, naar het souterrain, om te horen wat er aan de hand was.

Mijn vader had het over de nieuwe breedbeeldtelevisie en de videorecorder die Freddy in de woonkamer had gezet. Hij schreeuwde: 'Waar ben je nou mee bezig, idioot? Hoe vaak moet ik je nog zeggen dat je de handel nooit voor jezelf houdt. Als de politie komt, zien ze de serienummers en weten ze meteen dat die spullen gestolen zijn. Het is al erg genoeg dat je al die spullen in het souterrain hebt. Die moet je in een opslagplaats bewaren. Straks ben je erbij.' Freddy leek uit het veld geslagen en een paar minuten later vertrokken we, zonder dat ik op de motorfietsen had gereden.

Voor het eerst daagde het bij me dat de dozen die Freddy altijd in zijn souterrain bewaarde niet van hem waren.

'Pappa,' vroeg ik, 'waar heeft Freddy al die spullen vandaan?'

'Meestal weggevertjes. De vrachtwagenchauffeurs parkeren hun wagen waar Freddy ze kan vinden en laten ze daar staan, zodat hij ze kan leeghalen. Soms zijn ook de winkels erbij betrokken. Omdat de managers hebzuchtig worden of omdat de eigenaar op het verzekeringsgeld uit is. Op die manier vangen ze dubbel. Af en toe steelt hij ze, maar meestal zijn het weggevertjes.'

Ik maakte me zorgen. Freddy stal dingen, net als oom Vinny, maar Freddy hield het niet bij fruit of het uniform van een portier. Hij stal grote dingen, kostbare dingen. Dat was wat de mannen in de Ravenite bedoelden als ze het over spullen hadden die van de vrachtwagen waren gevallen. En de mensen die in de vrachtwagens reden en die de winkels beheerden hielpen hem daarbij. Het leek alsof iedereen betrokken was bij het stelen van dingen. Wist de politie daarvan? En wat voor rol speelde mijn vader bij dat alles?

Die herfst kwam ik in de vierde klas. Mijn moeder maakte dat jaar voor Halloween een luipaardpak voor mij, dat als een echte vacht aanvoelde. Zij maakte altijd al onze kostuums zelf op de naaimachine. Voor Halloween-avond versierde ze het huis, binnen en buiten, met spoken en skeletten en maakte ze lekkers voor de kinderen uit de buurt. Tientallen appelbeignets lagen op vetvrij papier uit te lekken op het aanrecht in de keuken en ze maakte bovendien toffees in diverse smaken. Onze ouders zagen ons niet graag snoep op gaan halen langs de deuren, uit angst dat er in een van de lekkernijen een scheermesje of vergif zou zitten. In plaats daarvan hielden we een groot gekostumeerd feest en nodigden we alle buurkinderen uit. We aten bergen lekkers, deden spelletjes en zaten met zaklantaarns in het donker, terwijl mijn vader spookverhalen vertelde. Daar kreeg ik heerlijk kippenvel van. Hij zag er angstaanjagend uit als hij in het donker zijn enge verhalen vertelde, totaal niet als mijn vader.

Hoewel ik het nog steeds goed deed op school, voelde ik me steeds meer een vreemde tussen mijn schoolkameraadjes. Mijn leven draaide rond mijn vader en ik begon me langzamerhand meer op mijn gemak te voelen in zijn omgeving dan bij de andere vierdeklassers. Soms voelde ik me op school een volwassene omringd door kinderen. Ik vond dat niet prettig, maar ik wist niet hoe ik daar verandering in kon aanbrengen. Andere jongens van mijn leeftijd werden lid van de padvinderij of van de honkbaljunioren, maar ik bracht mijn vrije tijd door met mijn vader in de werkplaats, of op bezoek bij zijn vrienden in de stad. Mijn leven draaide om het zijne.

Elke ochtend voor ik naar school ging, zat ik in de grote slaapkamer van mijn ouders en keek toe hoe mijn vader van een doorsneevader veranderde in een maffioso. Dit werd een soort ritueel tussen ons. Fris gewassen en geschoren trok mijn vader dan de dure maatpakken en zijden hemden aan die het handelsmerk van zijn beroep vormden. Hij gleed in zijn altijd onberispelijk gepoetste Italiaanse instappers en ging daarna naar het dressoir voor zijn sieraden. Hij droeg de diamant altijd aan zijn linkerpink, en om zijn linkerpols had hij een platina horloge met een gladde band en een kringetje diamanten rond de wijzerplaat. Nadat hij zijn horloge had vastgemaakt en zich nog een keer in de spiegel had gecontroleerd, tilde hij me in zijn armen voor een kus. Ik vond het altijd vreselijk als hij wegging. Ik had het onbehaaglijke gevoel dat hij niet zou terugkomen.

In januari werd ik tien. Ik leerde met de week meer over de manier waarop mijn vader zijn brood verdiende, maar ik kon er nog steeds geen naam voor vinden. Thuis was mijn vader geduldig en vriendelijk en als het om zaken ging altijd beleefd. Ondanks de dingen die ik op mijn tochtjes met hem hoorde en zag, bleef de lijn tussen legaal en illegaal voor mij wazig. In de sociëteiten die ik bezocht, kwamen veel reguliere zakenmensen en ik wist dat vader en oom Nino vaak met de politie samenwerkten. Ik wist dat Freddy dingen stal, maar hij was een vaste bezoeker op de zondagavonden, waarbij hij op zijn gemak zat te kletsen met mijn vaders beste vriend, de politieman. Mijn vader leende mensen geld in de sociëteiten in de stad, maar dat deed hij ook op de gewone manier, vanuit een kredietvereniging in Brooklyn. Freddy veranderde voor mijn vader de chassisnummers van gestolen auto's, maar mijn vader verkocht auto's op een wagenpark langs de snelweg, precies als de andere automobielverkopers in de buurt. Het was hopeloos verwarrend.

Halverwege de vierde klas wist ik eindelijk een naam te vinden voor wat mijn vader voor de kost deed. De eerste twee *Godfather*-films waren uitgekomen toen ik nog op de kleuterschool en in de eerste klas zat. Tegen de tijd dat ik tien werd, had ieder kind op school wel gehoord van de maffia. Op een dag bezocht ik de feestartikelenwinkel en ik zag een pseudo-identiteitsbewijs met daarop 'Lid van de Maffia', met een vrije ruimte om je naam in te vullen. Het leek me leuk er een te kopen en te dragen, om aan de andere kinderen te laten zien.

Die zondag liet ik de kaart aan mijn vader zien, in de verwachting dat hij met een glimlach zou zeggen: 'Heel grappig, jongen.' Maar in plaats daarvan gierde hij het uit. Mijn moeder vond het minder grappig. Hun reacties brachten me in verwarring. Die middag, vlak voordat we naar Mulberry Street vertrokken, zei mijn vader tegen me dat ik de identiteitskaart mee moest nemen. In de Ravenite troffen wij oom Nino aan en mijn vader wilde dat ik hem mijn kaart liet zien. Dat was de eerste keer dat ik oom Nino werkelijk hardop hoorde lachen.

Er was iets vreemds gaande. Ik vond de kaart best leuk, maar zó grappig was hij nou ook weer niet. Nino spoorde me aan de kaart te laten zien aan mijn vrienden in de andere kamer. Steeds wanneer ik hem aan iemand liet zien, begon hij te lachen alsof hij nog nooit iets leukers had gezien, waarna hij de kaart doorgaf aan een vriend. Een van de mannen zei tegen een andere kerel: 'Hé, Tony, misschien moeten we ook zo'n ding te pakken zien te krijgen. Wat dacht je daarvan?' Er begon iets bij me te dagen. Ik moest uitzoeken of ik gelijk had.

Ik kon toen al heel goed lezen en ik was die zomer begonnen samen met mijn vader de ochtendkrant te lezen. Meestal hield ik het bij de stripverhalen. Maar nu begon ik erop te letten wat mijn vader las. Elke dag verdiepte hij zich nauwgezet in de *New York Post* en de *Daily News*. Ik merkte dat hij altijd begon bij de overlijdensberichten en daarna volgde het politienieuws. Ik begon als ik thuiskwam van school elke middag in de krant dezelfde berichten te lezen, waarvoor ik me in mijn kamer terugtrok na mijn huiswerk te hebben gemaakt. De kranten stonden vol uitgebreide beschrijvingen van moorden en overvallen, vaak vergezeld van verwijzingen naar 'vermeende gangsters', die soms bij naam werden genoemd. De beschrijvingen van de moorden waren vaak angstaanjagend. Maar wat me nog veel meer angst aanjoeg was de bekendheid van sommige namen die ze noemden. Sommige van de mensen die ik van de soos kende, hadden dezelfde achternamen. Konden zij dezelfde mannen zijn? Ik durfde het niemand te vragen, zelfs mijn vader niet. Maar sinds dit idee bij me was opgekomen begon het wortel te schieten, diepe, giftige wortels van afgrijzen. Ik moest de waarheid weten. En niemand anders dan ik kon die vinden.

Mijn vader was de volgende dagen vaker dan anders weg en hij leek in gedachten verzonken. Hij glimlachte minder dan gebruikelijk en als ik met hem praatte scheen hij in gedachten een miljoen kilometer verder weg te zijn. Op een namiddag verliet hij het huis en ik zag dat hij gekleed was in een zwart pak en een das. Al mijn instincten zeiden me dat er iets aan de hand was en mijn vermoedens werden nog sterker toen mijn moeder abrupt de televisie in de hobbykamer afzette voordat het nieuws begon. Ik had toen al de gewoonte naar het nieuws te kijken, maar deze avond zei moeder dat ik naar mijn kamer moest gaan en de televisie uit moest laten. Ik deed alsof ik gehoorzaamde, maar op het moment dat ze terug naar boven liep, sloop ik door de hal naar de hobbykamer en zette de televisie weer aan, het geluid zo zacht mogelijk. Het nieuwsbericht liet een kerk zien, met grote koperen deuren en een rond, gebrandschilderd raam. De stem van de nieuwslezer informeerde de kijkers dat zij de begrafenismis bijwoonden van Carlo Gambino, peetvader van New Yorks machtigste maffiafamilie. Terwijl de camera's draaiden, werden de deuren geopend en kwamen de rouwende mensen achter elkaar de kerk uitlopen, snel hun hoofden intrekkend om de camera's te ontwijken. Eensklaps stopte de tijd. Mijn hart schoot in mijn keel en verstikte me toen de camera twee mannen in beeld kreeg die de kerk uitkwamen: oom Nino, als altijd met zijn zonnebril en vlak achter hem... mijn vader.

Alle gevoel verliet mijn lichaam. Gehaast zette ik de televisie af en rende terug naar mijn kamer. Beelden uit de kranten dwarrelden door mijn hoofd, een caleidoscoop van geweld, van snelle, gewelddadige dood. Ergens temidden van die waas van beelden kwam al wat ik de laatste vijf jaar had gehoord en gezien scherp in beeld. Mijn vader was een gangster. Hij was lid van de maffia. Ik was duizelig van angst.

Ik had er altijd aan gehecht om mijn vader gedag te zeggen als hij wegging. Dan legde ik mijn armen om zijn hals om hem te kussen en ik zei: 'Ik hou van je, pappa.'

En hij tilde mij dan in zijn armen: 'Ik hou ook van jou, Al.' Nu echter kwam er bij dit ritueel een nieuwe intensiteit. Vanaf de avond dat ik zijn gezicht had gezien op het televisiescherm leefde ik voortdurend met de angst dat ik mijn vader zou verliezen. Mijn grootste angst was dat ik hem nooit zou weerzien en dat hij zou sterven zonder te weten dat ik van hem hield.

Die nacht lag ik eenzaam in het duister en zag ik de wijzers van mijn klok langzaam naar drie uur in de ochtend draaien. Toen de koplampen van mijn vaders auto eindelijk de muur onder mijn raam verlichtten, huilde ik van opluchting. De volgende nacht en de nacht daarna lag ik wakker, aldoor in afwachting van het geluid van mijn vaders auto op de oprit.

Sindsdien heb ik nooit meer een volle nacht doorgeslapen.

vier

Gemini

Poserend voor de camera

Hoewel niets het uur terug kan brengen
Van de pracht in het gras, van de glorie in de bloem.

WORDSWORTH, 'Ode: Intimations of Immortality
from Recollections of Early Childhood'

Vanaf het moment dat ik mijn vaders gezicht op het avondnieuws zag, begon voor mij een afschuwelijk proces van weddenschappen met de eeuwigheid om mijn vader in leven te houden. 's Nachts lag ik wakker en spande ik me in om het geluid van mijn vaders auto op de oprit te horen, terwijl ik onderhandelde met de doodsengel. Soms gooide ik een munt op: als het twee keer achter elkaar kop was, zou mijn vader levend thuis komen. Andere keren bood ik de Almachtige kleine offerandes aan, zoals een gokker zijn duurste fiches aanbiedt. Ik zou betere cijfers halen, niet meer vloeken, mijn moeder vaker helpen, al wat God maar verlangde, als Hij mijn vader maar wilde beschermen. En telkens als ik de motor van de Cadillac hoorde en naar het raam van mijn slaapkamer rende om in het zwakke licht beneden mijn vaders gestalte te zien, drukte ik mijn gezicht tegen het glas en dankte ik welke macht dan ook die hem weer naar huis had gebracht.

Als enige zoon werd ik geleidelijk ingewijd in mijn vaders rituelen. Mijn moeder en zusjes kregen nooit de mensen te zien die ik met mijn vader ontmoette; ze gingen nooit de deuren binnen die alleen voor mannen toegankelijk waren. Zij wisten niet eens dat die kamers, die mensen, bestonden. Mijn vader deed zijn uiterste best hen tegen die kennis te beschermen. Een deel van de taak om ze veilig in hun onwetendheid te houden viel mij nu toe.

De paarden waren daarvan een klein onderdeel. Mijn oudere zusje, Debra, reed graag en die passie deelde ze met mijn vader. Op zondagen, als mijn vader een paar uur vrij was, nam hij Debra mee naar een stal op de oever van Long Island. Zij galoppeerden dan samen langs het strand, vereend in de vreugde van dat moment. Ik werd daarentegen meegenomen naar de trainers en de renbanen om naar het wedden te kijken en te leren hoe je

een paardenkoers kon beïnvloeden. Vader legde me de meest gebruikte
methode uit: de trainer stopte dan watten in de neus van het paard, zodat
het dier tijdens de tweede helft van de koers te weinig lucht kreeg en achter-
opraakte. De jockeys en zelfs de eigenaars waren vaak bij deze zwendel
betrokken en plaatsten, als dat geld opleverde, weddenschappen tegen hun
eigen paarden. Het ging altijd om geld. Mijn vader minachtte mensen die
hun geld weggooiden door op de koersen te wedden. Veel van zijn woeker-
zaken deed hij met gokkers. Vader geloofde in zekerheden. Hij gokte nooit
op een paard tenzij hij vooraf wist dat de koers zo geregeld was dat het paard
zou winnen.

Mij introduceren in het familiebedrijf betekende me opvoeden. Tegen de
tijd dat ik naar de vijfde klas ging, leerde mijn vader mij bijzonderheden van
zijn uiteenlopende activiteiten. Sommige daarvan waren legaal. Maar veel
zaken speelden zich af aan de verkeerde kant van de wet en mijn vader deed
geen moeite dat feit voor mij te verbergen. Hij begon me te leren hoe de
wereld die hij kende werkte, compleet met de vergoelijkingen die het hem
vergemakkelijkten om zich zonder al te veel gewetensbezwaren in die
wereld te bewegen. Zaken zijn zaken, zo zag hij het. Iedereen kende de
regels en niemand volgde ze tegen zijn wil. Je deed wat je moest doen om je
brood te verdienen.

Zijn oudste activiteit was zijn woekerpraktijk. Hij legde uit dat er af en
toe geweld moest worden gebruikt om te zorgen dat de klanten op tijd
betaalden. Dat was jammer, zei hij, maar soms onvermijdelijk. Veel van zijn
klanten waren niet al te betrouwbaar en aangezien mijn vader geen legale
middelen kon inzetten om betaling af te dwingen, moesten zijn medewerkers soms wel lichamelijk geweld gebruiken om de klant te dwingen toch te
betalen. Mijn vader betreurde het dat het zo moest gaan, maar de klanten
kenden het risico als zij het geld leenden. Het was allemaal onderdeel van
het zakendoen. Ik ontdekte dat mijn vader, die nooit ook maar een hand
ophief tegen een van ons, soms hardhandig optrad in het kader van zijn
zaken. Niet in staat deze tegenspraak te verwerken borg ik de informatie
weg in een afzonderlijk vakje van mijn hersens. Ik ontwikkelde al snel een
complex netwerk van dergelijke vakjes. Ik moest die informatie gescheiden
houden, anders zou ik niet kunnen functioneren.

Ik was met mijn vader bijna elke zaterdag en tijdens de schoolvakanties weg van huis en ik wist dat mijn moeder dat niet graag zag, maar zij had daarover niet echt iets te vertellen. Ik bracht allengs meer tijd door in de Flatbush-wijk van Brooklyn, niet ver van het huis waar ik op visite was geweest bij mevrouw P., toen mijn grootmoeder daar nog woonde. Mijn vader had op Flatbush Avenue een bar gekocht en een gepensioneerde brandweerman gevonden om de zaak voor hem te leiden. De naam van de barman was Jackie. Hij was een forse man met paarse wangen, de stereotype van de Ierse barman. De naam van de bar was de Gemini Lounge. Het was een onopvallend bouwwerk op de hoek, met een witgepleisterde gevel. Het was een arbeidersbar, niet zozeer een soos als wel een plek voor een tussen-doortje, waar mijn vader overdag kon rondhangen, een plek waar mensen hem konden vinden of termijnen konden afbetalen. Wanneer je binnen-kwam leek het gewoon de zoveelste buurtkroeg. Er werden drankjes en hap-jes geserveerd en er was een jukebox en een kleine houten dansvloer, waar op zaterdagavonden jonge stelletjes de hustle deden. Er was een lange hou-ten bar met een tv erboven en er stonden tafeltjes waar mensen aan konden gaan zitten. Ik zat 's zaterdags op een barkruk limonade te drinken en met Jackie te praten, terwijl mijn vader zaken deed. Soms ging ik achter de bar wat spelen met al de interessante prullaria die ik daar vond. Achter de bar bevond zich een kleine opslagkamer waar mijn vader een safe had staan. Hij bewaarde daarin het geld voor zijn woekerwerk en soms pistolen of andere waardevolle voorwerpen.

Achterin de Gemini was een verhoogd gedeelte met een tafel waaraan mijn vader zat. Het was een privéplekje om te praten en mijn vader kon zo alles overzien wat er in de rest van de bar gebeurde. Hij kon zien wie er binnenkwam voordat ze hem zagen en kon, indien nodig, via de achterdeur verdwijnen zonder te worden opgemerkt. Ik had al geleerd met mijn rug tegen de muur te zitten. Het was altijd schemerig in de zaak. Je moest goed kijken om gezichten te kunnen onderscheiden.

De Gemini was nooit een kroeg voor de maffiosi, zoals de Ravenite. Veel van de klanten waren brandweerlieden en dienders uit de buurt. Ik leerde snel ze te herkennen, zelfs zonder uniform. Mijn vader zei me altijd: 'Hou je ogen en oren open, Al. Je kunt heel wat over iemand leren door alleen maar te kijken.' Ik kon al een politieman herkennen aan de manier waarop hij liep, de manier waarop hij in een kamer rondkeek. En ik zag het aan zijn

schoenen. Het was verbazingwekkend hoeveel ik over iemand te weten
kwam door zijn schoenen – hoeveel hij verdiende, wat hij voor de kost deed.
De maffiosi droegen dure Italiaanse schoenen, misschien de allernieuwste
modellen Nikes als het jonge mannen waren. Mijn vader had me het fijn
gestikte leer laten zien van de Italiaanse schoenen die hij droeg. Dienders
droegen allemaal dezelfde goedkope, zwarte lelijke veterschoenen met dikke
zolen. Er waren agenten die alleen maar een glaasje na het werk kwamen
drinken, maar velen kwamen om mijn vader te ontmoeten. Sommige hadden gokproblemen en moesten een paar honderdjes lenen; anderen stonden
bij hem op de loonlijst. Ik keek toe hoe mijn vader met ze naar achteren ging
en honderdjes in hun handen neertelde. Op andere momenten gaven ze
alleen maar een enveloppe af bij Jackie aan de bar en ik zag dan hoe Jackie
een paar honderdjes onder het cocktailservet stopte als hij hun drankjes ser-
veerde. Dat waren meestal oudere agenten, vermoeide mannen van middelbare leeftijd die maar al te blij waren de duizend dollar per week te accepteren die mijn vader ze gaf om hem van informatie te voorzien en ongewenste
belangstelling af te wenden. In mijn ogen waren zij gewoon medewerkers
van mijn vader. De scheidslijn was nooit helder.

Toen vader de Gemini kocht, huurde hij tevens het bijbehorende appartement, voor een oudere achterneef, Joe genaamd. Neef Joe had gezeten
wegens bankroof. Steeds wanneer mijn vader het over Joe had, rolde mijn
moeder met haar ogen, en ze zag hem niet graag bij ons huis komen. Mijn
vader had medelijden met neef Joe en wist dat die het in zijn eentje niet zou
redden. Daarom hield hij Joe in de buurt als een soort inwonende huis-
meester en waakhond. Groot en slungelachtig, met een grauw, droef afge-
zakt gezicht, was neef Joe het meest hulpeloze menselijke schepsel dat ik
kende. Volgens mijn vader was hij bovendien 's werelds domste bankrover.
Een paar jaar geleden had hij besloten op klaarlichte dag een bank te beroven en was daarbij op het briljante idee gekomen zich als vrouw te vermommen. Hij trok een jurk en damesschoenen aan, zette een pruik op en
maakte zich op. Zo ging hij de bank beroven. Hij moet de lelijkste vrouw
geweest zijn die ooit de ruit voor het loket van de kassier had verduisterd.
Hij stal een vluchtauto, beroofde midden op de dag de bank en sloeg
daarna in de haast om weg te komen over de kop. Terwijl hij van de plaats
van het ongeluk wegrende, ontdeed hij zich op zijn vlucht van de jurk en

de pruik. Omdat er een hele reeks mensen getuige waren van zijn opmerkelijke tocht door de straat, viel het de politie niet moeilijk hem te vinden. Ze sloegen hem in de boeien en brachten hem terug naar de bank, ter identificatie door de manager. Het kostte de manager geen moeite hem aan te wijzen. Neef Joe, die er niet eens aan had gedacht de make-up af te vegen, antwoordde meteen: 'Hoe weet je nou verdomme dat ik het was? Ik was verkleed als vrouw!' Joe werd voor lange tijd naar de gevangenis gestuurd.

Ik leerde Joe pas kennen toen hij uit de gevangenis was ontslagen en naast de Gemini woonde. Zijn appartement was kaal als een hotelkamer. Ik zag er nooit persoonlijke bezittingen. Wel zag ik na verloop van tijd dat het vaak geschilderd werd. Ik vroeg me af waarom. De meeste vrienden van mijn vader noemden hem Dracula. Ik nam aan dat dit was vanwege zijn lange gestalte en zijn grauwe teint. Joe leek een wandelend lijk in zijn uitgezakte sweaters en broeken. Vader zei dat het was omdat hij leek op Bela Lugosi, als hij over zijn grote pan dampende pasta gebogen stond. Joe was een vermoeide, oude dief, die al blij was met een bed, drie maaltijden per dag en een vaste voorraad sterke drank naast de deur. Hij was een fantastische kok en telkens als vader en ik de Gemini bezochten, kookte neef Joe iets voor ons. Er leek altijd wel een pan met vleessaus op de kachel te staan pruttelen. Joe bezorgde ook brood bij ons thuis. Elke ochtend kwam hij langs met een lading brood van een bakker die mijn vader geld schuldig was. Hij was zo'n slechte chauffeur dat het een wonder leek dat hij met het brood ons huis bereikte. Soms zei Joe tegen mijn vader dat er wat sap tussen het brood zat. Op een ochtend had ik dorst en ging in de doos zoeken naar het sap waarover neef Joe het had gehad. Tot mijn teleurstelling was al wat ik vond een enveloppe met geld. Ik vroeg vader waar het sap was en daar moest hij om lachen. Het begon me te dagen dat 'sap' een ander woord voor woekerrente was.

Mijn vaders activiteiten breidden zich uit en daarom begon hij zijn eigen bende samen te stellen. Henry Borelli kwam erbij als mijn vaders accountant, om het geld in de gaten te houden dat voortdurend van hand tot hand ging. Henry was goed opgeleid en stak keurig in het pak. Hij leek meer gekwalificeerd voor Wall Street dan voor de Gemini. Chris Rosenberg was er vaak en Freddy en diens broer Richie kwamen veel langs. Oom Nino's

neef Dominick kwam om de twee weken langs om Nino's deel van het geld
dat mijn vader verdiende op te halen. Dominick fungeerde als de ogen en
oren van Nino in de Gemini. Mijn vader had medelijden met Dominick.
Hij vertelde me dat Dominick nooit meer helemaal in orde was geweest
nadat hij thuiskwam van de oorlog in Vietnam. Dominick wilde bij de maffia horen, maar hij gebruikte heroïne en had psychische problemen; daarom
durfde oom Nino hem niets gevaarlijks of gecompliceerds toe te vertrouwen. Nino hield Dominick in dienst op ongeveer dezelfde manier als mijn
vader neef Joe in dienst had.

Kort nadat hij de Gemini had gekocht, nam vader als een gunst een
kerel van een andere misdadigersfamilie aan. Hij heette Anthony Senter en
was de neef van de *capo* van die andere familie. Capo is het woord voor een
leidingggevende in de maffia, het equivalent van een topmanagementposi-
tie. Anthony was een volleerde autodief, die een heleboel geld binnen-
bracht, maar ik mocht hem niet. Er was iets glibberigs en onechts aan hem.
Ik vertrouwde hem niet. Anthony was de stereotype van een jonge maffioso. Hij was knap, zag er zeer Italiaans uit, met donkerbruine ogen en
zwart, golvend haar dat strak naar achteren was geborsteld. Hij kleedde
zich goed en was geobsedeerd door zijn uiterlijk. Alles aan zijn lichaam was
duur, van de Italiaanse instappers en de op maat gemaakte broeken, tot de
Rolex en de grote diamant aan zijn pink. Om zijn nek hing altijd een gouden ketting, waarvan het kruis verdwaalde in zijn borsthaar. Anthony
besteedde al zijn geld aan auto's en kleding. En wat hij daar niet aan uitgaf,
besteedde hij aan vrouwen. Hij kon zo ongeveer iedere vrouw krijgen die
hij wilde, van serveersters tot topmodellen. Het enige wat niet bij zijn
imago paste was zijn adem. Anthony had een ingeklapte long en was ket-
tingroker. Hij drukte altijd zijn hand tegen zijn borst en klaagde dan dat hij
niet kon ademen. Mijn vader stuurde hem naar elke longspecialist in de
stad en die vertelden hem allemaal hetzelfde: stoppen met roken. Dat deed
hij natuurlijk nooit.

Anthony's beste vriend heette Joey Testa. Joey was een kopie van
Anthony, behalve dat zijn haar iets minder krulde en hij een paar centimeter langer was. Joey sukkelde met zijn rug. Als Anthony niet over zijn gebrek
aan lucht klaagde, deed Joey dat over zijn rug. De mensen begonnen hen de
Gemini Tweeling te noemen, omdat ze in de Gemini altijd samen waren en

omdat ze zo op elkaar leken. Zelfs hun auto's waren gelijk. Zij bezaten allebei een zwarte Mercedes 450 SLC. Anthony reed altijd. Tussen het tweetal
bestond een subtiel machtsverschil. Anthony nam meestal de leiding. Ik verdacht Joey er altijd van dat hij jaloers was op Chris. Iedereen wist dat Chris
de favoriet van mijn vader was in de bende. Joey zei daar niets over, maar hij
keek soms naar Chris zoals mijn neef Benny naar mij keek, als ik een gaaf
stuk nieuw speelgoed had gekegen. Ik had het idee dat Joey zich beter zou
voelen zonder Chris in de buurt.

Het appartement van neef Joe werd de belangrijkste verzamelplaats van
de bende. Ik zat op vrijdagavonden aan Joe's keukentafel pasta te eten en toe
te kijken hoe mijn vader ieders aandeel in de autodiefstallen uittelde. Er was
een duidelijke pikorde in de bende. Dat ging subtiel, maar het bestond.
Altijd wanneer wij ons in Joe's appartement verzamelden waren de posities
hetzelfde. Mijn vader zat in het midden, met Chris aan zijn rechterkant. Ik
was de enige andere persoon die ooit rechts naast hem zat. Anthony zat
naast Chris en daarnaast Joey. Joe zat nooit bij ons; hij kookte of keek tv,
klaar om te komen als mijn vader iets van hem wilde. Ook Freddy ging nooit
zitten; hij stond of liep heen en weer en hield mijn vader als een waakhond
in de gaten.

Op een avond zat ik met vader en Chris in het appartement van neef Joe,
terwijl Joe de avondmaaltijd klaarmaakte. Wij zaten te kaarten aan de keukentafel. Naast me op tafel lag een .38 pistool dat mijn vader daar had neergelegd. Er zweefde een geur van knoflook door de lucht. Na een paar minuten ging Chris naar de woonkamer om tv te kijken en mijn vader ging naar
de wc. Joe ging naar de woonkamer om met Chris tv te kijken. Plotseling
trapte iemand met veel herrie de buitendeur open. Een man die ik niet herkende, kwam binnen en richtte een pistool op me. Zonder na te denken
griste ik het pistool van tafel en schoot op de binnendringer. Er klonk een
klik en ik realiseerde me dat het pistool niet geladen was. Ik verstijfde, maar
binnen enkele seconden liet de indringer zijn pistool lachend zakken, terwijl
mijn vader en de anderen in de keuken kwamen.

Iedereen verdrong zich om me heen en feliciteerde me met mijn goede
aanpak. 'Je hebt de test doorstaan, Al! Jij gaat het helemaal maken!' zei mijn
vader glimmend van trots.

Die hele toestand was vooropgezet. Vader had een bekende van hem de overval met een ongeladen pistool laten uitvoeren. Niemand van ons was in gevaar geweest. Hij wilde alleen maar zien hoe ik het er in een noodsituatie vanaf bracht. Ik had de test doorstaan.

In een poging mijn trillende stem te controleren zei ik: 'Ja, wat had ik dan moeten doen? Ik zit hier helemaal in mijn eentje en die vent wil ons allemaal afmaken!' Iedereen in de kamer leek het erg grappig te vinden en vond het geweldig van me dat ik op die kerel had geschoten. Ik probeerde het spel mee te spelen. Ik wilde niemand laten merken hoe ik me werkelijk voelde. Mijn hele lichaam was gevoelloos. Ik had vanaf mijn zesde jaar op doelwitten geschoten, maar nooit op een levend wezen, behalve dan de eekhoorn die ik tijdens mijn eerste jachtpartijtje had gedood. Ik had mijn hele leven wapens in handen gehad en ik bezat een plank vol modellen van soldaten en andere krijgers. Maar dit was geen spel, dit was echt, afschuwelijk echt. Het maakte niet uit dat het maar een opzetje was geweest. Al wat ik kon denken was: 'Ik had iemand kunnen doden. Echt iemand kunnen doden. Ik ben in staat iemand van het leven te beroven.' Dat besef gaf me geen gevoel van macht. Het maakte me misselijk.

Thuis tolde het die nacht in mijn hoofd en ik kon de slaap niet vatten. Steeds weer draaide de scène in de keuken van Joe zich in mijn verbeelding af. Ik had daadwerkelijk met een pistool op iemand geschoten. Dat had ik gedaan omdat ik geloofde dat ik mezelf en mijn familie daarmee verdedigde. Maar toch... Ik was doodsbang door wat ik had gedaan en wanhopig op zoek naar de een of andere verklaring. Maar wie kon ik het vragen? Beslist niet mijn moeder. En mijn vader leek te denken dat ik het goed had gedaan. Met veel moeite stopte ik ook deze pijnlijke gedachten diep weg. Wat kon ik anders?

De meeste tijd was het leven dat jaar nog goed. Mijn ouders leken gelukkig samen en mijn vader was attent en vol genegenheid voor mijn moeder. Hoewel ze graag voor andere mensen kookte, at mijn moeder haast nooit van haar eigen gerechten. Zij gaf de voorkeur aan een hamburger met friet uit haar favoriete snackbar bij de snelweg. Vader ging meestal voor hij thuiskwam eerst nog even langs bij die snackbar om een hamburger met friet voor mijn moeder mee te nemen.

Ook als het laat was geworden had hij zo'n witte zak van de snackbar bij zich. Zij at er haast nooit van, maar ik kon zien dat het haar deugd deed, niet zozeer vanwege het eten, als wel omdat het bewees dat vader aan haar had gedacht.

Die zomer was onze viering van de Vierde Juli grootser dan ooit. Het was 1976, de tweehonderdjarige gedenkdag van de natie, en de straten in de stad waren allemaal getooid met rode, witte en blauwe vlaggetjes. In de haven van New York vond een wederopvoering plaats van de kolonisering van Amerika, compleet met replica's van zeilschepen die een vlootschouw gaven rond het Vrijheidsbeeld. Er kwamen zelfs speciale flesjes Coca-Cola in de handel. Mijn vader pakte geweldig uit dat jaar en trad op als gastheer voor de viering in de buurt. Die hele dag stopten er bestelwagens voor ons huis, beladen met vuurwerk dat door de bezorgers naar de garage en de werkplaats werd gedragen totdat er geen doos meer bij kon. Er waren ijskasten vol hamburgers en hotdogs en mijn moeder maakte met Barbara en haar vriendinnen uit de buurt dagenlang koude hapjes en toetjes. De buren kwamen op het feest af, Freddy bracht zijn vrouw en kinderen mee en Chris was er met zijn vrouw. De Gemini Tweeling kwam en bracht neef Joe mee. Aan mijn moeders gekunstelde begroeting kon ik merken dat ze hen niet mocht. Ik zag Anthony iets in mijn vaders oor fluisteren. Hij knikte en ging verder met het feest. Iedereen dronk cola en bier en at totdat er geen hap meer bij kon. De kinderen zwommen in het zwembad en renden joelend en lachend over het gras. Bij het ondergaan van de zon zetten Chris en Freddy de straat aan beide einden af met dranghekken.

Het kostte meer dan een uur om de dozen met vuurwerk naar de tuin te brengen en om het klaar te maken: er waren raketten, vuurpijlen, sterretjes, al wat je maar kon verzinnen. Jim was tegen die tijd te dronken om nog rechtop te staan en daarom vroeg vader Barbara naar huis te gaan om zijn uniform op te halen. Ik keek toe hoe vader en de bende hem in zijn uniform van het New Yorkse politiedepartement hesen en hem tegen een auto voor het huis propten. De wijkagenten kwamen een half uur later langs om te vragen wat er gaande was en mijn vader zei: 'Wij hebben hier al politie.' Jim bracht het zowaar op te glimlachen en te wuiven. De agenten herkenden hem en wuifden terug, maanden ons voorzichtig te zijn en wensten ons veel plezier. Al wat ons daarna te doen stond, was wachten tot het werkelijk donker werd.

Tegen die tijd had de halve buurt rondom ons huis al tuinstoelen op de

stoep en de straat gezet. Het leek wel een menigte fans die in het voetbal-
stadion op de show in de pauze wachtte. Freddy en Chris hielden voor alle
zekerheid de wacht bij het gebied rond het vuurwerk, terwijl mijn vader zich
ervan verzekerde dat alle kinderen schoenen aan hun voeten hadden. Een
paar van de kinderen waren blootsvoets of droegen sandalen en vader
stuurde ze naar huis om gympies aan te doen, ter bescherming tegen rond-
springende vonken. Er was voor de kinderen een tafel met sterretjes klaar-
gezet, naast een vuilnisbak die mijn vader uit voorzorg met water had
gevuld. Hij was altijd bezorgd dat een van de kleintjes brandwonden zou
oplopen.

Het grote moment was eindelijk gekomen en hij begon de lonten aan te
steken, waarna de hemel boven ons huis al snel oplichtte. Het was groots:
rood, wit, blauw, zilver, goud kleurde de avondlucht, raketten ontploften
oorverdovend en vervulden ons met vreugde. Na afloop stak hij voor de
kleintjes de sterretjes aan. Ik hielp hem op de kinderen te letten en zodra een
sterretje tot bij de vingers van een kind brandde, pakten we het af en wierpen het in de bak met water. Tegen die tijd was het voor de kleinsten ver
voorbij bedtijd en hun ouders droegen hen over het afval naar huis, de
meeste diep in slaap op de ouderlijke schouders hangend.

Barbara hielp Jim naar huis te wankelen, maar een paar buren bleven
achter om ons te helpen bij het opruimen. De vrouwen pakten het overgebleven voedsel in en de mannen veegden met bezems het afval van het vuurwerk op een hoop. De bende was al vertrokken. Rond middernacht kwam
de eerste wagen om het vuilnis op te halen. Nadat de vuilniswagens vertrokken waren en alles weer schoon was, zei mijn vader tegen mijn moeder
dat hij nog even weg moest. Ik zag hem niet graag gaan, maar hij zei dat het
echt moest en stuurde me naar bed. De zon kwam al bijna op toen ik hem
eindelijk hoorde binnenkomen.

Als het maar even kon, nam vader me in het weekend mee, de stad uit.
Ik denk dat hij die verandering van lucht net zo nodig had als ik. Als tiener
was vader een prima padvinder geweest en hoewel ik nooit lid werd van de
padvinderij, gaven die trips me een gedegen opleiding in alle openlucht-
vaardigheden die padvinders plegen te leren. Het enige verschil was dat ik,
in plaats van met een hopman en een groep jongens een nacht buiten door
te brengen, dat deed met vader – en soms met de bende.

Sommige van die uitstapjes waren uitsluitend voor de familie. De 'mannen' van de familie – vader, ik en oom Joe – laadden dan onze kampeeruitrusting in de Cadillac en togen naar het noorden. Soms bezochten we familie in Connecticut. Bij andere gelegenheden gingen we met neef Benny in het bos kamperen. Dan namen we onze tenten en slaapzakken mee en behielpen ons met de vis die wij vingen en een paar essentiële voedselvoorraden. Ik vond er niets aan als Benny meekwam. Vader zei dat we dat wel moesten doen omdat hij geen vader meer had. Benny's vader was bij de politie geweest, maar hij stierf aan een hartaanval toen Benny nog heel jong was. Vader, Joe en ik hielden van dit buitenleven, maar met Benny zat het anders. Ook al was hij tien jaar ouder dan ik, hij zeurde als een kleuter. *Waarom moet ik in het bos plassen? Waarom kunnen we niet in een hotel slapen, met een echte wc? Ik wil geen hotdogs, ik wil lasagne.* Tegen het einde van de tocht popelden we om hem zo snel mogelijk naar huis te brengen. Oma woonde tegen die tijd bij tante Marie en Benny, en naar mijn mening verdienden hij en oma elkaar.

Een keer werd mijn vaders geestdrift voor kamperen bijna zijn dood. In een vlaag van tijdelijke verstandsverbijstering nam hij Joe en mij mee naar de sportartikelenwinkel en besteedde een klein fortuin aan de nieuwste kampeeruitrusting, compleet met overlevingsdekens van cellofaan en diepgevroren voedsel zoals astronauten dat gebruiken. Onze eerste nacht buiten was koud en we ontdekten al snel dat de vreemde, glinsterende dekens op het gebied van warmte weinig te bieden hadden. Erger nog was dat het meegebrachte voedsel nauwelijks onze magen vulde. Mijn vader stond midden in de nacht op om alle meegebrachte diepgevroren pakjes leeg te eten. Wat hij zich niet realiseerde was dat het voedsel was ontworpen om in de vochtige ruimte van de maag uit te dijen, waardoor uiteindelijk zo'n kleine portie toch je maag vulde.

De volgende ochtend stond hij op en hij had nog geen stap gedaan of het voedsel begon op te zetten. Het resultaat was ongelofelijk. Voor onze verbijsterde ogen zwol mijn vaders maag op als die van een tekenfilmfiguur en binnen een paar minuten kromp hij ineen van de pijn, omdat hij bijna ontplofte. Zodra wij beseften wat er aan de hand was legden we hem op de achterbank en oom Joe reed met een snelheid van bijna honderdzestig kilometer per uur naar het dichtstbijzijnde ziekenhuis.

Terwijl we over de snelweg scheurden, keek oom Joe in de achteruitkijk-
spiegel en hij mopperde: 'O, verdomme.'

'Wat is er?' vroeg ik .

'Er zit een smeris achter ons aan.'

Ik moest meteen denken aan mijn vaders pistool en de doos die hij in de
kofferbak verborgen hield. Oom Joe en ik keken elkaar aan. Joe zei: 'Laat
mij het maar regelen.' Als antwoord kreunde mijn vader alleen maar.

Oom Joe reed naar de kant van de weg en stopte. De agent kwam bij het
raampje en vroeg naar oom Joe's rijbewijs. 'Wist je dat je harder dan honderdzestig kilometer per uur reed?' vroeg hij aan Joe. Tegelijkertijd bestudeerde de politieman de wagen. Een nieuwe Cadillac was geen alledaags
gezicht in dit deel van de bossen.

'Sorry, agent,' antwoordde oom Joe en hij gebaarde naar de achterbank,
'maar mijn broer is erg ziek. Hij moet zo snel mogelijk naar het ziekenhuis.'

De agent keek achterin en opende daarna de deur bij mijn vaders hoofd.
'Wat is er aan de hand?' Mijn vader had te veel pijn om te praten, het zweet
gutste van hem af, zijn maag was grotesk misvormd. De agent hoefde alleen
maar even te kijken om te zien hoe slecht hij eraan toe was. 'Volg me,' zei
hij tegen oom Joe en hij sprong weer op zijn motor. Met zijn knipperlich-
ten en de sirene aan ging hij ons met de grootste snelheid voor over de weg
naar het ziekenhuis. Mijn vaders maag werd leeggepompt en hij moest de
nacht ter observatie in het ziekenhuis doorbrengen. De politieman heeft
nooit geweten dat hij het leven van een *capo* had gered.

Onze meest gedenkwaardige kampeertochten met oom Joe voerden ons
ten noorden van New York, waar een vriend van hem in afzondering leefde,
op een afgelegen lap grond. Russell was een Vietnamveteraan die nadat hij
was afgezwaaid niet in staat bleek zich aan het normale leven aan te passen.
Joe zei dat Russ aan oorlogsmoeheid leed, een psychisch probleem, waar
mannen soms last van hadden na een oorlog. Russ had zijn aan de krijgs-
dienst overgehouden ontslagpremie gebruikt om een stuk land in een afgelegen gebied te kopen. Toen ik hem leerde kennen woonde hij nog in een
tent, terwijl hij langzaam bezig was een huis in het bos te bouwen. Wij gingen daar kamperen en na verloop van tijd raakten we goed bevriend met
Russell. Mijn vader voelde zich altijd aangetrokken door de buitenbeentjes
in de maatschappij en daarom gingen we er al spoedig heen om Russell met

zijn huis te helpen. Vaders timmermansvaardigheden waren van onschatbare waarde en het huis begon al snel ergens op te lijken.

Op een late namiddag, na een lange werkdag in het huis van Russell, nam oom Joe hem mee naar de dichtstbijzijnde stad, om voedsel en andere voorraden te kopen. Vader en ik bleven achter en maakten een kampvuur. De schaduwen verdiepten zich tot duisternis, we zaten rustig te praten, toen vanuit de stilte een kogel de lucht vlak boven onze hoofden doorkliefde. We doken weg van het vuur, de schaduw in, terwijl we stemmen hoorden. 'Hé, juillle daar, heb je dat gehoord? Dat was nog maar een waarschuwing. Neem je gekke vriend mee en donder hier op, of de volgende keer schieten we niet over jullie hoofden heen.' Daarna hoorden we dronken gelach en nog een paar schoten. Het leek wel een scène uit *Deliverance*. Later hoorden we dat de mannen vlakbij een lap grond bezaten en de 'mafkees' weg wilden jagen, zodat ze het hele gebied voor zichzelf zouden hebben.

Ze hadden op de verkeerde kampeerders geschoten. Mijn vader had een klein arsenaal vuurwapens meegebracht om met mij wat schietoefeningen te doen, en toen de stemmen op ons afkwamen wierp hij me een licht machinegeweer, een Mac Ten, toe en hij knikte naar de richel: 'Zie je waar ze zijn?' vroeg hij, terwijl hij extra munitie voor ons beiden pakte. Ik keek op naar de richel, in de richting waar de stemmen vandaan kwamen en knikte.

'Ja, pappa.'

'Goed. Oké, jongen, begin in die richting te schieten zodra ik dat doe en richt hoog. We willen niemand raken. We willen ze alleen maar schrik aanjagen.'

Op zijn teken schoten we onze magazijnen leeg in de zich verdiepende duisternis boven de richel. Toen onze magazijnen leeg waren, werd het stil. Na een tijdje bereikte een zwak stemgeluid ons, een trillende stem. Alle bravoure was verdwenen, de stem klonk volkomen ontnuchterd.

'Iemand dood, daar beneden?'

Vader antwoordde: 'Nee, maar jullie straks wel, als je moeilijk blijft doen.'

Dat was het laatste wat we ooit van ze vernamen.

Wie nooit met de maffia heeft gekampeerd, heeft nooit echt geleefd. Om de zoveel tijd besloot mijn vader de totale Gemini-bende mee te nemen. Dan huurde hij een grote Winnebago en iedereen perste zich naar binnen, met vuurwapens en al. Op familietochtjes schoten we niet op levende wezens. Behalve de vissen hoefde geen enkel dier bang te zijn als de DeMeo's het bos introkken. Maar de eerste keer dat we de bende meenamen, werd duidelijk dat niemand ze dit principe had uitgelegd. Mijn vader was ontsteld toen Anthony en Joey terugkwamen van een verkenningstochtje door het gebied en opschepten dat ze tijdens een schietpartijtje vanuit de Winnebago een koe hadden omgelegd. Vader vroeg: 'Waarom heb je dat verdomme gedaan?'

We stapten met zijn allen in de Winnebago en mijn vader liet de mannen de plek aanwijzen waar de koe lag. De boer had toen al de politie geroepen, met een beschrijving van de schutters. De staatspolitie kwam de zaak onderzoeken en de situatie dreigde gecompliceerd te worden. Ik klom op het hek om naar de koeien te kijken, terwijl vader de boer zijn verontschuldigingen aanbood.

'Luister,' zei mijn vader, 'het spijt me echt wat er is gebeurd. Deze mannen zijn stommelingen. Zij zijn nog nooit op jacht geweest. Ik weet niet eens zeker of ze wel wisten dat het een koe was. Ik wil geen moeilijkheden. Laat me uw verlies vergoeden. Wat was die koe waard?' vroeg mijn vader, terwijl hij honderd-dollarbiljetten uit zijn bundel trok en in de handen van de boer stopte. Ergens in de buurt van de tweeduizend begon de boer vergevingsgezind te worden. Hij zei tegen de politie dat hij geen aangifte deed. De politie kon niets anders doen dan weggaan.

Terug in het kamp foeterde mijn vader zijn bende uit: 'Hoe haal je het in je hoofd? Willen jullie het gevang in voor een stomme koe?'

Mijn vader nam het filosofisch op toen hij zag dat de bendeleden bijna hun totale wapenarsenaal hadden meegebracht om in het bos te gaan schijfschieten. Hij wilde alleen maar dat ze niet op dieren schoten. De rest van de expeditie verliep alles prima: de mannen aten opgewekt hotdogs en schoten naar hartelust hun magazijnen leeg. Zondagmiddag laat ging het weer op huis aan. Onderweg kreeg iedereen honger en we stopten bij een klein wegrestaurant om iets te eten alvorens de rit naar de stad te vervolgen.

We waren klaar met eten en wachtten op de rekening toen mijn vader merkte dat twee agenten van de federale politie het restaurant waren binnengekomen. Zij stonden waakzaam bij de ingang, met de handen op hun holsters, duidelijk op zoek naar verdachte personen. Toen we uit het raam keken, zagen we nog meer patrouillewagens stoppen en het restaurant omsingelen. Toen iemand van de bende in de gaten kreeg wat er gaande was, wilde hij impulsief naar zijn pistool grijpen, maar mijn vader fronste zijn wenkbrauwen en schudde zijn hoofd. Heel rustig zei mijn vader: 'Rustig blijven zitten allemaal. Doe alsof er niets ongewoons aan de hand is. Als ze hier komen, zeg ik dat ik mijn advocaat zal bellen.' Mijn hart stond stil, en toen de agenten bij onze tafel kwamen was de spanning voelbaar. Niemand zei iets. Ik keek neer op mijn bord, bang om op te kijken, en ik probeerde normaal te doen door de restanten van mijn maaltijd op te prikken.

De twee mannen kwamen bij de tafel naast de onze, bleven staan en zeiden: 'Daar.' Mijn vader legde zijn handen duidelijk zichtbaar op tafel en wilde net iets gaan zeggen, toen de agenten snel langs onze tafel liepen om de vluchtweg van twee mannen in het hoekzitje af te snijden. Wij draaiden ons om en keken waar ze naartoe gingen. In de hoek zaten twee verbouwereerde, bange mannen met een donkere huidskleur, die naar de politiemannen staarden en hun best deden in gebroken Engels te communiceren. Ik hoorde ze zeggen: 'Nee, nee! Wij jacht doen. Hert doden. Is oké. Is oké.' Daarna gingen ze over op Spaans, ontredderd en wanhopig proberend hun bedoelingen duidelijk te maken. Terwijl de twee agenten hen naar buiten escorteerden betaalde vader de rekening en we liepen allemaal hevig geïnteresseerd achter ze aan. De twee donkere mannen liepen naar een gebutst oud open bestelwagentje dat het middelpunt van de aandacht was geworden van de kring ongelovige agenten. De angst stond op de gezichten van de twee verdachten, terwijl ze paniekerig naar iets in de laadbak van de pickup wezen. Steeds weer herhaalden ze: 'Zie! Hert! Hert! Wij schieten hert!' Toen ik achter de rest van de bende aan in de richting van de wagen liep, kon ik vier hoeven zien die boven de zijkanten van de laadbak uit staken. Er was iets vreemds met het hert.

Ik liep door tot een halve meter achter de agenten en zag ten slotte wat er aan de hand was. Achterin de pick-up lag een ezel, neergeschoten en, zoals je dat bij een hert doet, van zijn ingewanden ontdaan, vastgebonden op de laadbak, met zijn poten stijf in de lucht. De bende sloeg dubbel van het lachen en zelfs mijn vader had moeite zijn gezicht in de plooi te houden. Hij gebaarde dat we weer in de camper moesten stappen en we gingen braaf naar binnen voordat de agenten ons ook maar opmerkten. Even later verlieten we de parkeerplaats, terwijl de politie de ongelukkige stropers, die met pathetische oprechtheid bleven volhouden dat ze een hert hadden geschoten, in de boeien sloeg. Toen we voorbij de uitgang kwamen, wuifde de ploeg uit het raam naar de politiemacht die als rugdekking paraat stond. De agenten wuifden terug en glimlachten toen de helft van de maffia van New York vrolijk terugreed naar de snelweg, de lading illegale wapens veilig verborgen tussen de kampeeruitrusting.

Mijn vader en ik deden die zomer ook een paar karweitjes thuis: wij vergrootten de patio in de achtertuin en metselden de ruimte rond de barbecue in. Vader leerde mij metselen en beton storten. Op een hete namiddag zaten we samen thuis in de werkruimte in het souterrain, waar hij me leerde hoe je een zelfgemaakte geluiddemper kunt vervaardigen.

'Als het ooit nodig is het geluid van een pistool te dempen,' zei hij, 'dan heb je een geluiddemper nodig. Je kunt voor zowat elk schietwapen een geluiddemper kopen, maar als het moet kun je er zelf een maken. Makkelijk genoeg. Ik zal het je laten zien.'

Hij pakte een plastic colafles uit de afvalbak en ging aan de slag. Hij gebruikte het mes dat hij altijd bij zich droeg om de bovenkant van de fles, ongeveer vijf centimeter voorbij de plek waar de hals zich verwijdt, af te snijden. Daarna nam hij wat kippengaas, rolde dat strak op en schoof het in de fles. Hij herhaalde dit proces totdat hij een dikke rol draad had en in het hart ervan net genoeg ruimte vrijhield om de loop van een .38 door te laten. Daarna raapte hij de top van de eerder afgesneden fles op en bevestigde die weer door isolatieband rond de fles te wikkelen tot hij onwrikbaar vastzat. Ten slotte schoof hij het geval zorgvuldig over de loop van zijn pistool en gaf dat aan mij.

'Ga je gang, Al. Probeer hem maar.'

Ik richtte het pistool naar beneden, op wat rommel waar de kogel zich veilig in zou boren en haalde de trekker over. Het maakte een ploppend geluid, dat ik duidelijk kon horen, maar dat van een afstand zo goed als onopgemerkt zou blijven. Ik knikte naar vader en gaf het pistool terug. Hij trok de colafles van de loop en wierp die terug bij het afval.

Een andere avond trof ik mijn vader in het souterrain aan, terwijl hij iets bekeek dat op een ratelschroevendraaier leek. 'Wat is dat nou weer, pappa?' vroeg ik hem.

'Heb ik net gekregen. Bij iemand besteld. Hier, ik zal je laten zien hoe het werkt. Ken je de vleugels die uitsteken aan beide kanten van het contactslot van een auto, zo ongeveer als oren?'

'Ja.'

'Als je een auto zonder de sleutels wilt starten, is het eerste wat je moet doen die dingen verwijderen. Daarvoor kun je een combinatietang gebruiken. Maar het moeilijke is daarmee voorbij het stuurwiel en het stuurslot te komen. Daar is dit voor.' Hij hield het ratelachtige ding omhoog en demonstreerde het. 'Dit ding kun je in het contact schuiven en snel ronddraaien, waardoor het slot heel gemakkelijk geforceerd wordt. Dan hoef je daar alleen nog maar een schroevendraaier in te steken en hij start meteen. Begrijp je?'

'Wat als je aangehouden wordt?' vroeg ik.

'Als je je hoofd erbij houdt, is dat geen probleem. Alleen een idioot zou gaan rondrijden terwijl er een schroevendraaier uit het contact steekt. Zodra de motor draait plak je die oren weer op hun plek en je vervangt de schroevendraaier door een namaaksleutel. Als de politie je dan aanhoudt, voor een bekeuring of wat dan ook, zullen ze niets verdachts zien.'

Ik wist toen al dat de bende met diefstal zijn brood verdiende en dat mijn vader daarbij hielp. De lessen op de zondagsschool hadden me geleerd dat stelen slecht was, maar mijn vader deed alsof het iets heel onschuldigs was. De zwart-wittegenstellingen uit de kinderjaren waren voor mij al grijs. In mijn ogen was vader in eerste instantie een zakenman die de dingen soms op een wat ongewone manier aanpakte. Zolang ik bij hem was, leek het leven heel normaal. Het was alleen maar tijdens zijn afwezigheid dat de angst me bekroop.

Het jaar waarin ik elf werd, was voor de mannen van onze familie een mijlpaal. Ik deed belijdenis en werd een man in de ogen van de Heer. De gelegenheid werd gevierd met een door onze familieleden bijgewoond speciaal diner en een prachtige bijbel: een geschenk van mijn moeder. Het was de Goed Nieuws Bijbel, een nieuwe, moderne vertaling. Het kaft was goudkleurig, met zwarte letters, en op het schutblad stond de opdracht 'Voor mijn lieve zoon Albert. God zegene je. Liefs, Mamma.' Ik was een enthousiast lezer en las hem van begin tot eind, 's middags na schooltijd op mijn

bed. Het was me niet allemaal even duidelijk, maar ik hield wel van het idee
dat het God interesseerde wat mensen overkwam. Het gaf me de hoop dat
er ergens in mijn verwarde leven een doel school.

Niet lang nadat moeder me mijn bijbel schonk, gaf ook vader me een
gedenkwaardig boek: Machiavelli's *Il principe* (*De vorst*) en hij raadde me
aan het van begin tot eind te lezen. Hij vertelde me dat het mij zou helpen
zijn leven te begrijpen. Mijn vader had me al jaren boeken toegeschoven en
ik bestudeerde plichtsgetrouw elke bladzijde van de cynische beschouwing
over politieke overlevingskunst van de Italiaanse staatsman. Het was een
interessante tegenhanger van de bijbel die ik pas had gelezen. Anders dan de
Heilige Schrift leken de grondregels die Machiavelli leerde zowel realistisch
als vertrouwd. Waar de bijbel lezers aanmoedigde hun horizon te verbreden
om de hogere zin van het leven te vinden, reduceerde *De vorst* het menselijk
bestaan tot een kille darwinistische worsteling. De maffiose teksten spraken
niet van hoop, maar van berusting, niet van transformatie, maar van overleven. Ik gaf het de bijnaam de 'maffiabijbel'. Dat leek me wel passend.

In hetzelfde jaar dat ik een man werd in de ogen van God, werd mijn
vaders droom, die hij al sinds zijn puberteit had nagejaagd, eindelijk bewaarheid. Ondanks zijn bedenkingen nam Paul Castellano mijn vader als ingewijde op in de Gambino-familie. Vader vertelde me daar niet over, maar ik
voelde dat er iets was veranderd. Om te beginnen maakte hij andere uren en
was hij vaker weg. De weekenduitstapjes die mijn zusjes en ik zo vaak met
hem hadden gemaakt, werden schaars. Soms miste hij zelfs de zondagse
maaltijd, en op doordeweekse avonden kwam hij later dan ooit thuis. Hij
nam me niet meer zo vaak mee om Nino Gaggi te bezoeken, en als hij dat
wel deed bespeurde ik een nieuwe intensiteit in de gesprekken tussen hem
en oom Nino.

Er was ook heel wat meer geld. Mijn vader begon te praten over het
bouwen van een nieuw, groot en totaal anders ingericht huis, in een van de
meest exclusieve buurten op Long Island. Wij zouden zelfs een klein jacht
kopen. Vanuit het gezichtspunt van mijn zusjes gingen vaders zaken werkelijk uitstekend en maakte hem dat gelukkig. Ik begreep dat hij op de een of
andere manier hogerop in de organisatie was geklommen, maar het enige
wat ik wist over ingewijd worden, was wat ik in films had gezien. Het was
geen geheim dat mannen deelden, zelfs niet met hun zonen.

Die herfst vertelde mijn vader me dat hij me mee zou nemen naar het Witte Huis. Voor iedere andere vijfdeklasser zou dit hebben betekend dat wij naar Pennsylvania Avenue gingen, om te zien waar de president woonde. Maar ik wist al dat er in Amerika twee Witte Huizen bestonden. Het ene was het Witte Huis waarover we op school praatten, waar president Carter woonde. Iedereen kon die plek bezoeken. Het Witte Huis waarheen mijn vader me zou brengen was de plek waar Paul Castellano woonde. Paul Castellano was *il capo di tutti capi*, de baas van alle bazen, peetvader en uitverkoren opvolger van Carlo Gambino. Big Paul was op zijn minst net zo machtig in de onderwereld als de president het was in de wereld van de internationale politiek. Het Witte Huis van Castellano was een particulier huis en alleen de kring van vertrouwelingen kon erheen gaan. Mijn vader maakte nu deel uit van die kring.

Mijn vader bereidde het bezoek zorgvuldig voor. Ik keek toe hoe hij een doos met de meest uitgelezen wijnen op de achterbank van de auto zette en daarna tienduizenden dollars aan contant geld uittelde om in een enveloppe voor Big Paul te stoppen. Gekleed in mijn allerbeste spullen zat ik stilletjes naast mijn vader toen we ons een weg baanden door de straten van Massapequa, naar Staten Island en naar het op een heuvel gelegen, grote witte herenhuis. Onder het rijden vertelde vader me over Paul Castellano en diens rol in de Gambino-familie.

'Zelf heb ik niet zoveel op met Big Paul. Hij houdt zijn handen graag schoon en daarom heeft hij andere mensen om het vuile werk voor hem te doen. Weet je nog dat oom Nino jou voorstelde aan meneer Dellacroce, in de Ravenite? Nou, als we het over machtige mannen hebben! Die oude man kan meer doen met een oogopslag of een knikje dan Big Paul ooit voor elkaar kreeg. Maar meneer Gambino benoemde Big Paul tot zijn plaatsvervanger na zijn dood, en ik moet de wensen van meneer Gambino respecteren.' De traditie vereiste dat er wekelijks een blijk van waardering werd gegeven aan het hoofd van de familie. Dat stuurde vader gewoonlijk via oom Nino op naar het Witte Huis, maar nu vader een *capo* was, bracht hij het af en toe zelf. Die week ging vader zijn respect betuigen en hij wilde dat ik getuige was van dat ritueel.

Het huis, verborgen achter de poort van versterkt staal die zich voor ons opende, was een getrouwe kopie van het Witte Huis op Pennsylvania

Avenue, inclusief zuilen en wat dies meer zij. Dat was geen toeval, omdat
Castellano zich een behuizing wenste die zijn nieuwe macht weerspiegelde.
Mijn vader verachtte deze zucht naar uiterlijk vertoon. Carlo Gambino had
veel eenvoudiger geleefd, in een onopvallend geel huis aan de kust van de
baai. Hij zou nooit op deze manier de aandacht hebben willen trekken, maar
Castellano, zo legde vader uit, wilde tot de rijken en beroemdheden van
New York behoren. Big Paul wilde dat de mensen hem zagen als een direc-
teur, de witteboordenbestuurder van een grote onderneming. Als je werkelijk macht had, zei mijn vader, had je al dat vertoon niet nodig.

Naast mijn vader liep ik naar de imposante voordeur van het herenhuis.
Een opvallend mooi jong dienstmeisje opende de deur. Mijn vader ging naar
binnen, maar ik bleef wat achter, in de wetenschap dat het protocol van mij
verlangde dat ik mijn plaats wist. Mijn vader mompelde: 'Mijn zoon,
Albert.' De vrouw glimlachte en wenkte me naar binnen. Mijn vader verdween in een kamer verderop in de hal. Het dienstmeisje nam me mee naar
de keuken en gaf me een espresso. Het was de slechtste espresso die ik ooit
had geproefd en het vereiste al mijn goede manieren dat niet aan mijn
gezicht te laten merken. Maar het was een aardige vrouw en we maakten een
praatje, terwijl ik op de terugkeer van mijn vader wachtte. Het Engels van
het dienstmeisje was verschrikkelijk en daarom praatten we wat over het
weer en tijdens de stiltes glimlachten we naar elkaar.

Ongeveer een halfuur later kwam mijn vader terug en hij zei dat het tijd
was om te gaan. Wij liepen door de hal terug naar de ingang en ik zag in de
kamer die mijn vader was binnengegaan Paul Castellano achter een bureau
zitten. Meneer Castellano zag mij en beduidde ons binnen te komen, maar
ik aarzelde alweer. Hij riep: 'Kom binnen, kom binnen, Roy; laat me kennis
maken met je zoon.'

Ik liep de studeerkamer binnen, naar de dandy-achtige, witharige man
achter diens uitbundig gebeeldhouwde bureau, en stak mijn hand uit om de
zijne te schudden. Hij had enorm grote handen. De kamer was prachtig
ingericht, met olieverfschilderijen en donker, glanzend houten meubilair. Ik
boog me naar voren om Big Paul als teken van respect op de wang te kussen, precies zoals mijn vader me had geïnstrueerd. Castellano leek tevreden
te zijn met mijn manieren en glimlachte waarderend naar mijn vader. Tijdens de ontmoeting bleef hij zitten. Als je de baas bent, komen de mensen

naar jou toe. Jij nooit naar hen. Toen het voorbij was liep ik ingetogen naast mijn vader terug door de met tapijt bedekte hal.

Op weg naar huis was mijn vader ongewoon zwijgzaam. Ten slotte verbrak ik bij de Brooklyn Bridge de stilte door hem te vragen waarom hij niets zei. 'Zaken, Al, zaken.' Daarna draaide hij zich naar me toe: 'Wat heb je tijdens dat halfuur bij het dienstmeisje gedaan?'

Ik zei dat ik met haar had gepraat en dat ik de slechtste espresso ooit had gedronken. Mijn vader lachte.

'Wie met de baas rampetampt, mag slechte espresso maken.' Toen ik hem verbaasd aankeek, zei hij dat meneer Castellano haar niet in dienst had omdat hij van haar koffie hield. De vrouw was Big Pauls maîtresse. De meeste belangrijke maffiosi hadden maîtresses, merkte hij op. Ik dacht aan mijn moeder. Wist zij dat?

Ik las nog steeds elke dag na schooltijd de kranten en ik wist dat de maffia mensen doodde, maar mijn vader had ik nog nooit iets zien doen dat ook maar in de verte aan geweld deed denken. Ik wist dat hij de bende hielp met het stelen van spullen, maar het was nog nooit in me opgekomen dat hij in staat was te moorden. De vader die ik kende was teder, hartelijk, een man wie het leven van zowel dieren als kinderen ter harte ging. Zijn pistool droeg hij voor zelfverdediging, om zich te beschermen in de gevaarlijke wereld waarin hij zich bewoog. Ik wist dat hij veel van zijn geld onwettig verdiende, maar ik had er geen idee van dat executies deel uitmaakten van zijn werk als Gambino-man. Ik ontdekte zijn geheim bij toeval, als resultaat van een ruzie op het schoolplein.

Ik was klein voor mijn leeftijd en werd behoorlijk gepest door de grotere schooljongens, maar mijn ouders wilden niet dat ik op school ging vechten. Eén jongen in het bijzonder viel me aldoor lastig en dat liet ik geruime tijd gewoon langs me heen gaan. Maar op een dag werd hij handtastelijk en duwde hij me tegen een prijzenkast in de gymnastiekzaal. Ik kon boksen en ook al was ik maar half zo groot als hij, ik gaf hem een flinke aframmeling en gooide hem tegen de glazen vitrine. De gymnastiekleraar was getuige van het voorval.

Hij wist dat de andere jongen het gevecht was begonnen. Geen van beiden waren we ernstig gewond, maar we werden allebei naar de kamer van het hoofd gebracht om te worden bestraft. Het hoofd belde onze ouders en in zijn kantoor werd overleg gevoerd over onze straffen. Mijn vader kwam me ophalen.

Daarna reden we naar huis en vader vroeg me hem precies te vertellen wat er gebeurd was. Ik legde uit dat de andere jongen gewoon niet wilde ophouden met me te slaan en te duwen. Vader luisterde oplettend, daarna gaf hij me een klopje op mijn hoofd en zei: 'Wat je deed, was juist, Al. Een man heeft het recht zich te verdedigen. Als dit het ergste is wat je ooit zult doen, hoef je je nergens voor te schamen.'

Opgelucht dat mijn vader niet boos op me was, gebruikte ik de kameraadschap van het moment om te vragen: 'Wat is het ergste dat jij ooit hebt gedaan, pa?'

Hij keek van me weg en concentreerde zich op het verkeer. Het besef dat hij me niet in de ogen kon kijken, gaf me een onbehaaglijk gevoel. Toen hij antwoordde, klonk zijn stem hees: 'Op een dag zul je dat te weten komen, jongen.'

In een enkel afschuwelijk moment begreep ik het, zo duidelijk alsof ik hem de woorden had horen uitspreken. Ik wist wat hij bedoelde. Mijn vader was een moordenaar. Mijn vader, de persoon van wie ik het meest van de hele wereld hield, had mensen gedood. Foto's die ik in kranten en films had gezien, van lichamen die in plassen bloed op straten lagen, schoten me door de geest. Had mijn vader een van die mensen gedood? Een golf van pijn en misselijkheid overspoelde mijn lichaam. In dat eindeloze moment zat ik naast mijn vader, met hem in stilte gevangen.

vijf

Inferno

Mijn vader en ik

Tussen het besluiten tot iets vreselijks
En de eerste beweging, is alle tijd ertussen
Als een fantoom of een afschuwelijke droom.

SHAKESPEARE, Julius Caesar

G edurende de eerste twaalf jaar van mijn leven deed vader zijn best ons gezin onder een glazen stolp te houden. Zolang we binnen die stolp bleven, zouden we veilig zijn. Van binnen was die stolp een heel overtuigende microkosmos van de echte wereld. Mijn ouders hadden in veel opzichten een traditioneel huwelijk en mijn zusjes groeiden op zoals ook de dochters van politieagenten en effectenmakelaars dat deden, zich zorgen makend over schoolrapporten en feestjurkjes. Binnen die stolp was mijn vader een normale pappa. Slechte mannen zijn niet vierentwintig uur per dag slecht. Net als andere vaders hield onze vader van films en muziek, lekker eten en zondagavonden voor de buis. Drieëntwintig van de vierentwintig uur was hij net als andere vaders. Maar in de vroege zomer van 1979 gebeurde er iets waardoor de stolp vergruizeld werd, en mijn vader was niet in staat de scherven weer te lijmen.

Terwijl ik me voorbereidde op de zevende klas, maakte ons gezin plannen voor alweer een verandering. Nu zijn inkomsten aanzienlijk vermeerderden, begon mijn vader aan het bouwen van zijn droomhuis aan de zuidkust van Massapequa. De buurt waar wij in terecht zouden komen, behoorde tot de meest welgestelde op Long Island, vol brede, slingerende, met bomen omlijste lanen en woningen waarin een uitgebreide variatie aan advocaten, doctoren, effectenmakelaars en, jawel, ook maffialeden huisden. Het huis van Carlo Gambino staat daar. Zo'n huis bouwen betekende voor een joch uit Brooklyn als mijn vader de kroon op de Amerikaanse droom. Daarheen verhuizen werd voor ons gezin het begin van een nachtmerrie. Vanaf de dag dat we naar het herenhuis aan het water verhuisden, begon ons leven uit de hand te lopen.

De nieuwe buurt bevond zich op slechts een paar kilometer van de oude, maar psychologisch gezien lag hij lichtjaren verder. De oude buurt was voornamelijk kleinburgerlijk, een hechte gemeenschap zonder pretenties. Kinderen reden met hun fietsjes op de stoep en voetbalden op straat, en buren communiceerden met elkaar over de tuinheg. Wij kenden er iedereen en iedereen kende ons. Mijn moeder had recepten uitgewisseld met de andere moeders en was babysitter geweest bij veel van hun kinderen; ze wist uit haar hoofd wanneer ze jarig waren. Als de buren al twijfels hadden over mijn vaders beroep, dan hielden ze die voor zich. Voor hen waren mijn ouders gewoon Gina en Roy.

Maar in de nieuwe buurt werden we de DeMeo-familie, een buurt waarin men ervan uitging dat welgestelde Italianen maffiaconnecties hadden. Wij hadden net zo goed een bronzen schild met 'maffiafamilie' naast de voordeur kunnen hangen. Waarover in de oude buurt niet werd gepraat, werd in de nieuwe gefluisterd, maar niet in ons gezicht. Ik denk dat mijn moeder gelukkiger zou zijn geweest als we waren gebleven waar wij waren, maar ze nam de verandering filosofisch op.

Voor het eerst hadden we ook een dienstmeisje, een Ierse vrouw die ons was aanbevolen door een vriend van mijn vader. Mijn moeder kon het huis niet in haar eentje aan. De vrouw kwam een paar keer per week om haar met het schoonmaken te helpen. Het was een vreemde vrouw met duistere interesses; haar favoriete hobby in haar vrije tijd was het aflopen van begrafenissen van onbekenden. Het was een rare, maar ze was wel vriendelijk.

Het huis dat mijn vader voor ons bouwde was prachtig en heel groot, met marmeren vloeren en gewelfde plafonds. Bovenop het miljoen dollars dat mijn vader aan de bouw had besteed, nam hij een binnenhuisarchitect in de arm om het huis van de kelder tot de nok te vullen met de meest kostbare, geavanceerde technologie en op bestelling gemaakte meubelen. Maar uiteindelijk kreeg hij nog meer dan hij had besteld. Nadat we maanden op het meubilair hadden gewacht, ging de meubelmaker failliet. De bank sloot zijn magazijn en bereidde een openbare verkoop van de inhoud voor, met inbegrip van onze meubelen. Toen de binnenhuisarchitect mijn vader vertelde wat er was gebeurd, ontplofte hij. Al die tijd en al dat geld, en nu zou er geen meubilair zijn. Vader liet zich vertellen waar het magazijn zich bevond en die avond, nadat de binnenhuisarchitect was vertrokken, belde vader Freddy. Freddy voerde ook een paar telefoongesprekken en om een uur of vier de volgende ochtend arriveerde Freddy met een grote witte vrachtwagen, die hij achteruit onze garage in reed. In de laadruimte vonden we niet alleen onze meubelen, maar ook veel van de overige meubelen uit het magazijn. Tegen de tijd dat alles was uitgeladen, ging de zon al bijna op. Toen de binnenhuisarchitect dit de volgende dag zag, zei hij niets. Ik denk dat hij niet wilde weten hoe het hier terecht was gekomen.

In ons oude huis bestond de enige beveiliging uit Major, onze Duitse herder, en hoewel Major met ons mee verhuisde, kon hij het niet meer in zijn eentje aan. Vader liet het huis voorzien van een geraffineerd inbraakalarm en monteerde bewakingscamera's in de bomen voor het huis. Beveiligingscamera's waren niet ongewoon in onze nieuwe buurt, waar veel mensen kostbaarheden en contant geld in huis hadden. Vader liet een schietbaan en een goed uitgeruste fitnessruimte in het souterrain bouwen, compleet met gewichten en apparaten, zodat hij elke dag aan zijn conditie kon werken. Hij probeerde gewicht te verliezen en hoewel dat nooit echt lukte, slaagde hij erin meer spieren dan vet in zijn gedrongen lichaam te kweken. Hij was ongelofelijk sterk en kon meer dan driehonderd pond tillen alsof het niets was. De fitnessruimte was er voor ons allebei, omdat ik ook probeerde mijn magere biceps te verstevigen.

Het huis lag met de achterkant direct aan het water, waar het kanaal naar de Atlantische Oceaan leidde, zo'n kilometer verder. Mijn vader liet een grote, houten steiger bouwen met een aanlegplaats voor een boot. Ik kon direct van de steiger in het water duiken, vanuit mijn eigen achtertuin. Er was een grote patio om mensen te ontvangen en een zwembad met een glijbaan. Het installeren van dat zwembad leverde een onverwacht avontuur op, althans voor de bouwer ervan.

Al vroeg tijdens de bouw merkte mijn moeder dat de mannen het gat voor het zwembad naar de verkeerde kant afgroeven. Ze zei dit tegen de voorman, maar hij weigerde het te corrigeren. Mijn moeder is geen doetje, dus ze richtte zich in haar volle een meter vijftig op en herhaalde, iets krachtiger dit keer: 'Ik wil dat dat gat op de goede manier wordt gegraven.'

De man antwoordde: 'Bafangul!', in de verwachting dat mijn moeder niet wist dat hij een obsceen scheldwoord gebruikte. Dat had hij mis. Mijn moeder belde vader in de Gemini en vertelde hem wat er was gebeurd. Dat vond hij niet leuk.

Vader kwam thuis en we liepen samen naar de bouwplaats. Vader zag er vreemd kalm uit, wat altijd een slecht voorteken was. Helaas antwoordde de voorman, toen mijn vader hem vertelde dat hij het gat voor de poel opnieuw moest graven: 'Krijg kleren! Ik niet doen geen gat opnieuw.'

Ik zag de aderen in mijn vaders nek opzwellen. Voordat de voorman wist wat hem overkwam, had mijn vader hem beetgepakt en in het diepe deel van het gat gesmeten. Daarna klom mijn vader op de bulldozer en begon zelf het gat te vullen. Daarbij riep hij de kerel beneden toe: 'Ga je dat gat opnieuw graven, of wil je begraven worden in het diepe, waar ik telkens als ik over je gebeente zwem aan je zal denken?'

Terwijl de andere arbeiders de voorman uitgroeven, schreeuwde hij tegen mijn vader: 'Ik stuur jou naar gevangenis!' Mijn vader jaagde hem tot aan de vrachtwagen achterna, een schop boven zijn hoofd zwaaiend. De arbeiders haastten zich in de achterbak van de vrachtwagen en ze scheurden weg.

De volgende dag kwam de eigenaar van het zwembadenbedrijf langs om mijn vader zijn verontschuldigingen aan te bieden. Hij zei dat zijn neef, de voorman, van 'de andere kant' (Italië) kwam en nog niet begreep hoe hier de dingen gedaan werden. Het was duidelijk dat de eigenaar een paar tele-foontjes had gepleegd en heel bang was mijn vader nog verder te beledigen. Het zwembad werd op de goede manier opnieuw gegraven en toen het klaar was, weigerde de eigenaar mijn vader een rekening te geven. Mijn vader betaalde desondanks het overeengekomen bedrag, maar de man heeft de cheque nooit verzilverd.

Net als we in het oude huis deden, hielden mijn vader en ik ons bezig met het maken van aanpassingen van het nieuwe huis. Vader huurde een aannemer om een brede, stenen oprijlaan te maken, maar toen de man het traject nivelleerde deed hij dat verkeerd. Vader had hem vanaf het begin gezegd dat de manier waarop hij het aanpakte ertoe zou leiden dat er een verzakking in het midden van de oprit zou ontstaan, maar de man sloeg die waarschuwing in de wind. En ja hoor, toen hij de fundering ging aanleggen, liep deze naar het midden af. Mijn vader ontsloeg de man en zei me dat we het zelf zouden moeten doen als we het goed wilden krijgen. Vader liet zijn bende een lading kinderkopjes voor de oprit brengen, in de verwachting dat zij naar een steenhouwerij zouden gaan om ze te kopen. In plaats daarvan namen ze contact op met een van mijn vaders mannen in Manhattan, die op dat moment werk voor de gemeente uitvoerde. Deze kerel liet zijn ploeg midden in de nacht een stuk straat opgraven en de hele lading met een vrachtwagen naar Massapequa brengen. Vader kon het niet geloven; ze hadden letterlijk een deel van een straat in Manhattan gestolen en naar onze voortuin gebracht. De gemeente heeft het nooit gemerkt. De kinderkopjes gingen kennelijk verloren in de bureaucratie.

Omdat mijn vader altijd zorgvuldig te werk ging, vroeg hij daarna een van zijn vrienden, die onderhoudswerk verrichte aan bruggen in de stad, wat de sterkste soort beton was. Hij wilde niet dat de oprit na een paar jaar in gebruik te zijn geweest, scheuren ging vertonen. De vriend gaf ons een baal versterkt magnesium en zei dat we dat met het cement moesten vermengen. Het resultaat was een bedding voor de kinderkopjes die waarschijnlijk een atoomaanval kon overleven. Het kostte ons verscheidene zaterdagen om de oprit af te maken, maar toen hij klaar was zag hij er prachtig uit. Laatst reed ik langs ons oude huis en twintig jaar later ziet de oprit eruit als op de dag dat we hem aanlegden, geen verzakking of scheurtje te zien.

Wij probeerden in de nieuwe buurt een paar van de oude tradities voort te zetten. Tijdens onze eerste zomer organiseerden we op de Vierde Juli een feestje voor onze nieuwe buren. Net als in de oude buurt nodigden we iedereen in de buurt uit en velen van hen aanvaardden de uitnodiging. Dit was echter geen buurtbarbecue, met sissende burgers op de grill. Deze viering was een groots opgezette gebeurtenis, passend bij onze nieuwe status. In plaats van roodhouten picknicktafels bij een zelfgemaakt zwembad, maakten we er een door een cateringbedrijf verzorgd evenement van, met zicht op het water. Er werden tafels gedekt op het plankier bij ons zwembad, gedrapeerd met witte, linnen tafellakens en zuchtend onder allerlei heerlijke hapjes. Biefstukken werden op bestelling op de barbecue bereid en in plaats van bier en sodawater was er Perrier en emmers met Dom Perignon champagne.

Kinderen stonden in de rij om de glijbaan naar het zwembad af te roetsjen en hun ouders gingen om beurten varen op ons nieuwe jacht, dat achter ons huis afgemeerd lag. Mijn vader huurde een orkestje met een zanger om die avond Sinatra-songs te zingen. Er was ruimte vrijgemaakt voor een dansvloer in de open lucht en toen de schemering intrad deinden paartjes in de koele avondlucht. Ook nu was er een vrachtwagen vol vuurwerk, maar dit keer werd het in de lucht boven het water ontstoken. Het zag er toverachtig uit.

Een paar dingen bleven wel hetzelfde. Barbara en Jim verschenen, met nog twee of drie families uit de oude buurt. Ik denk dat zij zich in het begin een beetje misplaatst voelden in deze verfijnde, nieuwe omgeving, maar wij waren blij toen we zagen dat ze zich na een tijdje ontspanden en zich amuseerden. Er kwamen ook een paar leden van mijn vaders bende, Freddy en Chris met hun gezinnen, en Joey en Anthony. De gangsters mengden zich ongedwongen tussen de effectenmakelaars, de advocaten en de rechter die bij ons te gast waren. Ik vroeg me af of de rechter besefte met wie hij sprak, wie de gastheer van het feest was. Mijn moeder leek blij te zijn met de aanwezigheid van Chris en Freddy, maar met Anthony en Joey sprak ze zo weinig mogelijk. Ik kon merken dat ze hen niet mocht. Later die avond hoorde ik haar tegen mijn vader zeggen dat ze hen er niet graag bij had. Ze vertrouwde hen niet.

Nadat wij ons in de nieuwe buurt gesetteld hadden, begon mijn vader zich een meer mondaine houding aan te meten. Ook besloot hij dat hij een vaste chauffeur nodig had. Freddy was de natuurlijke keuze voor deze baan: een combinatie van autocoureur, mecanicien en lijfwacht. Het enige probleem was dat Freddy wat ruwe kantjes had en daarom begon vader hem om te bouwen. Al vanaf zijn kindertijd had Freddy een slecht gebit gehad en daarom investeerde mijn vader een vermogen aan tandartskosten, hij stuurde hem naar de kapper en de manicure en liet hem een nieuwe garderobe aanmeten. Ergens onderweg raakte Freddy zowaar het meeste vet uit zijn poriën kwijt. Uiterlijk werd Freddy een nieuw mens, maar van binnen bleef hij gewoon Freddy, trouw als een hond.

Enkele sporen van het oude leven bleven. Oom Joe kwam nog steeds langs in zijn oude Cadillac, openhartig en pretentieloos als altijd, en de zondagavondmaaltijden werden gehandhaafd. Oma DeMeo bleef tijdens vakanties en speciale gebeurtenissen opdagen, om plaats te nemen in haar stoel en de aandacht op te eisen. Als iemand verstand had van de essentie van macht was het mijn grootmoeder. Oma hanteerde schuldgevoel en teleurstelling als twee bij elkaar horende pistolen. Zij woonde nog steeds bij tante Marie en maakte haar als voorheen het leven tot een hel. Tante Marie moest dagelijks luisteren naar de aankondiging dat oma de volgende ochtend dood wakker zou worden. Ook moest ze ondergaan dat ze een hoer werd genoemd als oma haar ervan verdacht dat ze met iemand uitging. Oma's bezoeken hadden iets van een maandelijkse inventarisatie in een warenhuis; de belangrijkste reden van haar komst leek te zijn dat ze het huis doorliep om onze nieuwe bezittingen in zich op te nemen. Het grootste deel van haar volwassen leven had ze doorgebracht met het benijden van mevrouw Profaci; nu betastte ze zwijgend, met een zuinig gezicht, mijn moeders nieuwe bontjas. Ondanks het feit dat mijn vader haar sinds zijn zestiende ruimhartig had ondersteund, was oma bitter jaloers op de nieuwe bezittingen van haar schoondochter. Mijn moeder leefde in de stijl waar mijn grootmoeder altijd had gemeend recht op te hebben. De ironie wilde dat mijn moeder wel genoot van de dingen die mijn vader kocht, maar ze nooit echt belangrijk vond. Zij leefde verder als voorheen en besteedde haar meeste aandacht en geld aan haar kinderen.

Al vanaf de zesde klas begon mijn vader mij in de financiën van de familie in te wijden. Vader manoeuvreerde zijn geld vakkundig van onderneming naar onderneming, waarbij hij er altijd goed op lette dat hij op tijd belasting betaalde. Er was nooit een periode waarin hij niet een flink aantal legale zaken bezat en leidde, want hij was een uitgeslapen investeerder die zijn kapitaal wilde beschermen. Een aanzienlijk deel van zijn inkomsten werd geïnvesteerd in obligaties, aandelen en andere traditionele beleggingsvormen, en hij zorgde ervoor dat ik het belang begreep van het bewaken van mijn eigendommen.

Hij legde me ook uit hoe het zat met de geldstromen binnen de maffia, een systeem dat zijn leden zowel begunstigt als tot slaaf maakt. Zodra een lid begint wekelijks een bepaald bedrag aan de baas te betalen, wordt hij niet alleen verondersteld dat bedrag te blijven betalen, maar ook om het op te voeren. Mijn vader had lange tijd twintig-, dertig-, zelfs vijftigduizend dollar per week opgehoest, en er werd voortdurend van bovenaf druk uitgeoefend om die bedragen te verhogen. Wanneer de afdrachten op een bepaalde hoogte zouden blijven schommelen, of zelfs minder werden, ging men ervan uit dat hij niet langer van nut was, of dat hij een deel van de winst in zijn eigen zak stak. Dat was allebei gevaarlijk. Hij wist dat Paul Castellano hem alleen maar in de familie handhaafde omdat mijn vader de Gambino's veel geld opleverde. Castellano hield net zo min van mijn vader als vader van hem.

Vaders woekerpraktijken bleven aanzienlijke winsten opleveren en tegen
de tijd dat ik twaalf werd, was mijn vaders autodiefstallenoperatie uitge-
groeid tot de grootste en meest lucratieve in het noordoosten. De onderneming was legaal begonnen. Mijn vaders autodealers op Long Island leverden luxe auto's aan de Arabische markt. De Arabische voorwaarden waren
heel specifiek; geen van de auto's mocht leren bekleding hebben, want hun
geloof verbood hen leer te gebruiken. De vraag ernaar was geweldig en toen
de dealers niet genoeg wagens op legale wijze binnenkregen, gingen ze die
stelen. Een gestolen auto leverde op de Arabische markt vijftienduizend
dollar op, dus de winstmarge was enorm.

Mijn vader hoorde wat er gaande was, zag meteen de mogelijkheden en
bestudeerde de problemen. Hij pakte zijn operaties wetenschappelijk aan.
Hij huurde een werktuigkundige om het speciale ratelgereedschap dat hij
me had laten zien te vervaardigen. Dit gereedschap maakte het mogelijk de
auto binnen luttele seconden te stelen. Het risico om in die korte tijd gepakt
te worden was erg klein. Daarna ging mijn vader wat rondneuzen en hij
vond een man bij General Motors die bereid was mee te doen. Hij voorzag
mijn vader van de echte stempels en blanco platen die in de fabriek werden
gebruikt om nummerborden te slaan. Met daarbij nog een mannetje bij de
rijksdienst voor het wegverkeer en het systeem was in wezen zo goed als
waterdicht. De auto's werden van de straat opgepikt, omgekat met materiaal uit de fabriek, voorzien van een nieuw kentekenbewijs en stonden binnen
de vierentwintig uur klaar om ingescheept te worden. Dat vervoer ging
gemakkelijk genoeg, omdat de omgekatte wagens er allemaal legaal uitzagen
en daardoor openlijk op vrachtschepen konden worden geladen. Het was
een verbazingwekkend effectief systeem dat al snel honderdduizenden dollars per week opleverde. En omdat mijn vader heel precies was waar het veiligheid betrof – zo stond hij er bijvoorbeeld op dat iedereen te allen tijde
handschoenen droeg, van dief tot omkatter –, kon men de wagens niet traceren als ze onderschept werden.

Mijn vader was letterlijk een crimineel genie. Hij was aldoor bezig zijn
werkwijze te verfijnen. Hij hoorde dat de Arabieren ook topprijzen wilden
betalen voor Amerikaanse sigaretten en begon sloffen sigaretten in de kof-
ferbakken van de auto's te verstoppen. Porno was misschien wel nog popu-
lairder bij de fundamentalistische moslims en daarom werden de sigaretten-

kartons al spoedig volgepropt met pornoblaadjes. Op een keer, toen een nieuwe autodealer in Brooklyn niet in staat bleek het van vader geleende geld af te betalen, nam mijn vader de sleutels van twintig luxe auto's in beslag en zei hij tegen de dealer dat hij een week moest wachten met aangifte van de vermissing doen. Toen de dealer eindelijk aangifte deed, incasseerde mijn vader ook nog eens het verzekeringsgeld. De dealer was van zijn schuld verlost en mijn vader had met deze transactie zijn winstmarge verdubbeld.

Het abortuskliniekensysteem dat vader in die jaren opzette, was vooral slim in het exploiteren van menselijke zwakheden: geldzucht en religieuze hypocrisie. In het noordoosten namen legale abortusklinieken in aantal toe en veel van de daarbij betrokken artsen werden het doelwit van bedreigingen en pesterijen. De omgeving van veel klinieken werd door demonstranten afgezet en soms werd met geweld gedreigd. Mijn vader kende mensen in de medische wereld en het duurde niet lang voordat zij hem in contact brachten met klinieken die wilden betalen voor bescherming. Deze bescherming was op zich afdoende, maar mijn vader besefte dat hij zich uit de markt zou prijzen als de demonstranten permanent zouden worden afgeschrokken. Daarom koos hij voor een andere benadering.

Hij zocht een groep van de meest uitgesproken fanatiekelingen op en bood een handeltje aan. Hij zou hen voorzien van transport, lunch en honderd dollar per dag, als zij wilden gaan posten en dreigen bij klinieken in New York en New Jersey. Mijn vader zou de klinieken uitzoeken. Zij moesten ernaartoe gaan als hij dat vroeg en er wegblijven als hij dat zei. Het idee was een paar klinieken tot doelwit te maken, het personeel bang te maken, hen bescherming aan te bieden om vervolgens, als de klinieken mijn vader gingen betalen, de demonstranten ergens anders heen te sturen. Op die manier verdiende mijn vader zo te zeggen geld door te komen en te gaan. Naar al snel bleek, kostte het mijn vader geen enkele moeite onder de gelovigen mensen te vinden die wel wat wilden verdienen. Integendeel, ze waren maar al te blij dat ze geld van de maffia kregen om op afroep een protestactie op touw te zetten. Ik weet niet hoe ze deze overeenkomst voor zichzelf rechtvaardigden. Misschien maakten ze zichzelf wijs dat ze nog altijd een niet mis te verstaan gebaar maakten.

Een van zijn slimste projecten was grotendeels legaal. Van een man die

hem geld verschuldigd was, had mijn vader een laboratorium op de kop
getikt waarin pornografische films werden ontwikkeld. De prijs van zilver
was in die tijd flink hoog en op een dag kreeg mijn vader door dat de films
die zij ontwikkelden van een laagje zilvernitraat waren voorzien. Steeds
wanneer ze films ontwikkelden, smeten zij letterlijk geld in het water. Hij
maakte een praatje met een bevriende tandarts en ontdekte dat de tandarts
dat probleem onderkende, omdat hij in zijn praktijk röntgenfilm gebruikte.
De tandarts had zich een speciaal filter aangeschaft, dat het zilvernitraat
opving als hij röntgenfoto's ontwikkelde. Mijn vader kocht dezelfde filters
en installeerde ze in zijn fotolaboratorium in New Jersey. Ze vingen het zil-
verafval op en mijn vader verkocht het voor vijftig dollar per dertig gram.
Uiteindelijk bracht dat zilver tienduizenden dollars op. Hij ging ook al snel
op zoek naar tandartsen die het afval van de ontwikkelde röntgenfoto's weggooiden, om ook dat te 'recyclen'.

Hij liet zich echter door dit alles een beetje meeslepen. Vader hoorde van
een oud tandartspand op een paar kilometer van ons huis dat gesloopt was
en dat de tandartsen het medische afval op het terrein hadden begraven.
Enthousiast over het vooruitzicht te gaan schatgraven, ging hij de stad in en
vond een kaart van het perceel, compleet met de lokatie van een droge put.
Op een late avond nam hij me mee naar het verlaten stuk grond, gewapend
met een paar schoppen, en hij droeg me op te gaan graven. Het terrein
bevond zich naast de belangrijkste snelweg van Massapequa en hoewel niemand belang stelde in een droge put, wilde mijn vader voorkomen dat hij
moest uitleggen wat hij daar aan het doen was. Na middernacht begonnen
we te graven en drie uur later groeven we nog steeds. Het was uitputtend
werk en ik wilde alleen maar naar huis, maar mijn vader bleef zeggen:
'Doorgraven, Al! Ik weet dat daar beneden zilver zit!'

Wat mijn vader niet wist was dat in hetzelfde gebouw een proctoloog
gevestigd was geweest, die bij zijn patiënten stelselmatig bariumklysma's
uitvoerde. Om vier uur in de nacht, na urenlang graven, was de enige beloning voor onze inspanning een meter stront, letterlijk. Daar stonden we dan,
in het donker voor zonsopgang, tot onze knieën in de uitwerpselen. Over de
glamour van het maffiabestaan gesproken. Wij hebben er geen spoortje van
zilver gevonden.

Omdat zijn inkomen toenam, werd ook de druk om meer af te dragen, om meer te verdienen, voortdurend sterker. Wanneer je niet voldoet aan de financiële verwachtingen van de maffia word je niet ontslagen. De enige manier om te vertrekken is op een snijtafel van het lijkenhuis, en dat is precies wat je te wachten staat als je niet langer je steentje bijdraagt.

Mijn vader was ook huurmoordenaar geworden, al wist ik toen nog niets af van dat bijbaantje. Ik vermoedde tegen die tijd dat mijn vader mensen had gedood, maar ik wist zeker dat vader zijn pistool alleen gebruikte als dat absoluut noodzakelijk was, om zichzelf of anderen te beschermen. Dat was immers ook de les die hij mij had geleerd. Gebruik nooit een wapen tenzij het onvermijdelijk is; maar als het toch moet, doe het dan efficiënt, want het kan zijn dat je geen tweede kans krijgt. Twee in het hoofd, overtuig je ervan dat ze dood zijn. Ik wist nu wat dat betekende.

Naar buiten toe bleef ik dezelfde schooljongen als altijd; ik studeerde voor mijn examens en zwom op zonnige dagen in het kanaal. Maar de angsten die mij in het oude huis plaagden, werden in het nieuwe huis nog heviger. Ik wist dat er een prijs stond op ons goede leventje en dat met elke stap vooruit het risico van rampspoed naderbij kwam. De prijs voor onze manier van leven zou uiteindelijk de dood van mijn vader zijn. Dat was een schuld die hij op een dag zou moeten inlossen. Ik bleef hem elke ochtend gedag kussen en ik lag nog steeds wakker totdat ik in de nacht zijn auto op de oprit hoorde. Steeds vaker vroeg ik hem mee te mogen gaan, alsof mijn aanwezigheid hem via de een of andere magie kon beschermen.

Soms vroeg ik me af wat mijn zusjes dachten, want het leek alsof zij zich totaal niet bewust waren van de duistere aanwezigheid van de dood in ons huis. Op een zondag, toen vader met ons een van zijn schaarse bezoekjes aan de kerk bracht, vroeg Lisa hem waarom hij niet met de rest van ter communie ging. Mijn vaders gezicht betrok en hij zei op vlakke toon: 'Omdat ik geen huichelaar ben. Ik weet wie ik ben en ik weet waar ik uiteindelijk naartoe ga.' Dat leek Lisa onzeker te maken. Ik was jaloers op haar verwarring. Ik wist precies wat vader bedoelde.

Vader had eindelijk de macht en invloed verkregen waarvan hij altijd had gedroomd, maar dat gaf hem weinig voldoening. De hartelijke, ontspannen vader uit mijn jonge jaren werd gespannen, onderhevig aan stemmingen en stil. In *Paradise Lost* zegt Miltons duivel dat de hel hem altijd vergezelt, omdat het hem onmogelijk is aan zijn eigen geest te ontsnappen. Zoiets moet het voor mijn vader zijn geweest. Ik zag hoe mijn vader, omringd door alle bij succes en prestaties passende attributen, steeds verder weggleed in duistere somberheid. Steeds vaker kwam hij in de kleine uurtjes thuis om zich dan te verschuilen in zijn hobbykamer, soms dagen achtereen. Mijn moeder bracht hem eten, dat hij nauwelijks aanraakte. Al wat we hoorden, was het geluid van de televisie, die hij soms vierentwintig uur per dag liet aanstaan om de leegte te vullen. Hij zat er stil naar te staren, bijna in trance. De pijn die hij op die momenten uitstraalde was tastbaar. Als ik op dergelijke deprimerende middagen thuiskwam van school, glipte ik stilletjes de hobbykamer binnen om bij hem te zijn. Ik wist instinctief dat hij niet wilde praten. Hij wilde mij niet belasten met het geweld dat het centrum van zijn criminele leven begon te worden.

Ons gezin werd al spoedig meegesleurd in een draaikolk van geweld, die niet meer onder controle te krijgen was. Nu er steeds meer geld omging, in een zich steeds verder uitbreidende wirwar van criminele zaken, begonnen mijn vaders activiteiten de kritische aandacht van de autoriteiten te trekken. Auto's verdwenen in ongehoorde aantallen uit de straten van Manhattan en de jacht op het brein achter de diefstallen werd geopend. Mijn vader bleef grotendeels onzichtbaar voor de politie, die in de hogere regionen van de maffiafamilies van New York probeerde te ontdekken wie er bij de diefstallen betrokken waren. Maar de tentakels van het onderzoek strekten zich maand na maand verder uit, en mijn vader wist dat het slechts een kwestie van tijd was voordat ook hij erdoor zou worden gegrepen. Op een dag kwam vader duidelijk van streek thuis en ik wist dat er iets mis was gegaan.

Hij vertelde me niets, maar een paar dagen later in de Gemini, hoorde ik hem in het appartement van neef Joe met de bende overleggen. Oom Nino was gearresteerd. Vader was bezig met een plan om hem weer vrij te krijgen, maar in de tussentijd moesten er advocaten betaald worden en er moest voor het gezin van oom Nino gezorgd worden. Ik hoorde vader iets zeggen over door achtertuinen lopen en ik begreep dat hij zich een weg had gebaand door tuinen en over hekken om ongezien geld naar Nino's vrouw te brengen. Toen ik vader daar later naar vroeg, haalde hij zijn schouders op en zei: 'Dat hoort zo, jongen. Als een van je mensen wordt gepakt, neemt je de zaken voor hem waar tot hij weer vrijkomt.'

Twee jaar nadat we het nieuwe huis hadden betrokken, sloeg het noodlot toe. De werkelijk fatale misstap werd gezet niet lang na mijn dertiende verjaardag. Vaders mannen werden steeds ambitieuzer. Door mijn vaders toetreding tot de Gambino-familie gingen er grote sommen geld om en de bende was onderdeel van de organisatie die het geld maakte. Zij wilden een groter aandeel en ze wilden bewijzen dat ze zo'n project best zelf konden leiden. Hun ambitie maakte hen roekeloos. In de winter van 1979 besloot Chris in zijn eentje een klusje te doen zonder dat aan mijn vader te vertellen. Hij hoorde van een grote som geld die twee Colombiaanse drugskoeriers van Florida naar New York zouden brengen en Chris zou daarbij als tussenpersoon optreden. Maar hij rook gemakkelijk geld en daarom doodde hij de koeriers en pikte het geld in. Erger nog, hij gebruikte mijn vaders naam bij zijn onderhandelingen met de Colombianen. Zij kenden hem als 'Chris DeMeo'.

Het kostte de Colombianen niet veel moeite die naam terug naar New York te traceren en vandaar naar mijn vader. Het duurde ook niet lang voordat Paul Castellano vernam dat de DeMeo-bende een paar leden van de Colombiaanse familie had vermoord, waardoor de hele Gambino-familie in gevaar was gebracht. Ongeveer gelijktijdig met Castellano hoorde ook mijn vader, van de op borgtocht vrijgelaten Nino Gaggi, wat er was gebeurd.

Voor het eerst zag ik dat vader geschokt was. Bleek van woede kwam hij laat op een avond thuis en hij sloot zich meteen op in zijn werkkamer. Ik vroeg hem wat er aan de hand was en hij zei alleen maar dat Chris iets ontzettend doms had gedaan, waardoor vaders totale organisatie gevaar liep. Wat hij me die avond niet vertelde was dat de blunder van Chris ervoor had gezorgd dat mijn vader gevaar liep te worden gedood door zijn eigen mensen. Veel erger nog was wat het voor ons gezin betekende. Anders dan de Italiaanse maffia hebben de Colombianen geen enkel respect voor familiegrenzen. Tientallen jaren eerder had de Commissie – de 'wetgevende raad' van de vijf criminele families in New York – bepaald dat de vrouwen en kinderen van hun leden ontzien moesten worden. Deze regel werd zorgvuldig in acht genomen. Ieder lid van de organisatie kon het slachtoffer worden van de strengste maatregelen, maar het was niet toegestaan een onschuldig gezinslid kwaad te doen. De Colombianen hadden zo'n regel niet. Integendeel, uit gewoonte vermoordden zij zowel de directe als de verder verwante familie, als een manier om hun standpunt duidelijk te maken. Terrorisme was een vast onderdeel van hun manier van werken.

Nooit in ons leven had mijn vader bewust iets gedaan waardoor iemand anders dan hij of zijn bende risico liep. Plotseling dreigde ons gezin afgeslacht te worden. De veranderingen in ons huiselijk leven waren onmiddellijk en alomvattend. Het prachtige nieuwe huis, waarop mijn vader zo trots was geweest, werd van de ene dag op de andere een fort. Vader plaatste neef Joe in het souterrain om een oogje op ons te houden en verzon ten behoeve van mijn zusjes het verhaal dat Joe een tijdje een plek nodig had om te logeren.

Hij snoeide al het gebladerte dat het zicht van de bewakingscamera's rond ons huis kon belemmeren en plaatste buiten overal schijnwerpers, waardoor de zon vierentwintig uur per dag leek te schijnen. Omdat hij de halte voor het huis van de buren waar Lisa en ik op de schoolbus wachtten niet kon zien, bood hij de buurman een paar duizend dollar als hij bereid was de boom die het zicht van de camera blokkeerde om te hakken. Omdat de buurman weigerde, bood hij zelfs aan een bedrijf te laten komen om de boom te verplaatsen. Toen hij nog steeds nee zei, botste een vuilniswagen 'per ongeluk' tegen de boom, waardoor die omviel. Vader wilde ons als wij het huis uitgingen laten bewaken door een gesloten cameracircuit. Hij vertelde mijn moeder zo weinig mogelijk en zei niets tegen mijn zusjes, maar voor de eerste keer brak hij een van zijn eigen belangrijkste leefregels. Hij stelde mij bloot aan gevaar.

Tegenover me gezeten legde hij uit wat er aan de hand was. 'Er zullen mensen komen die proberen mij te doden. Zij zullen misschien ook proberen je zusjes te treffen. Van nu af aan wil ik niemand van jullie meer bij mij in de auto. Wanneer jullie ergens naartoe moeten, zal Freddy je met een andere auto brengen. Ik wil niet dat jullie op de openbare weg lopen. Ik heb alles gedaan wat ik kan, maar ik kan niet altijd bij jullie in de buurt blijven. Ik wil dat jij elke keer als je het huis verlaat jouw pistool bij je draagt en je mag je zusjes nooit in hun eentje waar dan ook heen laten gaan. Ik wil je zusjes niet bang maken en jullie moeten nu eenmaal allemaal naar school. Jij moet tijdens de lunch en de pauzes op Lisa letten. Probeer het zo te doen dat ze niets merkt, maar let wel goed op haar.' Hij pauzeerde, schraapte zijn keel en ging verder: 'Als iemand haar kwaad wil doen, schiet je om te doden. Je krijgt geen tweede kans.'

Ik slikte moeizaam en knikte.

Mijn vader wreef met zijn handen over zijn gezicht en daarna keek hij me weer aan: 'Het spijt me, Al, echt. Ik heb je dit nooit willen laten doen. Maar er is niemand anders die ik kan vertrouwen. Ik reken op je.' Zijn gezicht was door wanhoop getekend.

Ik werd onverwacht kalm, een vreemd gevoel, bijna alsof ik mijn lichaam had verlaten. Terwijl ik me iemand anders voelde bij het uitspreken van die woorden verzekerde ik hem: 'Maak je geen zorgen, pa. Je kunt op me rekenen. Ik zal je niet teleurstellen.'

Hij stond op en omhelsde me, niet op de manier zoals een vader een kind omhelst, maar op de manier waarop de ene man de andere omhelst. Ik was nu een man. Met mijn dertien jaren was ik een volwassene geworden.

En zo begon het. Elke ochtend daarna liet ik voordat ik naar school ging een pistool in mijn zak glijden, net zo geroutineerd als ik mijn tanden poetste en mijn rugzak inpakte. Terwijl de andere jongens tijdens de pauzes PacMan speelden of met meisjes flirtten, hield ik de omgeving van de plek waar mijn zusje met haar vriendinnen stond te babbelen, in de gaten, zonder dat ze dat merkte. Ook thuis bleef ik waakzaam, en als mijn vader weg was zwierf ik nerveus met Major door het huis. Mijn vader belde een paar keer per dag op om zich ervan te verzekeren dat alles veilig was en Freddy doorkruiste geregeld het huis. Een tijdje bleef alles hetzelfde – een postbode of een krantenbezorger waren onze enige afleiding – maar toen meldde zich op een dag een Latijns-Amerikaanse jongeman aan onze voordeur.

Ik zat op school toen hij aanbelde. Hij zei tegen mijn moeder dat hij vertegenwoordiger was. Ze zei dat ze niet geïnteresseerd was. Hij bedankte haar en ging weg, maar toen ik later die dag thuiskwam van school, zag ze hem voorbij het huis rijden. Toen mijn vader laat die middag met Freddy thuiskwam, stond de jongeman nog steeds tegenover ons huis geparkeerd. Zoals hij nu elke keer deed als hij thuiskwam, vroeg vader mijn moeder of ze die dag iets verdachts had gezien. Zij vertelde hem dat een donkere, Latijns-Amerikaanse man rond ons huis had gehangen. 'Eigenlijk is hij er nog steeds,' zei ze. Ze wees door het raam naar een oude auto aan de overkant.

Mijn vader draaide zich bliksemsnel om, keek door het raam en schreeuwde naar neef Joe in het souterrain dat hij hem moest volgen. Hij trok zijn pistool en rende de straat over, schreeuwend tegen de man in de geparkeerde auto. Freddy rende al naar vaders auto. De jongeman zag mijn vader op zich afstormen, startte onmiddellijk zijn auto en ging er plankgas vandoor, waarbij zijn gierende banden de rust in onze wijk verstoorden. Vader en Joe renden terug naar de Cadillac, sprongen erin en Freddy scheurde als een raket de straat op. Het laatste wat ik vanaf de veranda toe-kijkend zag, was dat mijn vader en neef Joe, met getrokken wapens uit de raampjes van de auto hingen, terwijl ze door de bocht raasden en uit het zicht verdwenen.

Mijn moeder ging meteen toen ze weg waren naar de keuken en begon het eten klaar te maken, in een poging normaal te doen, alsof het een dag als alle andere was. Het enige teken dat ze heus wel begreep dat er iets niet goed zat, was haar gerammel met de pannen als ze die op hun plaats zette. Korte tijd later kwamen mijn zusjes thuis en ze gingen onwetend van wat er gebeurd was de trap op naar hun kamers. Ik haalde mijn pistool uit de berg-plaats naast mijn bed en schoof het tussen mijn broekrand. Daarna kwam ik weer beneden en ging in de hal op een stoel naar de deur zitten kijken. Ik zat op wacht en probeerde het geringste geluid op te vangen. Ik voelde me vreemd kalm, emotieloos, elke vezel van mijn lichaam was bereid om wat er ook van mij verwacht werd te doen.

Het leek een eeuwigheid te duren voordat mijn vader terugkwam. Een uur later hoorde ik de motor brullen toen hij op onze oprit stopte. Terwijl hij zich naar binnen haastte, was ik al opgestaan. Hij keek de hal rond en vroeg: 'Waar is je moeder?'

'In de keuken.'

'En je zusjes?'

'Boven.'

Uit zijn broekzak pakte hij een pistool. Ik kon de kruitdamp ruiken toen hij hem aan mij overhandigde. Ik voelde de hitte van het metaal. Nooit eer-der had ik zo'n spanning op zijn gezicht gezien, maar hij bleef uiterst gecon-centreerd. 'Veeg hem af en wikkel hem in een vuilniszak. Zodra ik het zeg, moet je hem dumpen.' Hij verdween naar boven.

Ik verborg het wapen onder mijn hemd, ging de keuken in, trok een aantal papieren handdoekjes van de rol en pakte daarna een vuilniszak uit de lade. Mijn moeder vroeg: 'Is je vader al terug?' Ik knikte en verdween de trap op, mijn vader achterna.

In mijn kamer veegde ik het pistool zorgvuldig af en stopte het in de vuilniszak. Ik deed mijn leren jack aan en stopte de vuilniszak in mijn binnenzak. Toen ik mijn kamer uitkwam, zag ik mijn vader met een kleine tas uit zijn werkkamer komen. Terwijl hij naar beneden liep, riep hij de namen van mijn zusjes. Zij hoorden hoe ernstig hij klonk, haastten zich achter hem aan en zagen moeder aan de voet van de trap staan wachten. Zijn instructies waren afgemeten.

'Pak een tas in, nu meteen. Neem wat je nodig hebt, maar haast je. Jullie hebben vijf minuten.'

Mijn moeders gezicht was een masker van boosheid en angst, maar mijn zusjes waren verbijsterd. Mijn vaders stem verhardde zich toen hij beval: 'Schiet op! Nu! Over vijf minuten zijn jullie in de auto.' Wij stoven alle vier de trap op; mijn vader volgde seconden later en wierp ieder van ons een grote vuilniszak toe. 'Doe daar je spullen in.'

Binnen vijf minuten stonden we allemaal buiten, waar mijn vader de zware vuilniszakken in de kofferbak wierp en achter het stuur kroop. De motor liep nog. Mijn zusjes waren bleek van schrik, volkomen overstuur door wat er gaande was.

Vader begon te rijden en ik realiseerde me wat we vergeten waren: 'Pa, de honden!'

Zonder iets te zeggen stopte mijn vader en ging weer naar binnen. Een minuut later was hij terug, duwde Major op de achterbank en Benji in de armen van Debra. Wij reden de oprit af, de duisternis in.

Binnen een paar minuten reden wij met meer dan tweehonderdentwintig kilometer per uur door de rustige straten van Massapequa. Mijn moeder vroeg met dunne lippen en een bleek gezicht: 'Wanneer komen we terug, Roy?'

'Nooit,' antwoordde mijn vader, 'we komen nooit meer terug.' Mijn moeder en mijn zusjes begonnen te snikken; mijn moeder draaide daarbij haar hoofd weg van mijn vader. Alleen mijn vader en ik huilden niet. Ik tikte, om mezelf gerust te stellen, tegen mijn pistool en keek naar de vloer. Er zaten kogelgaten in de mat.

Mijn vader bleef zwijgen tot we de stad uit waren, maar na verloop van een paar uur begon hij tegen ons te praten. Ik had verwacht dat een van mijn zusjes zou zeggen: 'Waarom, pappa?' maar dat deden ze niet. Ik wist niet of ze het antwoord al kenden, of dat ze het niet wilden weten. Ik wist alleen maar dat ze niets vroegen, toen niet en later niet. Vader begon rustiger te praten in een poging om ons te kalmeren.

'Het zal leuk zijn, dat zul je zien. We wachten een paar weken, totdat de storm is gaan liggen en ik wat geld heb geregeld. Daarna verhuizen we naar het noorden, kopen wat land en gaan misschien een beetje boeren. Ik zal veel vaker thuis zijn. Jullie kunnen daar naar school gaan. Het zal jullie best bevallen. Ik heb gehoord dat het er erg mooi is.' Mijn moeder keek alleen maar recht voor zich uit zonder iets te zeggen.

Wij reden tot diep in de nacht door, de stad uit in noordelijke richting. Ten slotte stopten we in een landelijk gebied dat ik nog nooit had gezien bij een klein motel. Terwijl mijn vader ons inschreef, laadden wij zo snel we konden de Cadillac uit. In onze kamer gebood vader ons daar te blijven totdat hij terugkwam. Hij moest nog wat zaken regelen, maar zou zo snel mogelijk terugkomen. Zodra hij al het benodigde voor elkaar had, vertelde hij ons, zouden we naar het noorden gaan, de grens over, naar Canada. Na die woorden ging hij ervandoor. Mijn moeder beurde mijn zusjes op en zei dat we allemaal naar bed moesten. Ik ging de badkamer in om me te verkleden en het pistool in mijn pyjama te verbergen; daarna ging ik naar bed en lag in het donker te luisteren naar de ademhaling van mijn zusjes, terwijl ze langzaam, uitgeput, in slaap sukkelden. Ik geloof niet dat mijn moeder die nacht een oog heeft dichtgedaan. Ik ook niet.

Wij bleven bijna twee weken in dat motel. Mijn vader kwam de volgende dag terug om te zien of we veilig waren en mijn moeder wat geld te geven, waarna hij weer vertrok. Hij reed in een andere auto. Mijn moeder deed haar best om ons bezig te houden, maar kon op geen enkele manier de grimmige ernst van de situatie voor ons verbergen. Op haar gezicht stond een mengsel van woede en droefheid te lezen die ik nooit eerder had gezien. Zo goed en zo kwaad als het ging brachten wij de tijd door. Debra had een fototoestel gekocht en ging 's morgens naar buiten om in de buurt van onze verblijfplaats foto's te maken. Ik zwierf wat in de buurt om haar in de gaten te houden, met mijn pistool goed weggestopt. Lisa verdiepte zich zoals altijd in een boek en mijn moeder keek afwisselend televisie of ijsbeerde door de kamer. Ik deed boodschappen en maakte mijn rondes in de omgeving, onder het voorwendsel dat ik mijn benen wilde strekken. De tijd kroop voorbij. Mijn vader kwam nog twee keer langs om te zien hoe het ging, maar verdween dan weer onmiddellijk. Hij vertelde me niet waarheen.

Aan het eind van de tweede week kwam mijn vader terug en hij kondigde plompverloren aan dat we naar huis gingen. Niemand stelde vragen. We stapten gewoon in de auto en reden terug naar Long Island. Ik herinner me dat het huis er anders uitzag toen we eindelijk op de oprit stopten. Misschien omdat ik nooit had verwacht het terug te zien. Mijn zusjes en ik pikten onze vuilniszakken met spullen op en gingen naar binnen om uit te pakken.

De man die die avond met ons thuiskwam, was ook anders. Hij was niet de vader die ik me herinnerde. Op ons onderduikadres hadden wij geen kranten tot onze beschikking, maar nu keek ik toe hoe mijn vader die avond in de keuken de kranten zat te lezen die we in een stapel op onze veranda hadden gevonden. Debra hielp mijn moeder met het eten. Plotseling zag ik hem verstijven en naar de krant staren. Hij legde hem neer en pakte hem daarna weer op om hem nog eens te lezen. Hij moet hem wel honderd keer gelezen hebben. Het was alsof hij niet kon verwerken wat daar stond.

Het artikel beschreef een gangstermoord, twee weken geleden, een dramatische jacht bij daglicht door de straten van Long Island, eindigend in een vuurgevecht. Of, om precies te zijn, een executie, want het slachtoffer had niet teruggeschoten. Een snel rijdende wagen was tot vlak naast een Latijns-Amerikaanse jongeman gaan rijden en de inzittenden hadden bijna driehonderd kogels op zijn auto afgevuurd. Het lichaam van het slachtoffer was doorzeefd met kogels. Getuigen gaven tegenstrijdige beschrijvingen van de aanvallers en de politie beschikte tot nog toe niet over aanwijzingen. Het motief voor de moord bleef onduidelijk. Het slachtoffer, een jongeman van Long Island, die huis aan huis stofzuigers verkocht om zijn studie te betalen, had geen criminele connecties. In zijn auto werden geen wapens gevonden.

Alle kleur verdween uit mijn vaders gezicht. De knul die bij onze voordeur had aangebeld was geen lid van een moordcommando. Hij was gewoon een onschuldige die in een dodelijke situatie verzeild was geraakt. Keer op keer las mijn vader het artikel, niet in staat wat hij las te verwerken. Hij had een onschuldige knaap vermoord, iemands zoon. Terwijl Debra en ik verstomd toekeken, begon vader te huilen. Zo zat hij daar, naar de krant starend, zijn gezicht vol tranen. Daarna stond hij op, ging zonder een woord te zeggen naar zijn werkkamer en sloot de deur.

Mijn vader bleef de schijn ophouden dat hij alles deed wat nodig was, maar het licht in zijn ogen was gedoofd. Ik hoorde dat hij erin was geslaagd zich van de auto en ander bewijsmateriaal te ontdoen. Neef Joe, die niet eens goed kon mikken, had in de opwinding van de jacht een aantal gaten in onze eigen auto geschoten. De Cadillac bevatte belastend ballistisch bewijsmateriaal, maar mijn vader had de auto al die eerste nacht doen verdwijnen. Hij en mijn moeder spraken steeds minder tegen elkaar. Mijn zusjes keerden langzaamaan terug naar hun normale doen en ik nam mijn zomerse activiteiten weer op en ging elke dag zwemmen in het kanaal achter ons huis. Iedereen ging over tot de orde van de dag. Iedereen, behalve mijn vader.

Het keiharde besef van wat hij had gedaan trok een wond open in mijn vader, een wond die elke dag dieper werd. Hij was een gebroken man. Ik keek machteloos toe hoe hij instortte. Het duurde weken voordat hij normaal kon eten; dagenlang at hij helemaal niets. Overdag zat hij in het duister van zijn hobbykamer; 's nachts stond hij op om tot zonsopgang te ijsberen. Terwijl ik in bed lag te luisteren hoe hij steeds weer heen en weer liep, werd de stilte af en toe onderbroken door braakgeluiden in de badkamer. Na jarenlang zijn ogen te hebben gesloten voor waar hij mee bezig was en zich te verschuilen achter de rechtvaardiging dat moorden een onplezierig, maar noodzakelijk onderdeel van zakendoen was, werd hij plotseling geconfronteerd met de werkelijkheid van wat hij was geworden. Hij had geen gangster gedood; dit was iemands onschuldige zoon. Hij besefte dat hij door het gezin van de student te vernietigen ook het onze had vernietigd.

Er was nog een laatste deel van de klus die vader moest klaren als hij wilde overleven. Paul Castellano was des duivels over het doden van de student. Een onschuldige jongen doden op klaarlichte dag, in het bijzijn van getuigen, was ontzettend stom en riskant. Castellano verdacht mijn vader er nog steeds van dat hij betrokken was geweest bij de moord op de Colombianen, en vanwege die moord zat de Gambino-familie tussen twee gevaren in: represailles van de Colombianen en onderzoek door de speciale federale eenheid. Castellano wist dat Chris het had gedaan en er viel nauwelijks aan te twijfelen dat hij opdracht zou geven Chris zo spoedig mogelijk uit de weg te ruimen. Er moest een manier gevonden worden om Big Paul zo snel mogelijk tot bedaren te brengen, of hij zou de hele bende laten doden.

Een paar nachten later kwam vader niet thuis. Mijn angst wegslikkend liep ik de hele nacht met Major door het huis, om in zijn afwezigheid ons gezin te beschermen. Toen hij de volgende dag eindelijk thuiskwam, trilde ik van opluchting. Hij was bleek en zag er afgetobd uit. Zonder iets te zeggen verdween hij in zijn werkkamer en sloot de deur. Die avond aten we in de keuken, en toen mijn zusjes daarna naar boven gingen zat ik in de keuken bij vader, terwijl moeder de borden in de vaatwasser zette. Er stond een kleine tv in de keuken en we keken onder het kaarten zwijgend naar het nieuws. Ik keek in mijn kaarten toen ik de nieuwslezer hoorde zeggen: 'Het lichaam van een jonge man, die geïdentificeerd is als Christopher Rosenberg, werd deze morgen vroeg in een verlaten straat van Brooklyn gevonden. Rosenberg was verscheidene malen getroffen en zijn auto was doorzeefd met kogels uit een automatisch wapen. De politie zegt dat het klaarblijkelijk om een afrekening in het milieu gaat.' Ik wilde kijken, maar vader stond op en zette de tv uit. Mijn moeder stopte met het afspoelen van de schaal die ze in haar hand hield en bleef onbeweeglijk staan. Mijn mond werd droog, maar mijn geest bleef onnatuurlijk scherp, bijna kalm. Niemand zei iets. Mijn vader verliet de keuken, ging de trap op naar zijn studeerkamer en sloot de deur. Daar bleef hij bijna twee dagen.

Een paar dagen later ging ik voor het eerst sinds de moord op Chris met vader naar de Gemini. Freddy was er, en Joey en Anthony. Toen mijn vader zijn gebruikelijke plaats aan tafel innam, zag ik dat Anthony met iets van bravoure naar de stoel van Chris liep en rechts van mijn vader ging zitten. Joey zat op de oude plek van Anthony. Hun gezichten toonden geen verdriet, alleen maar een toegenomen arrogantie. Ik kon het ruiken. Ik voelde mijn vader verstrakken, maar zijn gelaat bleef onbewogen.

Gevangenispersoneel gebruikt de uitdrukking 'een lopende dode' voor een man die op weg is geëxecuteerd te worden. Mijn vader was nu een lopende dode. Zijn eigen executie was nog slechts een kwestie van tijd en dat wist hij. Het avontuurlijke leven waarin hij eens glorieerde, was verworden tot een afschuwelijke droom, waaruit geen ontwaken mogelijk was. De levenskracht die hij ooit uitstraalde was verdwenen.

Op mijn dertiende wist ik dat mijn vader al dood was.

zes

Soldaat

Poserend met een beer tijdens een jachtuitstapje met de bende

Mannen zijn soms de meester van hun lot:
De fout, mijn beste Brutus, schuilt niet in onze sterren,
Maar in onszelf, omdat we ondergeschikten zijn.

SHAKESPEARE, Julius Caesar

Op mijn vijfde jaagde ik een paar twaalfjarige jongens weg die probeerden het fietsje van mijn zusje te stelen. Ik was half zo groot als zij, maar dat compenseerde ik met de woede die mijn beschermersrol met zich meebracht. Dat vuur keerde jaren later terug toen ik zag dat mijn vaders leven bedreigd werd. In de zomer van mijn dertiende levensjaar werd ik soldaat in het leger van mijn vader.

In het kader van het tumult dat ontstond na mijn vaders moord op de student, dook de bende onder. Anthony en Joey verdwenen en een tijdlang wist zelfs mijn vader niet waar zij zich ophielden. Na verloop van tijd sijpelde een berichtje door dat ze in Californië zaten. Neef Joe verstopte zich op een veilig adres in de buurt van Times Square en vader vertelde mijn moeder dat hij er wellicht onaangekondigd een paar maanden tussenuit moest. Alleen Freddy bleef voorlopig normaal doorgaan en hield de Gemini in de gaten toen er niemand anders was. Mijn vader was bang om daarheen te gaan. Er waren tientallen mensen getuige geweest van het neerschieten van de student en hoewel mijn vader de auto onmiddellijk had laten verdwijnen, leefde hij in voortdurende angst door iemand herkend te worden.

De druk op het huwelijk van mijn ouders was onmiskenbaar. Zij hadden nooit ruzie, tenminste niet in het bijzijn van de kinderen, maar mijn moeder werd steeds stiller en meer gespannen. De ontspannen genegenheid die ik altijd tussen hen had waargenomen, leek te verdwijnen. Moeder had zich nooit met mijn vaders zaken bemoeid, had nooit iets vernomen van zijn criminele wederwaardigheden, en ze had haar ogen gesloten voor wat ze niet wilde weten. Nu kon ze niet langer mijn vaders leven buiten ons huis negeren. Onze vlucht naar een schuilplaats had dat alles veranderd. Zij had haar leven gewijd aan het creëren van een veilig, gelukkig tehuis voor ons en nu leefde ze in het besef dat het leven van haar kinderen in gevaar kon zijn.

Officieel ogende auto's stonden nu praktisch vierentwintig uur per dag in de buurt van ons huis geparkeerd. De zwarte zijkanten van de banden, de zilveren halvemaanvormige wieldoppen en de ongebruikelijk grote antennes duidden erop dat ze van de overheid waren. Ik had geen letters op de portieren nodig om me te vertellen dat het surveillancewagens waren. De mannen die erin zaten, kranten lazen of met elkaar kletsten terwijl ze het huis in de gaten hielden, deden weinig moeite hun bedoeling verborgen te houden. Als een van mijn ouders het huis verliet, trok een ongemarkeerde auto op om hen te volgen, waarheen ze ook gingen. Er verscheen ook lokale politie in de buurt. De verkeerslichten, een straat verder, hadden plotseling een verkeersagent nodig om de kruising in de gaten te houden. De buren waren zich maar al te bewust van de toestroom van agenten die door onze normaal zo rustige buurt struinden. Auto's gingen langzamer rijden als ze ons huis passeerden, en ik zag hoe mensen zich naar voren bogen om door de autoraampjes ons huis aan te wijzen. Soms waren het buren die hun passagiers op ons attent maakten, als een soort toeristische attractie. Als ze mij zagen kijken, reden ze weg. Het nieuws verspreidde zich snel in onze welvarende, kleine enclave, en soms was het zo erg dat er een file voor ons huis ontstond, allemaal mensen die popelden om te zien waar 'de maffiafamilie' woonde. Het was voorgoed gedaan met de dagen in de oude buurt, waar we alleen maar Roy en Gina en de kinderen waren.

Nu zijn wereld aan het instorten was, wendde mijn vader zich steeds meer tot mij, maar anders dan vroeger. Op een avond, niet lang nadat we terugkwamen van ons onderduikadres in de provincie, vroeg vader me bij hem in zijn studeerkamer te komen. Daar zat hij in zijn bureaustoel, het hoofd in de handen, zijn lichaam uitgezakt van vermoeidheid. Ik wist dat hij al nachtenlang niet had geslapen. Toen hij naar me opkeek, was zijn gezicht bleek en had hij een opgejaagde blik in zijn ogen. Tijdens het spreken moest hij aldoor zijn keel schrapen om zijn emoties in bedwang te houden.

'Al, ik heb je hulp nodig. Ik moet je hierbij betrekken, hoe jammer ik dat ook vind, jongen. Ik wil je niets van dit alles laten doen, maar ik zou niet weten hoe het anders kan. Ik kan niemand anders vertrouwen.' Zijn stem trilde.

In plaats van bang te worden door deze woorden voelde ik me sterker worden. Mijn vader had me nodig.

'Geen probleem, pa, maak je geen zorgen. Wat moet er gebeuren?'

'Het zit zo. Big Paul is tamelijk overstuur door alles wat er gaande is. Hij staat onder vrij grote druk. De ratten kruipen uit het riool door dat getuigenbeschermingsprogramma. Het is niet meer als vroeger. De FBI houdt hem in de gaten in het kader van die RICO-wet*, ze hebben nu veel meer mogelijkheden om financiële fraude aan te pakken. De Colombianen zijn voor het ogenblik oké, maar ik weet niet hoe lang dat blijft duren. Er zijn mensen die me willen doden. Ik weet niet waar Anthony en Joey zijn en dat bevalt me niets. Als ze hem gesmeerd zijn hadden ze me dat van tevoren moeten zeggen. Je oom Nino is bang dat Dominick zal doorslaan, en hij vindt dat we hem moeten uitschakelen, maar daar voel ik niet veel voor. Hij heeft kinderen en een lieve vrouw. Freddy zal alles doen wat ik hem vraag, maar Freddy is alleen maar... Nou ja, je kent Freddy. Ik heb jouw hulp nodig om weg te komen.'

'Wat je maar wilt, pa.'

'Het zit zo. Ik moet er misschien halsoverkop vandoor en het kan zijn dat ik niet meer terugkom. Ik moet met jou contact kunnen opnemen om te weten of het hier goed gaat en om jou het een en ander voor me te laten regelen. Kun je dat aan, jongen?'

'Ja, pa, geen probleem.'

'Oké.' Hij stond op uit zijn stoel. Ik stond ook op en volgde hem naar de grote kast, tegen de achtermuur van zijn werkkamer. Het was een prachtige met de hand bewerkte kast, op bestelling gemaakt voor het nieuwe huis. 'Ik zal je iets laten zien.'

Hij reikte tot boven het gebeeldhouwde paneel en draaide aan de knop bovenop de kast. Ik hoorde een klik en hij tilde het bovenste paneel eraf. Hij stak zijn hand erin en pakte een bundel honderd-dollarbiljetten.

'Hierin bewaar ik mijn extra geld. Er is genoeg voor een aantal maanden, als dat nodig mocht zijn. Ik zal je de nummers van mijn bankrekeningen geven. Daar staat genoeg geld op en het is legaal. Je moeder en je zusjes zullen verzorgd zijn als er iets gebeurt.'

Ik knikte: 'Begrepen.'

---

* Racketeer Influenced and Corrupt Organization Act. Een wet die in 1970 van kracht werd, voornamelijk om de maffia vernietigend aan te pakken.

'Goed. Morgen gaan we een tochtje maken en dan laat ik je zien hoe ik contact met je zal opnemen. Wij kunnen de telefoons in huis niet meer gebruiken, niet voor iets belangrijks. Die kunnen afgetapt zijn. Je moet het huis ook op afluisterapparatuur onderzoeken. Freddy bezorgt me iets daarvoor.'

'Wat je maar wilt.'

Mijn vader knikte. 'Oké dan.' Hij zag er uitgeput uit.

Het was na middernacht. 'Wil je dat ik bij je blijf, pa?'

'Nee, Al, ga wat slapen. Je moet morgen naar school. Ik wil niet dat je die verzuimt.'

'Goed.' Ik liep op hem toe om hem te omhelzen. 'Welterusten, pa.'

'Welterusten, jongen.' Ik voelde de druk van zijn armen om me heen steviger worden toen hij me kort omhelsde. Hij kuste me op het hoofd en met een stem vol emotie zei hij: 'Ik hou van je, Al.'

'Ik hou ook van jou, pa. Maak je om mij geen zorgen. Het komt allemaal voor elkaar.'

De volgende dag, na schooltijd, gingen vader en ik uit rijden. Nadat hij zich in het verkeer op de hoofdweg bij ons huis had gevoegd, overhandigde hij me een lijst.

'Dit moet je uit je hoofd leren, Al, en daarna moet je het vernietigen.' Ik keek naar wat hij had opgeschreven. '1 openbare telefoon bij herentoilet in pizzeria, 's zondags 13.00. 2 openbare telefoon op stoep bij Burger King, 's maandags 15.30. 3 openbare telefoon op tweede verdieping van May's, bij afdeling elektronica, dinsdags 16.00. 4 openbare telefoon in parkeergarage supermarkt, 's woensdags 18.00.' De lijst hield maar niet op.

'Als ik er snel vandoor moet, geef ik je een van deze nummers, zodat je weet waar en wanneer ik contact me je zal zoeken. Als ik de telefoonafspraak niet kan houden, ga je naar het volgende nummer. Begrepen?'

'Begrepen.' Hij ging langzamer rijden toen we bij de eerste lokatie kwamen, een pizzeria, ongeveer anderhalve kilometer van ons huis. 'Dit is de eerste. Ik laat je eruit en rij om het blok. Jij gaat net doen alsof je moet telefoneren en ontmoet me achter, buiten.' Ik stapte uit de auto en ging naar binnen. De gastvrouw wees me de telefoon. Niemand schonk enige aandacht aan een beleefd, dertienjarig joch dat een telefoontje wilde plegen.

Een paar minuten later pikte vader me bij de stoeprand op en we vervolgden onze weg. Het leek heel gewoon, zoals het leren van de adressen van een krantenwijk. Vader zei: 'Dan is er nog iets belangrijks, Al. Je moet ervoor zorgen dat je niet wordt gevolgd. Er komen de laatste tijd steeds meer auto's die ons huis in de gaten houden. Je moet erop oefenen zoveel mogelijk verschillende routes te kiezen en je moet er nooit rechtstreeks heengaan. Stop onderweg af en toe, koop een hamburger, je weet wel, niets bijzonders, zodat ze niet achterdochtig worden. Overtuig je er gewoon van dat je ze kwijt bent voor je bij de bestemming aankomt.'

'Geen probleem, pa. Ik begin morgen op mijn fiets te oefenen.'

'Goed.' Hij zweeg even. 'O, en Al?'

'Ja, pa?'

'Als ik verdwijn zonder iets van me te laten horen, ga je naar nummer vier. Blijf daar elke dag naartoe gaan totdat ik bel. Dat kan een paar dagen duren.'

'Goed, pa, wat je maar wilt.' Hij leek bezorgd, maar ik dacht dat er niets was om bezorgd over te zijn. Dit was eenvoudig. Vader en ik gingen het probleem oplossen. Alles zou nog steeds oké zijn.

Een paar dagen later verdween mijn vader, met achterlating van een hoogst geheimzinnige boodschap: het nummer van een publieke telefooncel. Ik moest daar aan het einde van de week zijn om zijn telefoontje te ontvangen. Tegen mijn zusjes zei ik dat vader op zakenreis was. Zij leken in de veronderstelling te verkeren dat vader geldzorgen had, die hij probeerde op te lossen. Het was nu schoolvakantie en ik was blij dat ik voorlopig niet elke ochtend het huis hoefde te verlaten.

Als ik bij mijn moeder of zusjes was, bleef ik een verborgen pistool dragen en 's avonds patrouilleerde ik gewapend met Major door het huis. Dan bewoog ik stilletjes en mijn zusjes hoorden me nooit hun slaapkamerdeur voorbijgaan. Ik wist dat ik niet zou missen als ik moest schieten bij een inbraak. Mijn vader had me laten zien hoe het inbrekersalarm werkte en ik controleerde geregeld de elektrische contacten. Het kostte bijna een uur om alle vensters op alledrie de verdiepingen te controleren. Hij had me ook laten zien hoe ik het systeem met een metalen klem kon kortsluiten als ik 's nachts ongezien naar buiten moest. Ik wist hoe de elektronische scanner werkte en controleerde het huis minstens twee keer per dag op verborgen microfoontjes. Het was een piepklein apparaat, zoiets als een afstandsbediening voor het openen van een auto en ik kon daarmee bij mijn moeder of mijn zusjes in de woonkamer gaan zitten en de kamer scannen, zonder dat ze zagen wat ik aan het doen was.

Ik maakte me zorgen om mijn moeder. Voor het eerst zag ik, als ik 's nachts slapeloos door het huis dwaalde, mijn moeder in haar eentje in het donker van onze elegante woonkamer zitten. Dan zat ze te staren, haar gezicht vol onbestemd verdriet, een glas in haar hand. Ik had haar nooit veel alcohol zien gebruiken, maar in de verstikkende angst tijdens deze eindeloze nachten keek ik stilletjes toe hoe zij de drank als een medicijn innam. Ik voelde me schuldig omdat ik haar bespioneerde en sloop terug naar de duisternis bovenaan de trap. Voor zover ik weet, heeft ze nooit gemerkt dat ik daar stond.

Nog maar net een paar maanden in de puberteit en daar zat ik dan, met alle rechten – en alle verantwoordelijkheden – van een man en een soldaat. Terwijl de wereld om me heen onomkeerbaar veranderde, veranderde mijn psyche mee. Vanaf mijn achtste jaar was angst het overheersende grondbeginsel van mijn bestaan geweest. In het centrum van die angst stond het besef dat mijn vader op een dag niet thuis zou komen. En toch leek dat angstgevoel, nu de mogelijkheid van deze nachtmerrie ten slotte bewaarheid werd, op mysterieuze wijze te verdwijnen. Ik was niet bang meer, maar alleen vastbesloten om mijn vader in leven te houden. Zoals dat jongens overkomt die van de ene dag op de andere de oorlog ingaan en worden gedwongen zich als een man te gedragen, kon ik me niet meer de luxe veroorloven om bang te zijn. Ons leven werd teruggebracht tot een kwestie van puur overleven. Ik voelde bijna geen enkele vorm van emotie meer. In plaats daarvan leefde ik ergens buiten mijn lichaam; mijn bewustzijn zweefde in de buurt, maar maakte geen contact. Ik wachtte tot op vrijdag de telefoon zou rinkelen.

Ten slotte kwam dat telefoontje. Op weg naar de telefooncel was ik extra voorzichtig geweest; onderweg was ik drie keer gestopt en ik had twee uur omgereden voor een fietstocht die normaal twintig minuten duurde. Het ging goed met vader, vertelde hij me, verscholen op een veilig adres bij neef Joe in Manhattan. Hij had nog wat tijd nodig om zijn baard te laten groeien en wat dingen voor te bereiden, maar daarna zouden wij samen het land

voor een tijdje verlaten. In de tussentijd zou hij één keer per week contact
met me opnemen. Hoe ging het met mijn moeder en mijn zusjes? Goed, zei
ik. Ik heb alles in de hand. Hij zei dat ik naar huis moest gaan en gaf me een
nummer voor het volgende contact.

Zo ging het meer dan zes weken tot ik eindelijk het langverwachte telefoontje kreeg. Ik moest tegen mijn moeder zeggen dat ik een paar weken op
stap zou gaan met vader. Daarna moest ik wat spullen in een vuilniszak
doen, in het midden van de nacht het huis uitsluipen en naar de overkant
van het kanaal zwemmen om hem daar te treffen bij een doodlopend
straatje. 'En, Al?'

'Ja, pa?'

'Wees voorzichtig, jongen, hoor je me?'

'Natuurlijk, pa, ik zal voorzichtig zijn.'

De nacht dat ik het kanaal over zwom was ik niet bang; ik was opgelucht
dat ik eindelijk iets kon doen. Ik miste mijn vader heel erg en ik dook liever
met hem onder dan thuis te blijven zonder hem. Mijn vader bracht me naar
een onderduikadres in de stad, in de buurt van Forty-Second Street, waar
neef Joe zich nog steeds verborgen hield. Ik moest bijna lachen toen ik Joe
zag. In een poging zich te vermommen had hij geprobeerd zijn witte haar
rood te verven, maar daardoor was het clownesk oranje geworden. Hij zag
er werkelijk belachelijk uit. Vader stuurde me met een boodschappenlijstje
voor haarverzorgingsmiddelen naar de drogist en toen ik terugkwam verfden vader en ik het haar van Joe nogmaals. Het werd niet echt je dat, maar
nu zouden de mensen tenminste niet wijzen en lachen als ze hem zagen. Die
eerste paar dagen bleven we de meeste tijd binnen, we praatten en keken tv,
terwijl Joe voor het eten zorgde. Een paar ochtenden wandelden vader en ik
naar de snackbar op de hoek om te ontbijten, alleen maar om even het huis
te kunnen verlaten. Mijn vader droeg een donkere zonnebril en een honk-
balpetje, en met zijn nieuwe baard herkende zelfs ik hem nauwelijks. Op een
middag gingen we naar een middagvoorstelling van *Poltergeist*, die net deze
zomer was uitgebracht. Maar de meeste tijd praatten we alleen maar en vertelde mijn vader van het plan dat hij aan het ontwikkelen was.

Als het te gevaarlijk voor hem zou worden om in de Verenigde Staten te
blijven, had hij een plek nodig waarheen hij voorgoed kon ontsnappen. Hij
wilde nergens heengaan waar een paspoort vereist was, want een vals pas-

poort betekende de staatsgevangenis als hij betrapt werd. De meest praktische keus leek hem de Bahama's. Hij had zich al een vals Italiaans geboortebewijs verworven en om te kunnen reizen drie Amerikaanse identiteitskaarten onder verschillende namen; op de eilanden zou hij zich een andere
identiteit verschaffen. Ook ik zou valse identiteitskaarten nodig hebben,
omdat ik niet onder mijn eigen naam heen en weer kon reizen als ik hem
wilde bezoeken. Op de koffietafel van het onderduikadres legde hij drie setjes identiteitspapieren voor mij neer, elk bestaande uit een rijbewijs, een
geboortebewijs en een betaalpasje. Als je de reserveringen contant betaalde
in plaats van met een betaalpas, zo legde hij uit, zou dat er verdacht uitzien.
De dekmantel moest zo volledig mogelijk zijn. De geboortedata op de drie
setjes waren de mijne, maar het jaar was verschillend. Ik moest oud genoeg
lijken om alleen te reizen. Het leek grappig dat ik drie rijbewijzen had, want
ik kon geen ervan gebruiken om te rijden. Ik zou niet eens weten hoe. Vader
zei dat ik de gegevens over alledrie de identiteiten uit mijn hoofd moest
leren, net zolang tot ik die foutloos kon opzeggen, zonder de indruk te wekken dat ik moest nadenken over wat ik zei. Wij zouden binnen een paar
dagen naar de eilanden vertrekken.

Hij vertelde me ook wat ik moest inpakken. Alle dingen die een kind
voor een vakantie op de Bahama's zou meenemen, inclusief mijn zwemspul-
len en een paar boeken die leken op door mijn school voorgeschreven
zomerlectuur. Hij gaf me ook een *Penthouse*, die ik zo in mijn handbagage
moest stoppen dat de douaniers hem zeker zouden vinden. Op die manier
zouden zij zo worden afgeleid door de foto's dat ze niet al te veel aandacht
aan mij zouden schenken.

Vader had ons op verschillende vluchten geboekt om er zeker van te zijn
dat niemand ons met elkaar in verband zou kunnen brengen. Hij vertrok
acht uur eerder dan ik; een paar uur nadat zijn vlucht vertrokken was,
checkte ik mijn bagage in en daarna hing ik wat rond op La Guardia. Ik bladerde als een typische tiener op vakantie in tijdschriften en at junkfood. Ik
vroeg me af of oom Vinny er nog steeds werkte. Die tochtjes met vader
leken vele mensenlevens geleden.

Mijn vlucht verliep vlekkeloos en toen ik een paar uur later landde nam
ik een taxi naar het hotel, precies zoals mijn vader me dat had opgedragen.
Ik wist zijn kamernummer al. Het hotel lag aan het strand. Het uitzicht was

adembenemend, met turquoiseblauwe golven die over het kristalheldere strand rolden, en het luxe hotel bood alle mogelijke voorzieningen, maar we waren daar niet om ons te amuseren. Dit was ernst. Vader voerde een paar telefoongesprekken en de volgende ochtend vroeg huurden we een auto en reden we naar het bevolkingsregister. Daar wachtte een man ons op in zijn kantoor. We gingen naar binnen en ik zag hoe mijn vader duizend dollar in zijn hand neertelde. Tien minuten later gingen we weg met een nieuwe Bahamaanse identiteit voor mijn vader, inclusief een authentiek geboortebewijs. Zo gemakkelijk ging dat.

De volgende paar dagen reden we wat rond om ons met de omgeving vertrouwd te maken en huurhuizen te bekijken. Als hij daarheen verhuisde, moest ik in staat zijn hem te vinden zonder al te veel naar de weg te vragen. We hadden ook een dekmantel nodig voor het geval iemand zou vragen wat we hier deden, en daarom schreef vader mij in voor scuba-duiklessen. Ik was al een geoefend zwemmer en na een aantal dagen duiken behaalde ik mijn duikcertificaat. Mocht iemand mij vragen hoe ik mijn tijd had doorgebracht, dan zou ik mijn antwoord klaar hebben.

Op onze laatste avond gingen we bij zonsondergang naar het strand. Ik zou de volgende ochtend vroeg terug naar huis vliegen, omdat de school over een week begon; vader zou een latere vlucht nemen. Als hij via via zou vernemen dat het veilig genoeg was, zou mijn vader naar huis komen. Zo niet, dan wist ik wat me te doen stond. We zaten naast elkaar op het zand naar de zee te staren. De oceaan kleurde van goud naar bloedrood en schilderde een pad van vochtig zonlicht naar de gloeiende bol die tot achter de horizon zonk. Het was zo mooi dat het me de adem benam. Ik keek naar mijn vader die zwijgend naast me zat en geen oog had voor de pracht om ons heen. Ik vroeg me af of we daar ooit weer zouden samenkomen. De volgende ochtend vertrok ik naar New York om aan de achtste klas te beginnen. Mijn moeder heeft nooit geweten waar ik geweest ben.

Een maand later kwam vader thuis. Anthony en Joey waren terug uit Californië. Ik heb nooit ontdekt wat zij daar deden. Neef Joe ging van zijn onderduikadres naar zijn appartement in Brooklyn, maar mijn vader nam mij nooit meer mee naar de Gemini. Hij vond het daar niet veilig. Een poosje hervatte het leven op het oog zijn normale gangetje. Ik begon me thuis te voelen in de achtste klas en gedroeg me naar buiten toe als iedere

Long Island-tiener, huiswerk maken en naar de film gaan. Mijn echte leven bleef een geheim dat ik alleen met mijn vader deelde. Ik ontwikkelde me snel tot een geoefende, nonchalante leugenaar. Alle geheimen die ik voor de wereld verborgen moest houden, alle strategieën die ik onder het mom van schooljongen moest verbergen, alle dingen die ik mijn moeder niet kon vertellen – dat alles zorgde voor een vermomming die net zo doeltreffend was als alles wat mijn vader in zijn kofferbak verstopte. Het meest beangstigende aan dit uitgebreide dubbelleven was dat het me normaal begon voor te komen. Het werd me duidelijk hoe mijn vader in staat was zijn twee werelden gescheiden te houden. Maar anders dan bij criminelen begon deze voortdurende noodzaak van dubbelhartigheid me te benauwen. Ik droeg een altijd aanwezige lading zorg bij me, zoals andere kinderen hun rugzakken droegen.

Tegen de tijd dat ik de achtste klas doorlopen had, aan het einde van dat jaar, was mijn metamorfose tot leerling-maffioso zo goed als voltooid. Mijn vader gaf me als beloning een platinahorloge, afgezet met diamanten, precies zoals dat van hem. Het was behalve een cadeau ook een symbolisch gebaar. Het horloge paste volstrekt niet bij een jongen van veertien; het was een rijkeluishorloge, een symbool van succes en macht.

Wat alles dat jaar goedmaakte en ook alle jaren sindsdien, kwam in de vorm van twee jongens, Tommy en Nick genaamd.

Nick kwam op een middag mijn leven binnen, toen ik over het schoolplein liep, op weg naar huis. Nick was een lange, potige knul met een groot hart en een aanleg om in gevechten verwikkeld te raken. Die dag was hij hopeloos in de minderheid. Vijf jongens belaagden hem en toen ik hem zich dapper zag verweren tegen de kring om hem heen, mengde ik me in de strijd om hem te helpen. Ik kende hem nauwelijks, maar ik zag dat het geen eerlijk gevecht was en ik steunde hem. Ik was nog steeds klein voor mijn leeftijd, maar sterk en getraind, en samen slaagden Nick en ik erin het stel op de vlucht te jagen. Vanaf die dag bleven wij onafscheidelijke vrienden. Nick was vriendelijk, trouw en hartelijk. Het interesseerde hem niet wat mijn vader voor zijn boterham deed en hij vroeg er niet naar. Voor hem was ik gewoon zijn vriend Al. Voor het eerst, binnen of buiten de school, wist ik dat er iemand achter mij stond. Dat gaf een goed gevoel.

Tommy kwam in mijn leven in de zomer voor de negende klas. Tommy's familie woonde verderop in onze straat. Ik kende Tommy's jongere zusje van school en op een middag nodigde zij me uit om te gaan zwemmen. Ik liep met haar mee naar hun zwembad en daar zag ik een knul met verward blond haar in een poel van bloed op het plankier zitten. Hij had zich bij het werken aan hun boot in zijn voet gesneden. Tommy was ouder dan ik, maar we mochten elkaar meteen. Wij praatten en maakten grappen en ten slotte gingen we met de boot het kanaal op. Tommy wist wie mijn vader was; iedereen in de buurt wist dat. Het interesseerde hem gewoon niet. Hij stelde meer belang in zwemmen en meisjes en op een hete zomeravond wat bier meesmokkelen naar de steiger. Tommy vertelde me dat hij bereid was op te trekken met een spaghettivreter, als ik bereid was dat met een mof te doen. Dat leek me een redelijke afspraak. Op een avond nam ik hem mee naar huis voor het avondeten en nadat hij eenmaal van mijn moeders kookkunst had geproefd, trok hij zo ongeveer bij ons in. Temidden van mijn knappe zusjes en mijn moeders voedsel was hij vaker in ons huis dan ik. Toen ik er met mijn vader vandoor moest, meldde Tommy zich als vrijwilliger 'om wat rond te hangen en een oogje in het zeil te houden'. Dat betekende flirten met Debra en ervoor zorgen dat mijn moeder nooit etensrestjes hoefde weg te gooien.

Als veel mensen zeggen dat ze het nooit zouden hebben gered zonder hun vrienden, bedoelen ze dat niet letterlijk. Ik wel. Ik zou het nooit gered hebben, lichamelijk niet en geestelijk niet, zonder Tommy en Nick. Zij werden de broers die ik nooit had en ik wist dat zij zo nodig voor mij zouden sterven, net als ik voor hen. Zij maakten het mij mogelijk te overleven.

Mijn vader besefte dat. De eerste keer nadat hij Tommy had ontmoet, zei hij dat Tommy mijn vriend voor het leven zou zijn. In een sfeer van voortdurende vrees en verraad zei mijn vader dat ik Tommy kon vertrouwen. Tommy was een van de weinigen die door mijn vader in die jaren geregeld werden toegelaten tot de familie. Vanzelfsprekend had hij het in diens nabijheid nooit over zaken en Tommy stelde mij nooit een enkele vraag over mijn vaders bezigheden, of over mijn incidentele verdwijntruc. Als mijn vaders bende over zaken kwam praten verdween Tommy de trap op, of hij ging naar huis. Op zonnige dagen nam vader soms Tommy en Nick met ons mee op de boot. Dan gingen we duiken en vissen of gewoon maar wat liggen zonnen. Op de boot, met Tommy en Nick, leek het leven bijna normaal.

Ik wist dat sommige kinderen op school fluisterden over waar het geld van mijn familie werkelijk vandaan kwam, maar niemand sprak me daarover aan. Ik deed het goed op school omdat mijn vader een Pietje Precies bleef op het gebied van huiswerk maken en het deelnemen aan schoolactiviteiten. Ook als hij mijn hulp nodig had, wachtte hij tot het weekend of een vakantie voordat hij mij inschakelde. Ik mocht nooit spijbelen. Dat was een onwrikbare regel in onze familie. Mijn jongste zusje heeft nooit een schooldag overgeslagen, van de kleuterschool tot de universiteit. In de negende klas werd ik ingeschreven voor de Regent's classes, het voorbereidend hoger onderwijs op Long Island.

Vader zei me voortdurend hoe belangrijk het was naar de universiteit te gaan. Hij had die kans nooit gehad, want hij moest zijn moeder en oom Joe onderhouden toen hij nog op de middelbare school zat, maar zo'n soort leven wilde hij niet voor mij. Zodra de familie veilig was en hij een uitweg had gevonden, mocht ik nooit meer iets met de maffia te maken hebben. Ik zou arts worden of misschien effectenmakelaar, wat ik maar wilde, als het maar iets was waar ik trots op kon zijn. Hij liet me beloven dat ik, wat er ook met hem gebeurde, de universiteit zou afmaken. Dat beloofde ik.

Mijn vader deed zijn best mijn dagelijkse leven zo normaal mogelijk te laten verlopen. Daarin leek hij grotendeels te slagen. Op school was ik een modelleerling, altijd op tijd en goed voorbereid. Mijn pauzes en lunches bracht ik door met Tommy en Nick. Tommy had een auto en tussen de middag verlieten we het schoolterrein voor de Burger King of Taco Bell, soms namen we een wagenvol klasgenoten mee. Als ik in de stad was bezocht ik in de herfst op zaterdagmiddag footballwedstrijden en als het warm was tuinfeestjes. Ik had genoeg vrienden, uit alle kringen, maar er was een verschil. Behalve Tommy en Nick nam ik ze nooit mee naar huis. Mijn sociale leven vond op school plaats of in het huis van iemand anders. De mensen vonden mij de grappenmaker van de groep. Ik vertelde nog steeds moppen zoals ik op de lagere school had gedaan. Ik kon er niet zorgelozer en beter aangepast hebben uitgezien, maar zelfs midden onder een feestje voelde ik me alsof ik er niet werkelijk bij was. Op een avond stond ik bij het zwembad van een vriend te lachen en grappen te maken over zijn mallotige geschiedenisleraar en toch was mijn geest de hele tijd een miljoen kilometer verder weg. Ik vroeg me voortdurend af of mijn vader veilig was, of er een boodschap voor me zou zijn als ik thuiskwam, of er iets ergs was gebeurd. Hoeveel mensen mij ook omringden, ik voelde me van hen gescheiden, zoals een schijnwerper de zanger op het toneel isoleert. Het was alsof ik een tiener speelde, want hoe kon ik de uitslag van een footballmatch serieus nemen als het leven van mijn familie op het spel stond – letterlijk. Een leerling van de middelbare school zijn was mijn dekmantel, niet mijn werkelijkheid.

Als hij daarvoor de tijd vond, nam vader me nog steeds mee uit kamperen, maar zelfs die uitjes van vader en zoon werden allengs meer omgezet in overlevingslessen. Vader gaf me zijn oude exemplaar van het padvindershandboek en zei dat ik dat goed moest bestuderen. Als we ons in de bossen moesten verstoppen, zei hij, was de kennis hoe je zonder voorraden in de openlucht kon overleven van essentieel belang. Onze tochten naar meer landelijke gebieden werden tot mogelijkheden om het gelezene in praktijk te brengen. De belangrijkste les tijdens deze uitstapjes was: 'Gebruik wat je hebt en maak gebruik van wat je vindt'. Op een tocht kwamen we zowel zonder voedsel als water te zitten en het vinden van een bron met fris water duurde langer dan mijn vader verwacht had. We hadden bijna de hele dag gewandeld toen wij vlakbij een diep in de bossen verscholen hut een put vonden. Het deksel van de put had een slot om te voorkomen dat er dieren in kwamen. Na enige vergeefse pogingen om het slot te openen pakte vader zijn pistool en schoot het slot eraf. 'Gebruik wat je hebt, Al,' zei hij. Als dat betekende dat je een pistool in plaats van een emmer moest gebruiken om water te pakken te krijgen, dan gebruikte je het pistool.

Ik was al bijna aan het eind van mijn eerste jaar als student en mijn vader was steeds vaker weg, toen het mijn taak werd tijdens zijn afwezigheid afbetalingen te incasseren. Dat leek in de meeste gevallen niet zoveel te verschillen van een krantenwijk. Mijn vader nam me gewoon mee, introduceerde me bij zijn woekerklanten en zei: 'Dit is mijn zoon, Albert. Hij haalt je betalingen op als ik buiten de stad ben.' En dat deed ik. De klanten waren geen types uit de onderwereld; het waren kooplui, winkeleigenaars en monteurs. Ik kwam dan op een vrijdagmiddag op hun zakenadres, haalde een papieren zak of een enveloppe op, bedankte hen en bracht het geld thuis. Ik telde het niet eens. De klanten beschouwden een en ander als een erezaak, gebaseerd op een mengsel van intimidatie en respect. Niemand wilde de maffia bedriegen.

Omdat ik nog steeds te jong was voor een echt rijbewijs, reed Tommy me tijdens die boodschappen. Hij had wel zo'n beetje door wat er gaande was en na verloop van tijd vertrouwde ik hem het een en ander toe. Ik gaf hem zelfs een bijnaam die bij zijn nieuwe status paste: 'Tommy Wheels', mijn chauffeur, net zoals Freddy mijn vaders chauffeur was. Ik weet niet wat Tommy's ouders er van zouden hebben gezegd als ze dit te weten waren gekomen, maar wij waren tieners en voor Tommy was het allemaal een spelletje. Wat was er nou verkeerd aan om mij bij een winkel af te zetten, een blokje om te rijden en me een paar minuten later weer op te pikken? Het enige gevaar dat hij zag was verveling. Op een dag kreeg hij een slim idee om de dingen wat te verlevendigen en tegen beter weten in deed ik mee.

Ik moest de wekelijkse betaling van Joe, de kapper, ophalen en ik wist dat dit geen makkie zou zijn. Joe was in elk opzicht van het woord een wanbetaler. Als chronisch gokker had Joe het geld dat zijn familie voor de operatie van zijn dochter nodig had zojuist vergokt. Toen hij op een dag bij hem in de kappersstoel zat, hoorde mijn vader dat de vrouw van Joe huilend tegen haar echtgenoot zei dat hij het geld verloren had voor een operatie die hun dochter nodig had. Joe kende in die dagen vader alleen als klant, maar na het beluisteren van dat gesprek vroeg mijn vader Joe hoeveel die operatie moest kosten. Joe zei het hem en mijn vader gaf hem terstond het geld. Joe bedankte hem uitbundig en beloofde plechtig zich aan de overeengekomen afbetalingsregeling te houden. Zijn dochter onderging de operatie en Joe hield zich een tijdje aan de afspraak. Maar toen zijn dochter aan de beterende had was, verviel Joe langzaamaan weer in zijn oude gewoontes en hij begon de betalingen die hij mijn vader had toegezegd te vergokken. Mijn vader mocht Joe niet en verachtte hem vanwege de manier waarop hij zijn vrouw en kinderen behandelde. Hij waarschuwde Joe dat hij hem maar beter niet nog eens op gokken kon betrappen. Ondanks de waarschuwingen ging Joe door mijn vader wekelijks te weinig af te betalen.

Tommy had het grootste deel van dit verhaal gehoord en op een dag kwam hij met een idee om het geld te incasseren. We waren er die week al twee keer geweest en telkens kregen we te horen dat Joe net weg was.

Konden we misschien een andere keer terugkomen? Ik was niet van plan hem een pak slaag te geven om het geld te krijgen, maar ik wilde wel dat hij zou betalen. Wij wisten dat Joe elke keer dat wij langskwamen door de achterdeur verdween en Tommy kwam op de slimme gedachte hem op te vangen. Ik had mijn twijfels, maar Tommy drong aan: 'Toe nou, Al, dat lijkt me leuk!' Tommy was ouder en aanzienlijk groter dan ik en hij wilde zijn spieren laten zien. Daarom verschenen we op een middag onverwacht bij de kapperszaak en Tommy posteerde zich bij de achterdeur, terwijl ik aan de voorkant naar binnen ging. Tommy duwde een vuilnisbak vlak achter de achterdeur en wachtte af.

Op het moment dat ik naar binnen ging hoorde ik, zoals verwacht, iemand rennen en ik ging achter hem aan. Joe rende rechtstreeks uit de achterdeur en tegen de vuilnisbak, struikelde en viel in de steeg. Tegen de tijd dat ik daar aankwam, had Tommy Joe bij zijn kraag en hij had er duidelijk plezier in. Ik keek naar Joe en zei: 'Kom op nou, Joe, niemand wil je pijn doen, maar je bent mijn vader geld schuldig en iedereen weet dat je weer aan het gokken bent. Dus laten we het in godsnaam nu afhandelen en betaal.' Ik keek toe hoe hij het geld neertelde en dat was dat. Tommy zat de hele weg naar huis te lachen. Hij had nog nooit zoveel plezier gehad. Ik hoopte alleen maar dat mijn vader dit niet zou ontdekken. Hij wilde niet dat ik onnodige risico's nam.

Voor mij was niets meer leuk. De prijs die ik betaalde voor het verliezen van mijn angst was dat mijn vermogen om te genieten ook verdwenen was. Ik kon me soms wel amuseren en dat deed ik ook, maar geluk lag buiten mijn bereik. Ik deed wel alsof. Ik was altijd de gulle jongen in mijn kleine vriendenkring. Zelfs gemeten naar de standaard van het welvarende Massapequa had ik heel wat geld stuk te slaan. Mijn vader, verteerd door schuldgevoelens over de dingen waar hij mij aan blootstelde, probeerde dat goed te maken door me te overladen met van alles wat voor geld te koop was. En in zijn wereld was voor geld zo ongeveer alles te koop.

Op een weekend, kort na mijn veertiende verjaardag, nam mijn vader me mee voor een tochtje naar het land, waar een vriend van hem volbloeds fokte. Ik was er al vaak geweest; mijn vader bezat daar ook een aantal paarden, voor zichzelf en voor Debra, die een geoefend ruiter was. Op die speciale middag stond hij met zijn vriend te praten en stelde hij me voor om even in de schuur naar een mooie nieuwe volbloed te gaan kijken die zojuist was binnengekomen. Ik liep de schuur binnen in en liep langs de stallen naar de plek die vader had genoemd. Daar aangekomen zag ik tot mijn stomme verbazing dat de stal leeg was, maar er stond een mooi, jong Italiaans meisje. Ik dacht dat ze een stalknecht was of een ruiter, dus ik vroeg haar of ze wist waar de nieuwe volbloed was. Ze lachte en zei: 'Die is hier.'

Ik begreep het nog steeds niet. Om me heen kijkend vroeg ik: 'Waar dan?'

En terwijl ik verbaasd toekeek, trok ze haar shirt over haar hoofd, maakte haar bh los, trok me naar zich toe om haar borsten te laten strelen en lispelde: 'Van harte gefeliciteerd met je verjaardag, Al.' Ik voelde mijn lichaam witheet worden. Seconden later begon zij mijn kleren uit te trekken en trok ze me neer op het stro. Veertien jaar oud verloor ik mijn maagdelijkheid door een nummertje in het hooi.

Na afloop liep ik verdwaasd terug naar mijn vader en zijn vriend. Vader lachte, sloeg me op mijn rug en vroeg: 'En wat vond je van je verjaardagscadeautje, jongen?' Ik probeerde te doen alsof het niet zoveel voorstelde, maar ik voelde mijn gezicht gloeien. Beide mannen lachten. Mijn vader zei dat ik van nu af aan iedere vrouw kon krijgen die ik hebben wilde uit de reeks callgirls die door mijn vaders organisatie werd betaald. Ik wist al dat hij prostituees voor zich had werken; ik had ze bij zijn zaken zien rondhangen als ik met hem naar New Jersey ging. Alweer had ik een van mijn vaders overgangsrites ondergaan. Nu was ik een man.

Toen Tommy en Nick hiervan hoorden, vonden ze dat ik het gelukkigste kind op aarde was, en ze wilden weten wanneer ook zij in actie konden komen. Ik haalde nu ook betalingen op bij een escortservice als mijn vader de stad uit was. Vader had een limousine besteld om me thuis op te halen en naar de stad te brengen om het geld op te halen. Het was een dure instelling die de rijken en beroemdheden van Manhattan bediende, en de eerste keer dat ik er kwam dacht ik dat de vrouwen die er in en uit liepen de mooiste schepsels waren die ik ooit had gezien. Op een middag, toen de eigenaar me mee naar achteren nam om de betaling te doen, keek ik hem recht in zijn ogen en zei: 'Bedankt. Ik neem voor vanavond ook nog drie meisjes mee.'

De man keek me verbijsterd aan. 'Wat zei je?'

'Ik zei dat ik drie meisjes meeneem. Rondje van het huis.'

Ik kon zien dat hij boos was, maar hij durfde het me niet te weigeren. Hij wist niet beter of mijn vader had de meisjes besteld als deel van de betaling. Een kwartier later zat ik in de limousine met drie vrouwen die er uitzagen als supermodellen en ik voelde me alsof ik zojuist de grootste slag had geslagen die een middelbare scholier maar kon slaan. Ik liet me door de chauffeur naar Little Italy brengen, belde Tommy en zei dat hij met Nick naar een restaurant in Mulberry Street moest komen. Ik had een verrassing voor ze. De jongens kwamen een uur later het restaurant binnen en hun ogen vielen zowat uit hun hoofd. Ik speelde het koeltjes, deed alsof het gewoon drie vrouwen waren die ik in het restaurant had ontmoet. Later stapten we in de limousine en ik gaf de chauffeur de opdracht door de stad te rijden totdat ik zei dat hij moest stoppen. Daarna sloot ik de tussenruit en maakte avances bij een van de meisjes. Ze zei vanzelfsprekend geen nee.

Nick begon het door te krijgen, maar Tommy nam mijn belachelijke verhaal voor zoete koek aan. Hij zat serieus met een van de callgirls te praten over zijn school en zijn plannen voor de universiteit. Ten slotte zei hij: 'Wil je een keer met me uit eten gaan of naar de bioscoop? Ik vind je echt heel aardig.'

Het meisje lachte hem uit en zei: 'Schatje, jij kunt je mij niet veroorloven.'

Tommy keek verward en verlegen, maar Nick en ik bulderden van het lachen. Toen we uitgelachen waren, zei ik: 'Tommy, eikel, het is een hoer! Ze is van een medewerker van mijn vader.'

'Vanavond mag je alles met me doen wat je maar wilt, schat,' zei ze met een knipoog, 'rondje van het huis.' Onder zijn sproeten werd Tommy's gezicht rood als een biet. Gelukkig voor hem wist het meisje van wanten. Na afloop schepten hij en Nick tegen al de schooljongens op over de vrouwen die zij hadden gehad. Ik denk niet dat iemand hen geloofde, maar dat vonden ze niet erg. Ze voelden zich de gaafste jongens van de school.

Met de beschikking over een limousine als mijn vader de stad uit was, pikte ik telkens als ik bij de escortservice geld ophaalde, een paar callgirls op. Nadat dit een paar keer gebeurd was werd de eigenaar woedend, want de meisjes waren voor hem veel geld waard. Toen hij het ten slotte tegen mijn vader zei, ontplofte die. Hij had niet meer zo tegen mij geschreeuwd sinds ik een kleine jongen was. Dat betekende het einde van de callgirls, maar niet het einde van de vrouwtjes.

Ik was nog geen vijftien, maar voelde me een man en speelde die rol ook al. Ik begon mijn emotionele leegte met pleziertjes te vullen. Steeds wanneer de angst kwam opzetten, pikte ik mijn vrienden op, plus een paar mooie meisjes en een fles champagne, om mijn bewustzijn te verdrinken. Daarna bleef ik uitgeput en leeg achter, maar zolang het duurde had ik een heerlijk gevoel van surrogaatkracht. Op die momenten was ik sterk, onverwoestbaar. Niet langer waren er gratis callgirls, maar ik merkte al snel dat er genoeg vrouwen gratis met me meewilden op die avondjes uit in de stad. Het was de eerste keer dat ik rook aan de seksuele aantrekkingskracht die de maffia op veel vrouwen heeft. Ik speelde daarop in en leerde het in mijn voordeel te gebruiken in het geheime leven dat ik leidde. In Massapequa bleef ik een verlegen, onhandige puber. Op school had ik mijn eerste vriendinnetje, een lief, traditioneel meisje. Bij een prostituee kon ik me als een kerel gedragen, maar het zweet kwam nog steeds in mijn handen bij de gedachte dat ik een arm om mijn meisje sloeg.

Tegen de tijd dat mijn tweede jaar op de middelbare school begon, verdween mijn vader regelmatig en ik ging steeds vaker het geld voor zijn zaakjes incasseren. Dit vond mijn vader niet prettig en bij herhaling verontschuldigde hij zich voor het feit dat hij me daarin betrok, maar toch bleef het doorgaan. In die tijd was naast de autodiefstallen een keten sekswinkels en een reeks prostituees in Forty-Second Street in Manhattan een van de meest lucratieve ondernemingen van mijn vader. Forty-Second Street was in die dagen de rosse buurt van New York City en de straten stonden vol hoeren, leunend tegen winkelpuien die reclame maakten voor sekswinkels en pornografische films. Veel van die zaken waren van mijn vader. Het was een aparte wereld, die de meeste andere tieners nooit zouden betreden.

Om mijn incassowerk gezag te geven stelde vader me voor aan de pooier die de prostitutielijn leidde. Hij kende het systeem goed en had de dagelijkse leiding. Mijn vaders rol was alleen financieel. De pooier had een vriendin, een opvallend mooie vrouw, die met hem samenleefde, maar ook als callgirl werkte. Toen ik de eerste keer hoorde dat hij de vrouw die hij beweerde lief te hebben bij een klant aanbeval, was ik geschokt. Mijn vader zei dat de vriendin voor de pooier handel was en dat hij zich niet kon veroorloven die te verspillen. Ze ving topprijzen en het zou dwaasheid zijn het geld dat zij kon binnenbrengen te laten lopen. Gewoon een praktische kwestie. Bovendien deed ze het vrijwillig. Dat deden alle vrouwen in zijn organisatie. Ze verdienden meer geld dan ze ooit met gewoon werk zouden kunnen verdienen. Ze droegen dure kleren en juwelen en hadden vaak mooie appartementen, waarin ze hun kinderen comfortabel konden opvoeden. Het was voor alle betrokkenen een goede zaak, verzekerde mijn vader me.

Wat hij zei, leek ergens wel steekhoudend. Toch echode een verre stem in mijn achterhoofd andere woorden, die mijn vader mij had geleerd. Behandel een vrouw altijd met respect, want ze is iemands dochter, moeder of zuster. Ik dacht aan mijn eigen zusjes. Ik wist dat er iets mis was met wat ik hoorde, maar ik kon er niet precies mijn vinger op leggen. Er school een wezenlijke tegenstrijdigheid in wat ik hier meemaakte.

Op een middag toen ik bezig was met mijn incassowerk voor mijn vader, kwamen mijn twee normen-en-waardenstelsels bijna met elkaar in botsing. Het Roxy Theatre, in vroeger dagen de trots van Broadway, was omgebouwd tot een seksgalerij die aan mijn vader toebehoorde. Het ooit beroemde gebouw torende hoog uit boven Forty-Second Street, als de een of andere verarmde adellijke dame uit een lang vervlogen tijd. Ik was er nooit binnen geweest, maar in mijn verbeelding moest de grandeur van vroeger er nog steeds sluimeren. Ik was enthousiast over het vooruitzicht dat ik dit oude gebouw ging betreden. Het zou zijn alsof ik het verleden binnenstapte.

Niets van wat ik tot dan toe had gezien, had me voorbereid op wat ik binnen tegenkwam. Ik had tegen die tijd al heel wat incasso's gedaan in Forty-Second Street. Een medewerker van mijn vader die naar de naam Tony Cigars luisterde, haalde me dan thuis op in een zwarte Cadillac om me naar de stad te rijden als ik klaar was met mijn huiswerk. De incasso's waren een fluitje van een cent; meestal moest ik alleen maar een armoedig kantoortje binnengaan, een enveloppe of een pakketje oppikken en dat in mijn zak laten glijden. Daarna bracht ik het geld naar huis, waar ik het in de gebeeldhouwde kast van mijn vader stopte of aan neef Joe gaf om in de safe te leggen. De incasso's waren meestal eerder saai dan verontrustend. Maar wat ik binnen de ooit zo eerbiedwaardige muren van de Roxy zag, ging mijn voorstellingsvermogen te boven.

Op de gewelfde plafonds waren nog steeds de uitbundig vergulde sculpturen uit het begin van de twintigste eeuw te zien, toen het variété hoogtij vierde. Zelfs de verveloosheid en het afbladderende pleisterwerk konden de overblijfselen van de vroegere luister van de Roxy niet verhullen. Maar toen ik de bedrijfsleider volgde door de hal zag ik langs de muren iets wat op een rij kleine stallen of kooien leek. Iemand had een armoedig muurtje vervaardigd, schreeuwerig geverfd bij de ingangen en met kijkgaatjes aan de van schuifdeuren voorziene zijkanten. Een chassidische jood kwam uit een van die deuren te voorschijn en sloeg het stof van zijn zwarte jas. Chassidische joden, legde de bedrijfsleider uit, behoorden tot zijn beste klanten. Hun geloof verbood hen bepaalde seksuele handelingen met vrouwen van hun eigen geloof, met inbegrip van hun eigen vrouwen. Daarom genoten zij van de mogelijkheden die Forty-Second Street hen bood. En bovendien, grinnikte hij, was het gemakkelijk van alles te verbergen onder die lange, wijdvallende jassen.

Toen we het hokje passeerden waar de man uit was gekomen, kon ik niet nalaten even een blik naar binnen te werpen. In een kleine, smerige ruimte, nauwelijks groot genoeg om in te liggen, zat een naakte vrouw in de hoek uitdrukkingloos voor zich uit te staren. Zij scheen zich niets aan te trekken van de lichaamssappen op de vloer om haar heen. De stank die uit de ruimte kwam deed me bijna kotsen. 'Jezus Christus,' dacht ik, 'een beest zou niet eens in dat hok willen paren.' Ik staarde naar de man naast me, maar hij was onverschillig voor mijn reactie. Zonder een spoortje schaamte liep hij kalmpjes naar de uitgang. Wij kwamen aan het einde van de reeks hokjes en ik zag een Latijns-Amerikaanse man aan het werk in een van de ruimtes. Hij had een emmer en een zwabber en veegde lichaamssappen uit het hokje alsof hij een stal aan het uitmesten was. Ik werd alweer bevangen door misselijkheid. Ik wendde me tot de bedrijfsleider en zei: 'Jezus! Niemand zou zulk werk moeten doen.'

De man haalde alleen maar zijn schouders op en zei: 'Het wordt goed betaald.'

Toen we langs het laatste hokje naar het eigenlijke theater liepen, kwamen we voorbij het voormalige buffet. Daar stond nog een ouderwetse popcornautomaat, een overblijfsel uit de tijd dat kinderen in de pauze van de film snoep kwamen kopen.

Wij liepen de hoek om naar de grote zaal. De bedrijfsleider ging me voor, langs het gangpad naar de coulissen, waar hij zijn kantoortje had. Ik liep naar de voorkant van de zaal en keek om me heen in de immense ruimte. De zaal zat voor een namiddag opvallend vol. Hoge, stoffige, fluwelen gordijnen omlijstten het toneel en ouderwetse schijnwerpers verlichtten het toneel. Uit een slechte luidspreker klonk muziek en toen ik naar het podium keek, zag ik verbijsterd hoe daar een hoogzwangere vrouw paradeerde, helemaal in haar blootje. Zij liep heen en weer met nog wat andere vrouwen die eveneens naakt waren, en zo toonde ze zich aan de toeschouwers. De bedrijfsleider vertelde me dat de vrouwen op die manier wedijverden voor de hoogste bieders. De zwangere vrouw kreeg altijd de beste aanbiedingen, zei hij. Het publiek hield van zwanger, hoe dikker hoe beter.

Terwijl ik vol walging als gehypnotiseerd toekeek, deden de vrouwen zaken, en toen ze begonnen te dansen werden de lichten gedimd. Ik kromp zichtbaar ineen toen, als op een teken, door de hele zaal heen kerels hun gulp openritsten en begonnen te masturberen. De geluiden hierbij waren zo hard dat ze weerkaatst werden. Er klonk een koor van gekreun. Ik keek weg, had het liefst mijn oren willen bedekken en haastte me naar het kantoortje in de coulissen. De stank werd overweldigend. Terwijl ik steeds sneller liep, merkte ik dat de zolen van mijn schoenen aan de vloer plakten. Ik keek naar beneden en verwachtte een restje kauwgum of snoep te zien, maar ik realiseerde me dat de vloer bedekt was met een mengsel van pis en sperma. Ik kokhalsde. Nadat ik het pakketje dat me werd overhandigd in mijn jas had gestopt, rende ik zowat het pand uit.

Toen ik die avond thuiskwam, trok ik al mijn kleren uit en gooide ze bij het afval. Vooroverhangend boven de wc gaf ik over tot mijn maag pijn deed. Daarna opende ik de kraan zo heet als ik kon verdragen en stapte onder de douche. Ik zeepte me keer op keer in en borstelde tot mijn huid rauw was en bewerkte mijn schedel met shampoo. Maar niets leek in staat de stank te verdrijven, de laag vuil die nog steeds aan mijn lichaam kleefde. Ten slotte stapte ik uit de douche en zocht in het medicijnkastje naar het doosje met wattenstaafjes. Die drenkte ik in alcohol en bewerkte er mijn neusgaten mee om de stank te verdrijven die daarin leek te blijven hangen. Mijn handen beefden en ik kon de staafjes nauwelijks vasthouden. Uiteindelijk gaf ik het op en kroop ik in bed, waar ik slapeloos in de duisternis lag en probeerde de obscene beelden uit mijn geheugen te verdrijven. Ik durfde mijn ogen niet te sluiten.

Later, in de kleine uurtjes van de nacht, hoorde ik iets beneden aan de trap bewegen. Ik probeerde rustig te blijven, gleed onder de dekens vandaan en pakte de .38 die ik altijd schietklaar in het kastje naast mijn bed had liggen. Ik sloop geluidloos door de donkere hal naar de trap. 'Shit,' mompelde ik, toen ik me realiseerde dat Major zich op het terrein achter het huis bevond. Waarom had hij niet geblaft? In de bijna absolute stilte ontwaarde ik een beweging. In een instinctieve beweging sprong ik naar voren en en ik richtte mijn pistool om te schieten. Op hetzelfde moment sprong in het zwakke schijnsel van de veiligheidslampen buiten het raam een ander figuur op mij af, een wapen direct op mij gericht. Met mijn vinger aan de trekker voelde ik mijn lichaam verstijven. Het gezicht dat naar mij keek was dat van mijn vader. We verstarden allebei en onze gezichten waren maskers van angst bij het idee wat er bijna was gebeurd. Geen van beiden zeiden we iets. Mijn vader draaide zich zwijgend om en liep de trap weer af. Ik volgde hem, nog steeds met getrokken pistool. We controleerden voorzichtig alle deuren en ramen, zoals we al zo vaak hadden geoefend. Buiten, bij het keukenraam, kraste een tak tegen het glas. Eindelijk tevredengesteld dat het huis veilig was klommen we samen de trap weer op en gingen nog altijd zwijgend naar onze kamers. Ik ging bovenop mijn sprei liggen en wachtte eens te meer op de bevrijdende slaap. Die nacht, net als in vele andere nachten, kwam hij niet.

zeven

Verlossing

Zomer 1993, met kartonnen modellen
van Crockett en Tubbs

Ik ben in bloed
Zo ver gestapt dat, als ik niet meer zou waden,
Terugkeren even saai zou zijn als verder gaan.

SHAKESPEARE, Macbeth

Mijn vader stierf voor zijn eigen zonden, niet voor de zonden van anderen. Die zonden waren talrijk en ernstig en tegen het einde wist hij dat. Vader wist dat zijn eigen verdoeming zeker was en dat vertelde hij mij in niet mis te verstane bewoordingen, maar zijn laatste hartenwens was dat mijn zusjes en mij niet hetzelfde lot zou treffen. Daarom deed hij het enige wat hij kende om de dingen recht te zetten. Hij gaf zijn eigen leven in de hoop dat van ons te redden. De pijn die zijn dood mij bezorgde was als een zwaard dat mijn hart had doorboord, en er waren momenten dat ik ervan overtuigd was dat ik dood zou bloeden. De bijbel vertelt ons dat toen Christus aan het kruis hing, de zonden van de mensheid tijdelijk God aan het zicht van Zijn Zoon onttrokken. Op het eind onttrokken mijn vaders zonden hem aan mij. Ik had me nog nooit zo in de steek gelaten gevoeld.

De gebeurtenissen van het jaar daarvoor hadden een ingewikkelde keten van verdere gebeurtenissen in beweging gezet, die allemaal tot dezelfde uitkomst leidden: de teloorgang van mijn vaders criminele loopbaan. Mijn vader werd voor de eerste keer gearresteerd. Dat was in zijn vijfentwintig jaar bij de maffia nooit eerder gebeurd. Hij was bezig een Plato's Retreat – een seksgalerij zoals die in Forty-Second Street – te openen, even over de grens van New Jersey. Het gerucht deed de ronde dat de galerij in werkelijkheid een dekmantel was voor een hoerenkast en mijn vader werd ontboden op het hoofdkwartier van de FBI in Jersey op beschuldiging van gelegenheid geven tot prostitutie. Toentertijd had de FBI al sterke vermoedens over mijn vaders zaken, maar ze beschikten nog niet over de benodigde bewijzen om hem aan te klagen. De arrestatie in Jersey was een gelegenheid om hem in het strafregister op te nemen en hem misschien vast te houden tot ze hem konden vervolgen voor ernstigere vergrijpen. Ze wisten nog niet precies hoe hij paste in het Castellano-onderzoek, maar ze wisten wel dat hij er op de een of andere manier een rol in speelde. Er kwam geen aanklacht en hij bracht alleen maar een nacht in de cel door. Toch vernietigde deze arrestatie alle illusies over anonimiteit die hij nog steeds koesterde. Zijn vingerafdrukken waren genomen, zijn stem was opgenomen en hij was gefotografeerd. Nu had hij een strafblad dat openbaar was. Met hem werden de Gemini Tweeling en neef Joe geregistreerd. Het leek een onbeduidend incident in het geheel van de dingen, maar het maakte mijn vader van streek. Het bracht hem als risicogeval een stap dichterbij zijn eliminatie door Paul Castellano. We waren in een wanhopige situatie beland.

In 1982 werd Big Paul dusdanig door de FBI in de mangel genomen dat hij was begonnen iedereen uit de weg te ruimen die een risico voor hem kon betekenen. Mijn vader wist dat hij de volgende was. Hij bracht uren door in zijn studeerkamer om er met mij over te praten. Op een avond zat ik in Freddy's woonkamer tv te kijken en hoorde ik Freddy en vader in de keuken praten.

'Paul is hebzuchtig en hij heeft geen enkel respect voor de mannen die het werk voor hem doen. Hij wil al het geld, maar is niet bereid zelf ook maar iets van het vuile werk te doen. Hij blijft ons eropuit sturen en wordt nog eens onze dood, ook als hij daarvoor niet zelf de opdracht geeft. Ik vertrouw hem niet.'

'Vind je dat we hem moeten uitschakelen?' vroeg Freddy.

'Weet ik niet. Dat doe je niet zomaar. En wat als we het wél doen? Nino wil zijn baantje niet, en ik ook niet. Ik weet niet. Misschien moeten we voor alle zekerheid een plan klaar hebben.'

Ze wierpen wat ideeën op, maar het moeilijkste zou zijn weg te komen zonder te worden herkend. Paul Castellano werd altijd omringd door lijfwachten. Ten slotte had Freddy een idee.

'Weet je wat, ik kan een van mijn motoren opvoeren en die kunnen we dan gebruiken. Als jij achterop gaat zitten met een Mac Ten, kun je hem gemakkelijk uitschakelen, hoe hard we ook rijden. En we zijn weg voordat zijn mannen bij een auto zijn. Ze zouden ons nooit kunnen inhalen en we kunnen de motor in de rivier dumpen en thuis zijn voordat iemand ons gemist heeft.'

Mijn vader zei dat hij er over zou nadenken en misschien met Nino zou praten. Ze zouden het plan voorlopig op een laag pitje zetten, maar als de toestand slechter werd, zou hij overwegen het te proberen.

Mijn vader maakte zich op goede gronden bezorgd. De eerste klap dicht bij huis was de arrestatie van Freddy. Na zoveel jaren te hebben geopereerd zonder verdenkingen op zich te laden, was de bende onvoorzichtig geworden. De hoofdregel van al mijn vaders operaties was precisie en voorzichtigheid. De bende had instructies om alles uit een auto te verwijderen dat naar de wettige eigenaar kon verwijzen. Mijn vader ontplofte toen hij op een middag Freddy's garage binnenkwam en daar de bende zag paraderen in de kledij van een chassidische jood. Veel van de wagens die ze stalen, waren van chassidim, van wie de religieuze beperkingen ongeveer gelijk waren aan die van de Arabieren in het Midden-Oosten, die mijn vaders voornaamste markt vormden. Net als moslims mochten de chassidische joden niet op leer zitten en daarom gaven zij de voorkeur aan een luxe auto met een bekleding van velours. De bende kon de verleiding niet weerstaan zich te verkleden in de jas en de hoed die ze op de achterbank hadden gevonden.

Ook op andere gebieden waren ze onvoorzichtig geworden. Ze namen niet altijd de moeite handschoenen aan te doen als ze aan auto's werkten, het allereerste wat mijn vader me had geleerd toen hij over gestolen handel praatte. Het viel niet mee om met handschoenen aan de chassisnummers te veranderen en daarom had Freddy een paar nummers met zijn blote handen veranderd, in de veronderstelling dat hij er in was geslaagd zijn vingerafdrukken weg te vegen. Dat had hij mis. De autoriteiten waren erachter gekomen dat grote aantallen gestolen auto's naar het Midden-Oosten werden verscheept. Ze waren zo vastbesloten de dieven te vangen dat er federale agenten naar Koeweit gingen om daar de luxe auto's op vingerafdrukken te onderzoeken als zij van het schip kwamen. Zij vonden Freddy's duimafdruk op een vervalst chassisnummer, lieten dat nakijken en arresteerden hem. Zij hadden hem meteen goed te pakken, want Freddy was niet in staat een geloofwaardige smoes te verzinnen voor hoe die afdruk daar gekomen was. Mijn vader wist dat Freddy hem nooit zou verlinken, maar hij wist ook dat Freddy als het ware een neonpijl was die rechtstreeks naar hem wees.

Toch koesterde vader nog een tijdje de illusie dat het openbaar ministerie niet over genoeg informatie beschikte om de diefstallen te stoppen, of over genoeg bewijzen om hem in staat van beschuldiging te stellen. Freddy was nog een maffialid van de oude school; hij hield zijn mond dicht en offerde zich op voor mijn vader. Van zijn kant hield ook mijn vader zich aan de regels en hij voorzag Freddy's vrouw en kinderen royaal van financiële ondersteuning. Ze gingen met ons gezin op vakantie. In december, na Freddy's arrestatie, ging ik met vader voor het hele stel kerstcadeautjes kopen.

Al een paar maanden na de arrestatie van Freddy kreeg mijn vaders organisatie een volgende klap. In een van de gestolen auto's lagen thorarollen en andere heilige voorwerpen op de achterbank en mijn vader vond het heiligschennis ze te houden. Hij droeg de bende op ze in te pakken en ze ongezien bij de lokale synagoge achter te laten. Ze deden wat hij wilde, maar ze konden de verleiding niet weerstaan de voorwerpen eerst aan te raken... zonder handschoenen. Het resultaat was alweer een aantal vingerafdrukken en alweer een arrestatie, dit keer met rampzalige consequenties.

Vito Arena bleek de sleutel te zijn die het openbaar ministerie nodig had om eindelijk mijn vader in staat van beschuldiging te stellen. Vader had Vito een paar jaar eerder in zijn bende opgenomen als een gunst voor een andere maffiafamilie. Vito was huurmoordenaar voor een andere *capo*, en die *capo* en een ander lid van vaders bende wilden Vito bij de autodiefstallen inschakelen. Vito was een buitenbeentje en de meeste bendeleden hadden het niet zo op hem. Met zijn ruim 120 kilo was Vito ziekelijk zwaarlijvig. Hij was bovendien openlijk homoseksueel, in een tijd dat het nog volstrekt niet geaccepteerd werd als je daar openlijk voor uitkwam. Anthony en Joey protesteerden hevig en hielden vol dat een 'vette homo' in de omgeving slecht was voor hun imago. Maar mijn vader zei hen dat het niet uitmaakte wat Vito in zijn vrije tijd deed, zolang hij maar deed wat hem gezegd werd.

Ironisch genoeg was het juist zijn seksuele geaardheid die Vito deed doorslaan. Meteen na zijn arrestatie zorgde vader ervoor dat hij op borgtocht vrijkwam, maar Vito ging ervandoor en dook onder. Mijn vader was nerveus, omdat hij wist dat Vito mogelijk een verklikker zou kunnen worden. Hij wist dat Vito's trouw alleen zijn vriendje gold en niet de maffia. Omdat de officier van justitie Vito niet kon vinden, werd besloten diens vriend als lokaas te gebruiken. De vriend werd op de een of andere aanklacht gearresteerd en het gerucht werd verspreid dat als Vito zijn vriend terug wilde zien hij hem moest komen ophalen. En daarom maakte Vito een deal. Als hij in dezelfde cel zou worden gezet als zijn vriend en als aan nog wat randvoorwaarden voldaan zou worden, zoals strafvermindering en een kapperstoel in zijn cel, zou Vito niet alleen terugkomen, maar ook informant worden. Het openbaar ministerie wist niet hoe snel deze afspraak op papier moest worden gezet. Eindelijk beschikten ze over een sleutelfiguur in de autodiefstallenbende die bereid was te vertellen wat hij wist. En Vito wist heel wat, meer dan genoeg om de operatie te kortwieken en mijn vader veroordeeld te krijgen. In een vergeefse poging om Vito te intimideren doorzocht vader Vito's appartement en nam hij een flinke verzameling foto's mee, waarop Vito seks bedreef met andere mannen. Hij hoopte dat de foto's hem een zekere controle over Vito zouden geven, of hem toch ten minste in diskrediet zouden brengen bij de autoriteiten.

Mijn vader werd wanhopig. Hij wist dat het slechts een kwestie van tijd was voordat hij zou worden gearresteerd en dat het dit keer niet met een sisser zou aflopen. Erger nog was vanuit mijn vaders gezichtspunt dat hij door mij te betrekken bij zijn ontsnappingsplannen niet alleen zijn eigen leven, maar ook het mijne in gevaar zou brengen. En Vito's arrestatie versterkte de problemen met Paul Castellano. De diefstaloperatie was al ernstig geschaad en als de druk nog groter werd, moest hij die misschien wel helemaal stilleggen. Het was een gegeven dat een lid dat niet genoeg opleverde geëlimineerd werd. Als de geldstroom opdroogde, zou Castellano mijn vader zeker laten doden.

De tochtjes naar de Bahama's, de laatste tijd wat minder frequent, werden hervat. Mijn vader werd in toenemende mate voorzichtiger met geld en hield zoveel geld als hij durfde achter om dat op legale rekeningen te storten. Het huis stond al op mijn moeders naam en hij liet een advocaat regelen dat onze bezittingen zoveel mogelijk veiliggesteld waren. Hij sloot extra verzekeringspolissen af en verhoogde het collegegeld dat hij voor mij en mijn zusjes opzij had gezet.

Wij hadden al geruime tijd geoefend op de plannen voor mijn vaders verdwijning. Maar die plannen waren nu niet meer voldoende omdat de FBI hem zou blijven achtervolgen zolang ze dachten dat hij nog leefde. Machiavelli adviseert dat als al het andere mislukt, je het best je eigen dood kunt voorwenden om vervolgens permanent in ballingschap te gaan. Het werd tijd mijn vaders 'dood' voor te bereiden en dat moest uiterst overtuigend zijn. Er was maar één persoon aan wie mijn vader een dergelijke wanhoopsdaad kon toevertrouwen. Op mijn zestiende zou ik mijn vaders moordenaar worden.

Op een nacht praatten wij daarover in zijn studeerkamer. Het werd allengs duidelijker dat hij zo goed als zeker moest verdwijnen – en snel ook – voordat de FBI hem arresteerde of Paul Castellano hem liet doden. Wekenlang hadden wij ons na het eten afgezonderd om ideeën te overwegen en mogelijkheden te bekijken.

'Het probleem is de overlijdensakte. Zonder die akte krijgt je moeder het verzekeringsgeld niet uitbetaald en zullen de autoriteiten nooit geloven dat ik werkelijk dood ben. Als ik alleen maar verdwijn, krijgen we zo'n akte nooit en zal er altijd iemand achter jou aan zitten. Iedereen moet ervan overtuigd zijn dat ik dood ben. Anders werkt het niet. Het is onze enige kans op veiligheid.'

'Kunnen we niet gewoon wat bloed nemen? Dat smeren we dan op de auto. Als het dezelfde bloedgroep is, zien ze misschien het verschil niet.'

'Dat geloven ze nooit. Geen kogelgat, geen vlees, geen bloedspoor. Het moet overtuigend zijn. Er is maar één manier. Jij zult op me moeten schieten.'

Ik wist dat hij gelijk had. Ik bedwong de verwarring in mijn hoofd en concentreerde me op wat hij zei. Dit moest ik goed begrijpen. 'En hoe zit het met mamma? Wat moet ik haar vertellen?'

'Je gaat haar helemaal niets vertellen. Iedereen moet geloven dat ik dood ben. Over een paar jaar, als alles weer rustig is, kun je haar en je zusjes vertellen wat er gebeurd is. Maar niet voordat ik jou daarvoor een teken geef. Niet voordat het veilig is. Dat kan vrij lang duren.'

'Hoe wil je het doen?'

'Ik moet onze eigen auto gebruiken, zodat ze me aan de hand van de nummerborden kunnen identificeren. Ik rij hem ergens heen, misschien bij de haven, ergens op een verlaten plek. We hebben nog een andere auto nodig. Die moet jij voor me stelen, anders kunnen ze hem met mij in verband brengen. Ik zal je laten zien hoe. Het spijt me, jongen. Ik laat jou niet graag iets stelen. Dat zul je ook nooit meer hoeven te doen.'

'Geen probleem, pa.'

'Je moet natuurlijk handschoenen dragen. Gebruik je Walther-PP K-S. Die zal een gat achterlaten dat groot genoeg is voor bloed- en vleessporen.' Deze Walther leek precies op het pistool dat James Bond in de film gebruikte. Ik bewaarde hem in een geheim vak dat mijn vader voor mij in het tafeltje naast mijn bed had gemaakt, zodat ik er makkelijk bij kon als er 's nachts iemand zou inbreken. 'Je moet hem na afloop demonteren en de onderdelen weggooien als je de auto ergens achterlaat. En je moet verband meebrengen en iets om de wond te desinfecteren. De kogel zal er helemaal doorheen gaan, dus daarover hoef je je geen zorgen te maken. Nadat je me naar de andere auto hebt geholpen, zul je me goed genoeg moeten oplappen om het vliegtuig te kunnen nemen. Als iemand bloed ziet roept hij de politie.'

Ik slaagde erin mijn stem in bedwang te houden toen ik vroeg: 'Wat als ik je verwond, pa? Werkelijk ernstig verwond, bedoel ik?'

'Je zult heel zorgvuldig moeten zijn. Het zal best wel lukken. Ik zal je iets laten zien.'

Vader pakte van de boekenplank naast zijn bureau een medische encyclopedie en opende die bij het vooraanzicht van het menselijk lichaam. 'Kom er even bij, jongen,' zei hij.

Met zijn vinger op de kaart wees hij de positie van de belangrijke slagaderen en vitale organen in het midden van het bovenlichaam aan. 'Je zult heel nauwkeurig moeten mikken, maar we zullen het wel redden.' Hij trok zijn hemd omhoog en trok aan de vetlaag aan de zijkant van zijn lichaam. 'Zie je? Precies hier. Daar zit een heleboel vlees en je blijft ruim vijf centimeter van vitale delen verwijderd. Dat zou geen probleem moeten zijn.' Hij sloot het boek, pakte een liniaal uit zijn bureau en zei dat ik mijn pistool moest halen en naar de garage moest komen. Terwijl mijn vader nadenkend om de auto heenliep, bespraken we twee mogelijke plannen van aanpak. Het eerste bestond eruit dat hij de auto zou stoppen en de deur openen, alsof iemand anders de deur had opengetrokken. Ik zou dan vanaf de binnenkant van die deur, ter hoogte van de vloer, het pistool op hem richten en hem in zijn linkerzij raken, zodat de kogel door zijn lichaam ging en in de achterbank terecht kwam. Die hoek was echter ongemakkelijk en hij was bang dat er niet genoeg vleessporen over zouden blijven.

Het tweede plan leek beter, omdat het er zou uitzien als een echte aanslag door een bekende van mijn vader. Ik moest op de achterbank gaan zitten, vlak achter hem en door de bestuurdersstoel heen schieten, zodat de
kogel in het dashboard terechtkwam. De rugleuning zou doorweekt zijn van
het bloed en de kogel met vleessporen zou makkelijk in het dashboard terug
te vinden zijn.

Nadat we het eens waren geworden over de baan van de kogel, moesten
we ons ervan verzekeren dat ik niet zou missen. Mijn vader begon de voor-
en achterzetels van de auto op te meten. Hij ging op de stoel van de
bestuurder zitten, trok zijn huid iets naar buiten en liet me de exacte afstand
opmeten, van de buitenkant van de zetel tot de plek waar de kogel zijn huid
moest doorboren. Ik deed dat drie keer, om er zeker van te zijn dat ik het
goed had. Daarna mat ik de afstand aan de achterkant van de bekleding. De
naad op de bruine lederen bekleding bevond zich bijna op precies de juiste
plek. Met een kleine aanpassing zou de vuurlijn perfect zijn. We oefenden
een aantal keren, waarbij mijn vader instapte en precies in de juiste houding
ging zitten, en ik achterin plaatsnam en de loop van het pistool op precies
de juiste hoogte tegen de naad hield. Pas toen we er allebei voldoende vertrouwen in hadden dat we goed zaten, deden we het licht in de garage uit
en gingen we weer naar boven.

Jaren later werd me gevraagd of ik ook werkelijk de trekker had kunnen
overhalen. Zonder te aarzelen zei ik ja. Als de enige manier om mijn vader
te redden eruit bestond dat ik een kogel in hem schoot zou ik dat zeker
gedaan hebben. Toen ik die avond in bed lag, oefende ik het plan in gedachten honderden malen. Ik zou mijn vader niet teleurstellen. Ik zou de trekker overhalen en ik zou niet missen.

Maar nog voordat we het plan konden uitvoeren kwam er weer een
tegenslag. Neef Joe raakte weer eens in problemen. De hele bende had de
opdracht gekregen zich gedeisd te houden en voorzichtig te zijn, maar Joe
hield het thuisblijven niet vol. Laat op een avond rinkelde de telefoon en
Joe's stem zei: 'Roy, ik heb een probleempje.' Joe was in een bar met de een
of andere kerel op de vuist gegaan en Joe had zijn mes gepakt en hem neergestoken. De kerel zou er wel bovenop komen, maar de verwondingen zagen
er ernstig uit. Joe wist dat hij gearresteerd zou worden en waarschijnlijk niet
zo snel vrij zou komen. Joe was nog net zo stom als toen hij de bank had

beroofd en belde gewoon vanuit de telefooncel in de bar. Mijn vader raadde hem aan een tas in te pakken; hij zou iemand sturen om hem meteen op te halen.

Het was niet zo moeilijk de naam en het adres van het slachtoffer te vinden. De volgende dag stond in de kranten dat een niet nader geïdentificeerde man van een jaar of zestig een bezoeker van een plaatselijke bar had neergestoken. Mijn vader stak wat voelhoorns uit en hoorde dat de man vastbesloten was aangifte te doen. Vader kon zich niet veroorloven dat alweer een van zijn medewerkers bij een misdrijf betrokken werd, al helemaal niet als het een familielid betrof. Die avond zei vader dat we een tochtje gingen maken. Zodra ik in de auto zat, overhandigde hij me een pistool en een paar handschoenen. Ik wilde het magazijn controleren, maar hij vertelde me dat het wapen niet geladen was. Ik zou niemand hoeven te verwonden; hij had me alleen maar nodig om de door Joe neergestoken kerel bang te maken. Zodra we in het appartement van de man waren moest ik achter het slachtoffer gaan staan en het pistool tegen zijn hoofd houden, zodat hij zich niet zou bewegen totdat mijn vader klaar was met zijn toespraakje.

Het was donker toen we aankwamen. Een mannenstem beantwoordde mijn vaders klop op de deur en vader hield een nagemaakte politiepenning voor het kijkgaatje. Zodra de man de deur opendeed, sloot vader die en hij duwde hem op de bank. Ik ging daar snel achter staan en drukte het pistool tegen de slaap van de man.

Mijn vader zei, snel pratend: 'Ik ben hier niet om je pijn te doen. Ik ben hier om een probleempje op te lossen.' Terwijl de man zwijgend toekeek, telde vader op de voor hem staande koffietafel vijfentwintigduizend dollar uit. 'Dat is vijfentwintigduizend. Als je de zaak tegen de man die je neerstak laat vallen is het geld voor jou en zie je ons nooit weer. Als je aangifte doet moet ik mijn zoon vragen een kogel door je hoofd te jagen. Is dat duidelijk?'

De man knikte snel: 'Natuurlijk, ja hoor, mij best.'

Mijn vader liet de man los en knikte naar me. Ik stopte het pistool in mijn zak en mijn vader gebaarde me dat ik de deur uit moest lopen. Luttele seconden later reden we weg. De lichten waren nog steeds uit en niemand lette op ons. De straat was stil.

Er werd een tijdje niet gesproken. Ten slotte leunde vader opzij en hij schudde ruw aan mijn schouder. 'Het spijt me dat je dat moest doen, jongen.'

'Dat zit wel goed, pa. Geen probleem.'

Ik wist dat het veel mensen een kick geeft een wapen op iemand te richten. Ik had er geen kick van gekregen, alleen maar een misselijk gevoel in mijn maag. Nooit eerder was ik er zo dichtbij geweest een ander menselijk wezen te verwonden.

De volgende dag bezochten we Joe op zijn onderduikadres, zetten hem op de achterbank van de auto en reden naar La Guardia. Daar speelde zich het laatste deel van Joe's kleine tragikomedie af. Mijn vader had hem de hele weg erheen voorgehouden zich te gedragen; het was van groot belang, herhaalde vader, dat hij geen onnodige aandacht trok. Joe was ingetogen, bijna gedwee, toen we de veiligheidscontrole passeerden, op weg naar de vertrekhal. Onze wapens hadden we vanzelfsprekend in de auto weggeborgen. Maar toen Joe zijn handbagage op de band zette om die te laten doorlichten, zag ik de beveiligingsbeambte opschrikken. Zij keek verbaasd naar het scherm en zei tegen de collega naast haar: 'Die tas moet je even bekijken.' Mijn vader en ik keken elkaar aan toen de bewakers de inhoud uit Joe's tas haalden en op de tafel legden. Wat nou weer? Joe was toch niet zo stom geweest om zijn wapen mee te nemen door de veiligheidscontrole?

Dat was hij niet. In plaats daarvan had hij een paar doosjes met zijn favoriete spullen ingepakt, om zijn weken in ballingschap een beetje op te fleuren. Naast zijn andere bizarre eigenschappen was neef Joe ook nog meer dan een beetje pervers. Hij werd gefascineerd door seksspeeltjes, en zijn grote verzameling ongebruikelijke hulpmiddelen nam in zijn appartement achter de Gemini heel wat ruimte in beslag. Terwijl andere bewakers en passagiers sensatiebelust toestroomden pakte het veiligheidspersoneel stuk voor stuk een verbijsterende verzameling seksuele hulpstukken uit. Het is een understatement te zeggen dat dit tamelijk veel aandacht trok. Er verdrongen zich al gauw flink wat toeschouwers om een en ander zo goed mogelijk te kunnen zien. Mijn vader kon het niet geloven. 'Jezus Christus!' riep hij onder het weglopen en hij schudde vol walging zijn hoofd. Joe leek verbaasd door alle aandacht. Uiteindelijk besloten de veiligheidsmensen dat de spullen weliswaar ongewoon waren, maar niet gevaarlijk of illegaal. Ze stopten de rommel terug in de tas en Joe mocht doorlopen.

De menigte verspreidde zich, maar ik kon voelen hoe hun ogen ons volgden toen Joe schaapachtig de vertrekhal inliep. Mijn vader was te boos om te praten. Ik omhelsde Joe en keek toe hoe mijn onhandige neef in de slurf naar het vliegtuig verdween. Wat was hij toch een vreemd exemplaar. Jaren later, toen de verhalen rond de Gemini mythische vormen gingen aannemen, werd neef Joe legendarisch als een soort Dracula, een demonisch schepsel van nachtmerrieachtige afmetingen. Hij kon inderdaad een nachtmerrie zijn, maar dan niet op een manier die zijn latere reputatie wettigde. In mijn ogen was hij altijd meer deerniswekkend dan onheilspellend.

In het verloop van die zomer zakte mijn vader steeds dieper weg in een depressie. Voor het eerst in mijn leven maakten we zelfs geen aanstalten om de Vierde Juli te vieren. Mijn vader lag de hele dag in het duister op bed en mijn zusjes gingen naar het huis van een vriendin. Toen die avond de zon in het water onderging zaten Tommy en ik op de steiger en we staken zonder veel overtuiging een paar rotjes af. Een viering zonder barbecue, zonder bezoekende buren. Het enige geluid bestond uit het verre feesten van andere families langs het water.

Ik wist dat mijn vader ernstig terneergeslagen was. Dat schreef ik toe aan zijn beslissing zich voor altijd uit de voeten te maken en daarbij zijn gezin achter te laten. Die zomer gingen we vaak samen het water op. Ik had mijn eigen speedboot, een cadeau voor mijn zestiende verjaardag, maar meestal gingen we met mijn vaders kleine jacht; soms alleen, andere keren met Tommy en Nick. Terwijl ik stuurde, zat vader in een dekstoel bij de boeg en staarde zwijgend in de verte. Als we ten slotte het anker lieten vallen ging ik vissen, of ik dook in de koele Atlantische Oceaan om te zwemmen. Mijn vader bleef daar alleen maar zitten, urenlang soms, zonder te bewegen of te praten, starend naar de einder. Ik wilde geloven dat hij op die momenten rust vond, maar ik wist wel beter. Als de zon de horizon opzocht ging ik naast hem zitten en er klonk geen ander geluid dan het zachte klotsen van de golven en boven ons het gekrijs van vogels. Ten slotte, als de hemel van blauw naar goud kleurde, wendde ik de steven en zette koers naar Massapequa en de wereld die hij spoedig voor altijd achter zich zou laten.

Die herfst ging ik naar de derde klas van de middelbare school. Ondanks de chaos in mijn persoonlijke leven bleven mijn cijfers goed en ik probeerde me te gedragen als een typische tiener. Ik had eindelijk een vast vriendinnetje, een heel mooi meisje met glanzend zwart haar en een oogverblindende glimlach, het mooiste meisje van mijn klas. Zij was vriendelijk, lief, het soort meisje waarvan alle middelbarescholieren dromen en ze gaf werkelijk om me. Door alle geruchten in de buurt moest ze hebben geweten wat voor beroep mijn vader had, maar daarop zinspeelde ze nooit rechtstreeks. Op een dag vroeg ze me waarom ik soms zo neerslachtig was. Ze wilde me begrijpen, zei ze. Ik vroeg haar of ze *The Godfather* had gezien. Ze zei ja, maar ze herinnerde het zich niet meer zo goed. Ik raadde haar aan het boek te lezen, vooral over de zoon, over Michael Corleone. Dichter bij begrip voor mijn leven zou ze niet kunnen komen.

De herfst ging over in de winter en vader was vaker weg dan ooit. Als hij toch thuiskwam, zonderde hij zich af. Ik was begonnen om elke dag na school de plaatselijke kranten op te pikken en die voor vader mee naar huis te nemen. Dan zat hij uren in zijn werkkamer de overlijdensberichten door te nemen en de artikelen te lezen en te herlezen. De speciale federale eenheid sloot het net rond de maffiafamilies in New York steeds nauwer. Er was elke dag wel nieuws over een arrestatie of iemand die informant was geworden. De misdaadpagina's en de rouwadvertenties stonden vol namen die mijn vader kende. Zijn vrienden stierven sneller dan zijn vijanden. Zoals ik als jonge jongen al had gedaan las ik die kranten zelf ook. Maar dit keer was mijn reactie vastberadenheid in plaats van angst. Wij zouden het wel redden, mijn vader en ik. Wij zouden hem hier weg krijgen voordat hem iets kon overkomen. Ik wachtte alleen nog maar op zijn teken.

Ik zag ons herenhuis van een miljoen langzaamaan veranderen in mijn vaders gevangenis. Hij werd steeds banger het te verlaten, steeds banger dat hij niet zou terugkomen als hij dat wel deed. De man die mij ooit onverwoestbaar had geleken leefde nu in een voortdurende staat van angst. Ik dacht er vaak aan hoe onbeduidend onze welstand was geworden. 'IJdelheid der ijdelheden', zei de profeet uit mijn zondagsschoollessen, 'alles is ijdelheid'. Wij hadden alles wat je met geld kon kopen – marmeren vloeren en boten en dure juwelen – en we konden van niets daarvan genieten. Soms vroeg ik me af of hij nog wel eens terugdacht aan ons eerste huis in Massapequa, waar ik had leren fietsen en waar Jim de politieagent kwam barbecuen. Ik had alles willen opgeven om naar die plek en die tijd te kunnen terugkeren.

Nu hij voelde dat het einde snel nabij kwam, leek mijn vader haast te hebben om alle kennis waarover hij beschikte met mij te delen. Soms in de vorm van adviezen: wees je bewust van je omgeving, ontdek de geur van de verrader, hou altijd je hoofd erbij, laat het praten aan de anderen over. Soms was het informatie. Die of die was de man tot wie ik mij moest wenden als ik een bepaald iets nodig had. Hij overtuigde zich ervan dat ik elk gezicht herkende waarmee ik te maken kon krijgen en dat zij mij zouden herkennen. Hij nam de bankrekeningen met me door, de hypotheekaktes, de papieren van de levensverzekeringen. Ik kende de namen en de telefoonnummers van onze advocaten, onze bankier, onze effectenmakelaar. Indien nodig kon ik de financiën van de familie regelen. En hij probeerde me altijd uit, zette me voor het blok in bijzonder spannende situaties, waardoor ik op mijn eigen vaardigheden en tegenwoordigheid van geest moest vertrouwen.

Die winter had een van onze buurmannen een lang gesprek met mijn vader. Jaren later vertelde die buurman me van dat gesprek. De man was een succesrijk effectenmakelaar en hoewel hij zich nauwgezet aan de wet hield, mocht hij mijn vader graag en beschouwde hij hem als een vriend. Er viel voor de buren niet veel te raden om te beseffen hoe diep mijn vader in de nesten zat en de vriend maakte zich zorgen. Hij wist hoe begaafd mijn vader was in het regelen en ontwikkelen van zijn legale zaken. Onze buurman sneed het verboden onderwerp aan met een lef waarvoor ik bewondering had: 'Waarom stop je niet met die loopbaan van je en kom je voor mij werken? Jij bent een natuurtalent op financieel gebied. Dit leven van jou is niet goed voor jezelf en niet voor Gina en de kinderen. Je moet eruit stappen.'

'Voor mij is er geen uitweg. Al een hele tijd niet. Ik heb mijn keuzes gemaakt en daarmee moet ik leven. Beloof me alleen één ding. Laat Al niet in mijn voetsporen treden. Zoek als hij oud genoeg is iets voor hem in Wall Street. Ik zal het hier niet zo lang meer redden. Als je een oogje wilt houden op Gina en de kinderen, ze af en toe een beetje helpt, zou dat voor mij heel wat betekenen.'

Dat beloofde de buurman en hij ging ernstig en nadenkend naar huis. Hij hield zijn belofte aan mijn vader. Hij gaf me de volgende zomer een baantje in Wall Street en ook de zomers daarna, totdat ik was afgestudeerd aan de universiteit en zelf effectenmakelaar werd. Ik zal me altijd blijven afvragen wat er van mijn vader terecht zou zijn gekomen als de in hem geïnteresseerde buurman uit zijn tienertijd effectenmakelaar was geweest in plaats van de broer van Joseph Profaci.

De feestdagen waren bij ons thuis altijd bijzondere gebeurtenissen geweest, maar die winter leek ons huis in de rouw. Mijn moeder deed haar best met speciale etentjes en surprises, maar wij deden alleen maar alsof. Oma en oom Joe kwamen als altijd met de kerst en zelfs neef Joe verliet zijn schuilplaats om aan het kerstmaal deel te nemen. Maar dat jaar kwam vader niet eens naar beneden om mee te eten. Terwijl wij de pakjes openden en deden alsof we het gezellig hadden, bleef hij zich boven opsluiten, in zijn studeerkamer. Kerstmis kwam en ging, maar mijn vader liet zich niet zien.

Een week later, nieuwjaar 1983, was hij nog steeds niet naar buiten gekomen. Het duister in ons huis was tastbaar. Terwijl de dagen voortkropen, maakte ik me wijs dat hij bezig was zijn ontsnapping voor te bereiden. Het was koud, de wegen bevroren, maar er was nog geen sneeuw gevallen. Het was geen witte kerst geweest. De volgende dag was het Debra's tweeëntwintigste verjaardag. Debra was afgestudeerd en bezocht de Kunstacademie in de stad, maar ze woonde nog steeds thuis. Mijn moeder was al druk bezig voor het feest te koken. Heerlijke geuren zweefden door het huis.

Mijn laatste gesprek met vader vond plaats op de avond van de negende januari 1983. Die avond ging ik na het eten zijn werkkamer binnen om met hem te praten. Ik sloot de deur zacht achter me en ging op mijn gebruikelijke plekje zitten, op de leren bank tegenover zijn bureau. Vader zat in zijn zetel achter het bureau en keek uit het raam, naar het blauwgrijze kanaal. Een enkele lamp brandde in de schaars verlichte kamer. Om de een of andere reden stonden mijn zintuigen die avond scherper afgesteld. Ik merkte het verfijnde beeldhouwwerk van het vertrouwde bureau op, voelde het leer door de wollen stof onder mijn dijen heen. Het was heel stil. Ik keek zwijgend naar mijn vader en nam zijn gezicht in me op zoals ik dat alle avonden had gedaan, nadat ik lang geleden voor het eerst had ontdekt wat mijn vader werkelijk voor de kost deed. Hij zag er moe uit, zijn gezicht was grauw van uitputting of slechte gezondheid, maar hij leek ook meer ontspannen dan hij in weken was geweest. Hij had een besluit genomen.

Na een korte stilte keerde hij zich naar me toe en zei op matte toon: 'Al, ik zal hier niet zo lang meer zijn.'

Ik zei: 'Dat weet ik, pa.' Alle plannen, de jarenlange repetities voor zijn ontsnapping, flitsten door mijn geest. 'Ik ben er klaar voor. Ik weet wat me te doen staat.'

Hij zuchtte, legde zijn handen plat op het bureaublad en leunde naar voren, om me recht in mijn ogen te kijken. 'Al, wat ga je doen als ze me doden?'

Ik voelde me alsof iemand me in de maag had gestompt. 'Weet ik niet, pa. Nou ja, ik bedoel, ik zal uitzoeken wie het gedaan heeft en ik zal hem doden. Ik weet alleen nog niet precies hoe.'

Mijn vader liep om het bureau heen en trok me omhoog. Het was de eerste keer in mijn leven dat hij me woedend beetpakte. 'Niks daarvan. Dat zul je niet doen. Je stopt me in een vuilniszak en je doet net alsof het nooit gebeurd is. En je gaat naar de universiteit en je zult een goed leven leiden. Begrepen?'

Mijn hart vloeide over van voorgevoelens, maar ik knikte en zei: 'Ja, pa, ja, wat je maar wilt. Maar dat gaat niet gebeuren. Jij gaat er vandoor. Alles zal in orde komen.'

Abrupt trok vader me in zijn armen en hij drukte me zo stevig mogelijk tegen zich aan, mijn hoofd tegen zijn borst geklemd. Zijn stem was verstikt door emotie: 'Al, dit is het leven waarvoor ik gekozen heb en dit hoort er nu eenmaal bij. Ik ben geen verrader en als ik hier blijf zullen ze jullie leven verwoesten. Ik ga op mijn eigen voorwaarden. Dat is het enige wat ik nog voor jullie kan doen.' Hij moet me wel vijf minuten hebben vastgehouden voordat hij me ten slotte losliet. Daarna zei hij: 'Zorg in mijn plaats voor je moeder en je zusjes,' en hij draaide zich om.

Ik maakte me wijs dat hij weer naar de Bahama's ging en dit keer niet terug zou komen. Ik geloofde het bijna zelf.

Terwijl ik me omdraaide om weg te gaan, sprak ik de woorden waarmee ik altijd afscheid van hem nam: 'Ik hou van je, pa.' En ik verliet de kamer. Een paar minuten later hoorde ik hem in de auto stappen en wegrijden. Ik zou hem niet meer levend zien.

Die nacht lag ik in bed zoals ik al zoveel jaren had gedaan, naar het raam kijkend, wachtend op de koplampen van vaders auto, als hij de oprit opdraaide. Ons gesprek bleef voortdurend door mijn hoofd spelen. Mijn vader zou ontsnappen, bleef ik me voorhouden. Dat zou hem lukken. Ze zouden hem nooit vinden; daarvoor was hij te slim, we hadden alles veel te goed voorbereid. Ze zouden hem niet doden, omdat ze hem nooit zouden kunnen vinden. Hij zou vannacht thuiskomen, of de volgende nacht, of de nacht daarna. En als hij dat niet deed zou een van de openbare telefoons rinkelen en ik zou er zijn om die op te nemen. Ik nam in gedachten de route door, herhaalde de tijden en plekken als een serie gebeden. Ik zou hem niet teleurstellen.

De volgende avond werd er voor de verjaardag van mijn zus een heerlijk avondmaal opgediend. De cadeaus lagen klaar om door haar te worden uitgepakt, maar mijn vader was er nog steeds niet. Moeder belde mensen, maar niemand had hem gezien. Dat was niets voor mijn vader, nooit eerder had hij een van onze verjaardagen overgeslagen. Ten slotte zei ik tegen mijn moeder dat we moesten gaan eten, dat vader wat zaken te regelen had. Een uur later blies mijn zus tweeëntwintig kaarsjes uit. Daarna ging ze uit om met haar vriendinnen te feesten.

Vader kwam die nacht niet thuis en ook de volgende nacht niet. In de hoop de steen in mijn maag kwijt te raken belde ik oom Nino. Nino was kortaf. Niemand had hem gezien. Moeder voelde mijn bezorgdheid en vroeg of we de politie moesten bellen, om hem als vermist op te geven. Nee, zei ik, ik wist zeker dat er niets met vader aan de hand was. Ze moest nog iets langer wachten, zei ik tegen haar. Vijf dagen na zijn verdwijning zei ik dat mijn moeder naar het politiebureau moest gaan om hem officieel als vermist op te geven. Ik ging met haar mee. Dit hoorde bij het plan dat mijn vader me had geleerd; als hij verdween zonder me dat te vertellen en daarna vijf dagen weg bleef, moest ik dat door mijn moeder laten aangeven. Als dat niet zou gebeuren zou dat verdacht zijn en werd zijn verdwijntruc minder geloofwaardig.

Ik bleef me voorhouden dat alles in orde was, dat hij gewoon een van zijn vaak gerepeteerde plannen had uitgevoerd, maar van binnen werd ik verteerd door angst. Ik at en sliep niet meer en telde de uren die ik moest wachten voordat ik naar de afgesproken telefooncel zou gaan om op bericht te wachten. Het plan na zijn plotselinge verdwijning bestond eruit dat ik een week na zijn vertrek om acht uur 's avonds naar de telefoon tegenover het restaurantje in Massapequa zou gaan om op zijn telefoontje te wachten. Bij het aanbreken van die dag was ik buiten mezelf. Het restaurantje bevond zich op niet meer dan enkele kilometers van ons huis, hooguit een fietstochtje van twintig minuten, maar ik ging ver voor die tijd op pad. Ik was zo bang gevolgd te worden dat ik urenlang door de straten zwierf, ongevoelig voor de winterkou. Eindelijk kwam ik bij de cel aan en ik trilde van de zenuwen. Drie uur lang stond ik naar de telefoon te staren, ziek van angst, wachtend op gerinkel dat nooit klonk. Het was de langste avond van mijn leven.

De volgende dag, meer dan een week nadat mijn vader afscheid van me had genomen, ging ik zijn werkkamer binnen om voor moeder wat geld voor boodschappen te halen. Ik opende de bovenste lade om de biljetten te pakken en verstijfde. Daar, keurig op een rij, lagen al mijn vaders persoonlijke bezittingen: zijn pinkring, zijn diamanten horloge, zijn portefeuille met de foto's van zijn kinderen, zijn trouwring... en zijn pistool. Naast het pistool lag een foldertje. Ik pakte het op. Het was van de plaatselijke katholieke kerk. Mijn vader was wezen biechten. Alle poriën in mijn lichaam werden gevoelloos en mijn zicht werd wazig. Mijn vader zou nooit zonder die dingen het huis verlaten, tenzij . . . en het schoot me te binnen. 'Als ik blijf, verwoest ik jullie leven, Al,' had hij gezegd. Ik dacht dat hij daarmee bedoelde als hij in New York bleef. Maar hij had precies gezegd wat hij bedoelde. Hij had geweten wat hem te wachten stond. Hij had zijn pistool in de la gelegd en was op eigen kracht zijn dood tegemoet gereden. Dat was zijn finale boetedoening, het enige wat hij zijn gezin nog kon schenken.

Ik pakte het geld en sloot de lade. Daarna ging ik terug naar de keuken en gaf het aan mijn moeder. Mijn ogen waren droog, zonder tranen, mijn handen vast. Ik had vader beloofd al het nodige te doen en was vastbesloten die belofte na te komen. Daarna liep ik naar boven, ging op de rand van mijn bed zitten en staarde zonder iets te zien uit het raam. Die avond zou ik de koplampen van mijn vader niet zien als hij de oprit opdraaide. De nachtmerrie die me sinds mijn zevende jaar had geplaagd, was ten slotte bewaarheid. De volgende dagen waren bijna niet door te komen. Ik hield mijn mond en bleef wachten. Mijn moeder was ervan overtuigd dat vader weer eens was ondergedoken en ik zei niets dat haar op andere gedachten zou brengen. Overdag ging ik naar school, 's nachts liep ik door de gangen, met mijn pistool gereed, om alle deuren en ramen te controleren en nog eens te controleren. Ik was nu de man in huis. Ik kon eten noch slapen. Boven al onze hoofden hing een zwaard en ik wachtte tot het zou neerdalen. Ik wapende me tegen die klap. Die kwam op de achttiende januari, mijn zeventiende verjaardag. Mijn moeder had een taart gebakken en ik zat met haar en mijn zusjes aan tafel. Ik probeerde te doen alsof er niets aan de hand was. Net toen ik de kaarsjes zou uitblazen klonk de deurbel. Ik ging opendoen, op de voet gevolgd door mijn moeder.

Op de veranda stond een hele politiemacht. Minstens een stuk of tien, maar het leken er wel twintig. Ik vermande me en vroeg wat ze wilden. Ze zeiden dat ze nieuws over mijn vader hadden en vroegen of mijn moeder thuis was. Toen ze haar achter mij zagen, schoven ze me opzij en drongen de deur binnen voordat ik in de gaten had wat er gebeurde. Zes mannen kwamen met de ijskoude wind mee naar binnen en verspreidden zich in de hal, de woonkamer en de eetkamer, voordat ik in staat was de ingang te blokkeren. Het gezicht van de leidinggevende rechercheur was onbewogen, maar de anderen keken elkaar aan toen ze het marmer en kristal in de hal zagen, hun gezichten vol verachting. Het huis van de gangster. Het leek op een invasie door vijandelijke troepen. Dit was geen gewone patrouille; dit was een klein leger. Ik probeerde dichter bij mijn moeder te komen, ik wilde haar beschermen, maar twee agenten gingen tussen ons in staan en hielden me tegen.

'Roy is dood, Gina,' zei een van de rechercheurs. Ik kromp ineen door de vrijpostigheid waarmee ze tegen mijn moeder spraken. 'We hebben zijn lichaam in de kofferbak van zijn auto gevonden.' Geen enkele poging de klap te verzachten. Ik kreeg het gevoel dat ze zo hard mogelijk toesloegen in de hoop dat ze mijn moeder daardoor zo lieten schrikken dat ze het een of ander zou onthullen.

De met de leiding belaste rechercheur drong haar naar de dichtstbijzijnde stoel en zorgde ervoor dat ik niet dicht bij haar kon komen. Daar zat mijn moeder, bleek en zwijgend, recht voor zich uit kijkend, terwijl zij de feiten opdreunden.

'De kastanjebruine Cadillac van je man werd leeg aangetroffen in een straat in Brooklyn. Wij kregen een klacht van een zakenman daar, die zei dat de auto er al dagenlang stond. Na de nummerplaten te hebben nagetrokken hebben we de wagen naar ons terrein gesleept en op vingerafdrukken onderzocht. Daarna heeft een van onze agenten de kofferbak geopend. Daarin lag het lichaam van je echtgenoot.' Hij wachtte op een reactie en toen die niet kwam ging hij verder.

'Je echtgenoot is zeven keer in zijn gezicht en zijn handen geschoten. De vrieskou voorkwam dat zijn lichaam tot ontbinding overging, anders zouden we hem al eerder ontdekt hebben. Wij wachten nu tot het lichaam ontdooid is, voordat we hem uit de kofferbak halen, maar iemand van de familie zal morgen naar het lijkenhuis moeten komen om hem definitief te identificeren. We weten zeker dat het je man is; verschillende agenten hebben hem herkend. Maar we hebben iemand van de familie nodig om het officieel te maken.' Hij overhandigde haar een stuk papier. 'Dit is het adres van het lijkenhuis. Iemand van jullie moet daar morgen komen. Dan is er nog iets: weet je iets van een kristallen kandelaar? Die vonden we op het lichaam.'

Terwijl ik naar zijn verhaal luisterde, was de kamer lichtelijk wazig geworden. Ik probeerde alleen maar te bedenken hoe ik bij mijn moeder kon komen, maar dat stonden de rechercheurs me niet toe. De mannen naast mij bestudeerden de hele tijd mijn gezicht. Een van hen glimlachte. Alles leek zich als in een langzame herhaling af te spelen en ik kon het niet tot op de normale snelheid terugkrijgen. Ergens op de achtergrond, ver weg, hoorde ik Debra schreeuwen.

Die kreet van mijn zus activeerde mijn moeder. Ze keek de rechercheur uitdagend aan, stond op en begon hem naar de voordeur te duwen, haar anderhalve meter volledig opgericht: 'En nu mijn huis uit!'

'Heb je enig idee wie dit geflikt heeft, Gina?' vroeg de rechercheur, terwijl mijn moeder doorging hem achterwaarts naar de deur te duwen.

'Je moet toch wel enig idee hebben,' zei een andere rechercheur. Hij keek haar indringend aan, gulzig als een aasgier; zijn minachting voor mijn vader was tastbaar. Ik was toen ze opstond naast mijn moeder gaan staan en met zijn tweeën drongen we hen de deur uit.

Weer verbannen naar de veranda overhandigde de leidende rechercheur mijn moeder zijn visitekaartje en zei dat ze contact zouden opnemen. 'Bel me als je iets te binnen schiet.'

Er was beweging op de stoep toen het kleine leger terugliep naar de patrouillewagens. De naaste buren waren naar hun voortuin gekomen om te zien wat er aan de hand was, maar al wat ik kon horen was het snikken van mijn zusjes. De baas van het stel draaide zich om en gaf ook mij bij het weggaan een kaartje: 'Neem contact met ons op, Albert. Als je meewerkt, zoe-ken wij uit wie je vader heeft gedood.' Ik sloot de deur achter hem en deed de grendel erop. Mijn zusjes renden huilend naar mijn moeder. Mijn moe-der was nu lijkbleek, maar ze liet geen traan. Ze sloeg werktuiglijk haar armen om hen heen en mompelde troostende woorden. Ik geloof niet dat zij zich echt bewust was van wat ze zei. Ik ging rechtstreeks naar boven, naar vaders studeerkamer en ik belde de enige mij bekende persoon die mij zou kunnen helpen. Mijn oom Nino.

Nino weigerde mijn telefoontje aan te nemen.

Heel even dacht ik dat ik flauw zou vallen. Daarna vermande ik me weer en ik ging naar beneden waar mijn moeder en zusjes in de woonkamer bij elkaar gekropen zaten.

Later die avond klonk de deurbel opnieuw. Debra deed open. Het was Tommy; hij kwam voor mijn verjaardagstaart en om televisie te kijken. Ik hoorde mijn zus iets mompelen en daarna Tommy: 'Wat? O, god nog aan toe. O, god. Ik weet niet wat ik moet zeggen. Waar is Al?'

'Ga naar huis, Tommy', zei mijn zus en ze sloot de deur.

Die avond bracht ik telefonerend door, met mijn oom Joe, mijn oudoom Albert, oom Louis, tante Marie en mijn grootmoeder. Ik belde het lijken-huis om de weg te vragen voor de volgende ochtend. Ik wilde niet dat mijn moeder mijn vaders lichaam zou zien. Hij zou er slecht uitzien. Ik was van plan een taxi te bellen, maar oom Louis zei dat hij me zou brengen.

Mijn zussen brachten later die avond mijn moeder naar boven. Ik hoorde haar tegen Lisa zeggen: 'Heb je gegeten, liefje? Wil je iets eten?' terwijl ze haar naar de slaapkamer brachten. Daar vond ik haar later, zwijgend op het bed gezeten. Ze keek naar me op. 'Hij is niet dood, Albert. Dat weet jij. Hij is weer ergens heen gegaan. Hij zou zich nooit hebben laten doden. Daar is hij te slim voor.' Ik liet haar praten. Wat schoot ze ermee op als ik haar tegensprak? Ze zou snel genoeg de waarheid ervaren.

Later die nacht, nadat mijn moeder eindelijk was gaan slapen, zat ik ach-ter het bureau in mijn vaders studeerkamer. Er zou heel wat te regelen zijn, een heleboel te doen, de volgende dagen. Ik begon een lijstje te maken van wie ik allemaal moest bellen, alle afspraken die ik moest maken. Ergens vlakbij zweefde een pijnlijke leegte, die me wenkte. Ik negeerde het en schreef verder.

acht

Mij is de wraak

Mijn zeventiende verjaardag

Ik ben bezocht door verschrikkingen.

SHAKESPEARE, Macbeth

Het was de nachtmerrie weer. Ergens voor zonsopgang was ik in een onrustige slaap gesukkeld. De kamer werd gevuld met spookachtige beelden, terwijl ik draaide en kronkelde in mijn van transpiratie doordrenkte bed. Ik was terug in mijn kamer als het joch van zeven jaar dat leunde tegen het venster met uitzicht op de oprit, mijn wang tegen het koude glas. De straat buiten was onwezenlijk stil, de enige beweging een vaag gekras van boomtakken tegen de zijkant van het huis. Major lag naast me, zijn hoofd op mijn schoot. Ik mompelde in mezelf vage beloften aan een god die niet erg geïnteresseerd leek, terwijl ik in het duister zocht naar de koplampen van mijn vaders auto. Naast ons en aan de overkant sliepen onze buren, niet gestoord door schrikbeelden van geweervuur, door de denkbeeldige stoot van een mes in een menselijk lichaam. Waar was mijn vader die avond heen gegaan, zijn kofferbak weer gevuld met vuurwapens en messen en geheimzinnige vermommingen? Ik hield een muntje in mijn zweterige handpalm en begon dat op te gooien. Kop en hij was veilig, munt en hij was ... munt. Angst doemde op uit het donker van de oprit en dreef boven mij. Ik gooide het muntje nogmaals op. Munt. Munt. Munt. Munt ...

Ik schrok plotseling wakker en slaagde er maar net in de schreeuw die in mijn keel opwelde te bedwingen. Heel even was alles verwarring, de angst uit de nacht opgelost in het helle zonlicht dat door mijn venster stroomde. Dan kwam alles weer terug. Dit was geen droom. De politie, de FBI-agenten, de auto's en de telefoontjes. Al die dingen waren echt. Ik dwong mijn pijnlijke lichaam uit het bed. Acht uur. Oom Louis zou zo komen. We moesten naar het lijkenhuis om het lichaam van mijn vader te identificeren.

Ik nam snel een douche en schoot mijn kleren aan. De deur van mijn moeders kamer was nog dicht toen ik naar beneden liep. In de kamers van mijn zusjes was het stil. Ik hoopte dat ze nog sliepen. Op de tafel in de eetkamer zag ik de resten van mijn verjaardagstaart, zeventien kaarsjes, half verbrand en bedekt met restjes wit glazuur. Een paar minuten later hoorde ik een auto op de oprit en ik ging naar buiten om bij oom Louis in te stappen voor hij zou aanbellen en mijn moeder wekken. Ik had tegen mijn moeder gezegd dat ik de begrafenis zou regelen, dat vader en ik erover hadden gepraat hoe die zou moeten verlopen. Zij had alleen maar naar me geknikt, met een leeg gezicht. Zij leek verdoofd en bewoog zich als een slaapwandelaarster door het huis.

Geen van beiden zeiden we iets toen oom Louis achteruit reed, de straat in. Zijn gezicht was asgrauw in het ochtendlicht. Mijn vaders lichaam was in Canarsie gevonden en naar het lijkenhuis in Brooklyn gebracht voor de identificatie en de lijkschouwing. De kale takken van de bomen waren stijf bevroren en de auto van oom Louis slipte een beetje toen de wielen op ijs kwamen. Terwijl we door de grijze januariochtend reden klonk er een liedje uit de radio. Het was Frank Sinatra's versie van 'Summer Wind'. Ik voelde een pijnscheut en heel even verloor ik bijna mijn zelfbeheersing. In gedachten ging ik vijf maanden terug, naar de vorige zomer. Mijn vader en ik waren samen door dezelfde straat gereden, de raampjes omlaag, de warme wind op onze gezichten. Vader had zijn hoofd naar achteren geworpen en lachte toen ik hem herinnerde aan de tijd dat ik negen was en een klappertje uit de feestartikelenwinkel in moeders sigaretten had gestopt om haar van het roken af te helpen. Tenslotte had de directeur-generaal van de nationale gezondheidsdienst niets gezegd over het gevaar van buskruit. Ze had er een in Barbara's huis opgestoken en beiden waren zich halfdood geschrokken. Ze stopte er niet door met roken, maar zelfs zij vond het wel grappig. Gina DeMeo's ontploffende sigaret werd legendarisch in de buurt. Ik herinner me hoe goed het me deed mijn vader weer eens te horen lachen. Hij lachte in die tijd zo zelden.

Er was die ochtend geen zomerwind, alleen bleek januarilicht en bevroren geel gras aan de kant van de weg. Het liedje was uit en het nieuws begon. 'Lokale autoriteiten melden dat het lichaam van de beruchte gangster Roy DeMeo...' Mijn oom zette abrupt de radio af. We reden naar het noorden en vervolgens sloegen we weer af naar de kust, richting Brooklyn. Het was prachtig langs dit stuk snelweg. Rechts van mij bevond zich een golfbaan, iets verderop de stallen waarheen vader mijn zusjes en mij meenam om te gaan paardrijden. Links van me lag de oceaan. Ik herinnerde me dat mijn vader me vertelde hoe hij soms, als kind, rijpaarden 'leende' om bij zonsopgang langs het strand te galopperen. Dat was de enige keer, vertelde hij me, dat hij zich ooit werkelijk vrij voelde.

Terwijl ik die ochtend door de voorruit van mijn ooms auto staarde, was mijn lichaam koud. Ergens in de verte voelde ik acute pijn, zoals wanneer de tandarts lucht blaast over een blootgelegde zenuw, maar deze pijn brandde door heel mijn lichaam. Ik wist dat het mijn pijn was, maar ik kon er niets mee. Het was vreemd om met mijn oom Louis mee te rijden. Ik kon me niet herinneren wanneer ik voor het laatst in zijn auto had gezeten. Het was aardig van hem dat hij meeging, maar het maakte weinig verschil voor mij. Vaders laatste opdracht schoot me door het hoofd: 'Zorg voor de familie, Al. Zorg voor je moeder en je zusjes.' Dat was alles wat ik nog voor hem kon doen. Ik zou hem niet in de steek laten.

Ik keek naar het klokje op het dashboard. Iets voor negenen. Het leek vreemd dat de klok nog steeds liep, nog leefde, terwijl mijn vader dood was. Ik dwong mezelf om niet vooruit te denken. Rustig aan.

Het was nog vroeg toen we bij het lijkenhuis arriveerden. Een veiligheidsbeambte in de hal van het gebouw wees ons de weg naar achteren. Terwijl ik de trap afdaalde, naar de verschrikking die mij beneden wachtte, nam ik in gedachten alles door wat me te wachten stond. Ik probeerde me tegen elke mogelijkheid te wapenen, zodat niets me zou verrassen. Hoe zou hij er uitzien? Zou hij nog op mijn vader lijken? Ergens achter in mijn hoofd kon ik de aansporing van mijn vader horen: 'Wees sterk, gedraag je als een man, laat ze niet zien wat je voelt.' Er gleed iets ijskouds door mijn aderen en in mijn spieren; het deed mijn benen verstijven, mijn beweging vertragen. Het gevaar dat ik iets van emotie zou tonen was gering. Ik voelde niets, behalve de kou die me verhinderde mijn ledematen naar behoren te bewegen. Mijn hart was, net als mijn lichaam, weggedoken in een winterslaap.

Ergens tijdens het afdalen van de trap ging alles over in vertraagde beelden. We bereikten de hal beneden en ik bleef even staan voordat ik naar de deurknop greep. Toen mijn vingers zich om de deurknop sloten deed de kilte ervan me terugdeinzen. Ik liet mijn oom voorgaan en volgde hem op een meter afstand. De kamer die zich voor ons opende, stond vol mannen, veel meer dan je daar zou verwachten. Automatisch gleden mijn ogen naar hun schoenen. Federale verstrekking. De dikke zolen van zware politieschoenen, niet de gemakkelijke witte schoenen die laboratoriummensen droegen. *Altijd naar hun schoenen kijken*, had mijn vader me geleerd. En hun haar. Goedkope, voorgeschreven haarstijl. Zij waren allemaal gekleed in witte laboratoriumjassen, net als in een griezelfilm, maar ik wist wie ze waren. FBI. Ze wachtten mij op, hun ogen op mijn gezicht gericht terwijl ik voorbij liep. Alles was voorbereid op onze komst.

De muren om ons heen waren van een vaal ziekenhuisgroen en het rook er naar de chemicaliën waarmee in mijn natuurkundelokaal op school kikkers werden geprepareerd. Ik voelde me misselijk worden. Ik zei tegen de beambte wie ik was en hij leidde ons naar een hokje met een glazen raam. Het gordijn was gesloten. Terwijl ik naar dat glas liep, voelde ik dat de 'lijkenhuisbeambten' zich achter me opstelden. Ze sloegen me oplettend gade, in afwachting van wat ik zou doen.

Even later opende iemand van binnen het gordijn. Ik hoorde oom Louis een kreet slaken, en hij barstte in snikken uit. Hij draaide zich voor me om en probeerde me het zicht op de andere kant te ontnemen, maar ik drong langs hem heen naar het raam. Ik drukte mijn gezicht tegen het glas en tuurde naar binnen. Ik voelde onder het kijken hoe zich tientallen ogen in mijn rug boorden.

Daar, op een metalen snijtafel, lag iets dat nog nauwelijks op een menselijk wezen leek. De ledematen waren misvormd door de tien dagen die ze bevroren in een kofferbak hadden gelegen. Het bloed onder zijn huid was gestold en bevroren tot stevige, donkerblauwe, rode en paarse klonten. Een hand met een kogelgat erin was tegen zijn borst geklemd. Een deel van mijn hersens registreerde dit als een afwerend gebaar. Hij moet zijn handen instinctief hebben opgeheven toen hij de schoten hoorde. Er waren ook gaten in zijn borst en drie in zijn hoofd. Een van de kogels had zijn oog uit de kas geblazen, twee andere waren door zijn schedel gegaan, achter elk oor een, zoals dat bij een executie past. Alles bij elkaar waren er zeven kogelgaten. Zeven kogels in mijn vader. Toch kon ik, terwijl ik bleef staren naar het groteske lichaam dat voor me lag, geen band voelen met de man die mij tien dagen geleden zo stevig in zijn armen had gehouden. Er kwamen geen tranen. Die aandachtige gezichten zouden mij niet zien huilen.

Ik zei: 'Dat is hem. Dat is mijn vader,' en ik wilde me omdraaien. Een donkerharige politieman in burger stapte naar me toe en vroeg me nog eens te kijken. Een rechercheur, waarschijnlijk van de NYPD.

'Zie je die kogelgaten, Albert? Ze hebben hem zeven keer geraakt. Heb je dat gezien? Weet je wie het gedaan heeft? Wil je ons niet helpen de kerels die dat gedaan hebben te vinden? Kijk naar hem, Albert. Kijk naar je vader.'

De politieman keek meelevend, maar ergens achter zijn ogen zag ik iets glinsteren dat bijna hebzuchtig was. Hij wilde iets waarvan hij dacht dat ik het had en dat wilde hij heel graag. Ik bleef rechtop staan en antwoordde: 'Ik weet van niets.' Daarna draaide ik me om en ik liep naar de uitgang. Oom Louis, nog steeds huilend, volgde me. Twee politiemannen haalden me in.

'We moeten je een paar vragen stellen, Albert. Vind je het erg om even mee naar het bureau te komen?' Dat was duidelijk een retorische vraag.

Een half uur later zat ik met twee rechercheurs in een verhoorkamer van het politiebureau.

'Kan het je niet schelen wie je vader heeft vermoord?'

'Nee.'

'Wij willen alleen maar de moordenaar van je vader vinden. Dat snap je toch wel?'

'Gelul.'

Daarmee was het voorbij. Na een paar minuten lieten ze me gaan en zat ik weer naast mijn oom in de auto die door de grijze middag naar Massapequa reed.

Mijn oom kreeg honger en wij stopten bij een joodse delicatessenzaak in Brooklyn, waar ik vaak met mijn vader kwam. Zij hadden de lekkerste cornedbeef van de stad. We gingen zitten en bestelden een paar hotdogs. Terwijl we daarop wachtten, bleef mijn oom huilen en hij herhaalde steeds weer: 'Heb je gezien wat ze hem hebben aangedaan? Ik kan me hem nog als baby herinneren.' Hij keek de zaak rond en zei: 'Toen we kinderen waren, heb ik hem vaak hierheen meegenomen.' Ik kon niets eten, maar toen het tijd werd om op te stappen zag ik dat de rekening nog op tafel lag. Oom Louis knikte ernaar en zei: 'Reken jij even af, Albert?'

'Natuurlijk, oom.' Een luizige hotdog van twee dollar en hij wachtte totdat ik betaalde. Zo was het altijd al geweest. De familie verwachtte dat mijn vader voor alles betaalde. Nu was dat kennelijk mijn taak.

Op de weg terug naar Massapequa vroeg ik mijn oom te stoppen bij het winkelcentrum. Hij zou me afzetten bij de begrafenisondernemer voordat hij terugging naar de stad. Ik wilde nog diezelfde middag de begrafenis regelen om mijn vader zo snel mogelijk te laten begraven, voordat er iets in de kranten stond en de rouwdienst in een circus zou veranderen. Ik wilde mijn moeder ervoor sparen dat ze zijn spullen moest bekijken, en daarom bracht ik zijn beste pak naar de rouwkamer. Ook al zou niemand hem zien, ik wilde hem toch keurig laten begraven. Ik dacht terug aan een paar jaar geleden, toen de zoon van Louis door een ongeluk was omgekomen. Mijn vader had de begrafenis geregeld en alle kosten op zich genomen, om oom Louis de pijn te besparen. Ik vroeg me af waarom oom Louis niet probeerde mij te sparen. Het ging me niet om het geld. Dat had ik genoeg. Ik wilde dat mijn vaders broer zich om mijn gevoelens bekommerde.

Oom Louis zette me kort voor twaalven af bij de rouwkamer. Die middag zou mijn vader daar vanuit het lijkenhuis naartoe worden gebracht, en ik wilde er zeker van zijn dat mijn moeder en mijn zusjes hem niet zouden zien. De volgende dag was het zaterdag en ik wilde dat hij voor zondagavond begraven zou zijn. De dingen rekken zou het alleen maar erger maken.

De begrafenisonderneming bevond zich langs de belangrijkste snelweg door Massapequa, op ongeveer een kilometer van de oude buurt. Het was een familiebedrijf. De begrafenisondernemer was erg vriendelijk. Hij had al bericht gekregen dat het lichaam van mijn vader onderweg was. Wij bespraken de gang van zaken en werden het erover eens dat alles de volgende avond klaar moest zijn voor een dienst in de rouwkamer. Hij liet me foto's van kisten zien en ik koos een prachtig zwart, mahoniehouten exemplaar. Ik herinner me dat ik dacht dat vader die wel mooi zou vinden. Hij had uren in zijn werkplaats doorgebracht om mij als kind van alles over hout te leren. De begrafenisondernemer vroeg me of ik een open kist wilde. Ik zei nee, dat mijn vader was neergeschoten en dat het dagen had geduurd voordat iemand hem vond, zodat het lichaam er nogal erg aan toe was. Als de begrafenisondernemer hier al van schrok, dan liet hij dat in ieder geval niet merken. Hij verzekerde me dat hij, als ik dat wilde, ten behoeve van de rest van de familie mijn vader redelijk presentabel kon opbaren, maar ik zei nee. Wij werden het eens over een gesloten kist. Ik liet de kleren die ik voor vader had meegebracht achter en begaf me naar de iets verderop gelegen katholieke kerk om de wake te bespreken.

De kerk was een prachtig gebouw, rijkelijk bedeeld door welvarende parochianen. Hoog oprijzend, gebrandschilderd glas bekroonde glimmende, koperen deuren. Mijn vader had al in jaren geen kerk bezocht, maar hij was nog steeds in naam katholiek en ik wilde een katholieke dienst voor hem. Ik kende de priester niet, maar hij wist wie ik was. Dit was Carlo Gambino's kerk geweest. Ik stelde me voor en er flitste een nauw verholen grijns over zijn gezicht. Toen ik zei dat het de bedoeling was dat hij de mis zou leiden voor mijn vaders wake, maakte hij daar onmiddellijk bezwaar tegen: 'Ik denk niet dat het gepast is om hier een wake voor uw vader te houden. Bovendien is dat op zo'n korte termijn onmogelijk in te passen.' De bedoeling was duidelijk. Een misdadiger als mijn vader was hier niet welkom, zelfs niet als overledene.

Als ik niet had geweten dat het grote, ronde gebrandschilderde raam en de koperen deuren van dit heiligdom een paar jaar eerder door Carlo Gambino zelf waren geschonken, zou ik misschien minder woedend zijn geworden. De buurt noemde dit de peetvaderkerk. Ik greep in mijn binnenzak en begon biljetten van honderd dollar in de hand van de priester neer te tellen. Na een paar biljetten keek ik hem aan en zei: 'Zou het nu mogelijk zijn?'

De priester antwoordde glimlachend: 'Natuurlijk, meneer DeMeo. Hoe laat zei u dat de mis moet beginnen?' Ik telde nog wat biljetten neer, beantwoordde zijn vraag en ging vol walging weg. Alweer een man van God die zijn hand ophield.

Daarna ging ik per taxi naar huis, maar toen ik daar aankwam zei mijn moeder dat er een dringende boodschap van de begrafenisondernemer was. Ik liet weer een taxi komen en ging meteen terug.

De begrafenisondernemer beende heen en weer toen ik aankwam. Hij leidde mij zijn kantoor binnen en sloot de deur.

'Meneer DeMeo, ik heb net bezoek gehad van de FBI. Ze hebben me verteld dat ze verborgen microfoons en camera's in de rouwkamer en de hal wilden installeren, zelfs in uw vaders kist. Ik heb dat zonder meer gewei-

gerd, maar toen gingen ze heel vervelend doen. Een van hen dreigde mijn
zaak te sluiten als ik niet meewerkte.' Ik zag zijn handen trillen, maar zijn
stem bleef beheerst. 'Ik bleef weigeren, meneer DeMeo, en ik heb gezegd
dat dit een gewijde plek is. Het gaat mij niet aan wat uw vader voor de kost
deed. Uw familie verdient het in afzondering te kunnen rouwen.' Hij waarschuwde me ook nog dat zij daarna hun busjes aan de overkant van de straat
hadden geparkeerd en surveillanten in de gebouwen aan de overkant hadden geïnstalleerd. 'Het spijt me,' zei hij, 'ik vond dat u het moest weten.'

Voor de eerste keer die dag voelde ik tranen achter mijn ogen prikken.
'Dank u, dank u wel,' zei ik en ik pakte zijn hand vast. 'U heeft er geen idee
van hoeveel uw vriendelijkheid voor mij en mijn familie betekent.' Ik
bedankte hem nogmaals en vertrok.

Toen ik even later thuiskwam, nam Debra mij even apart: 'Is het echt
vader, Albert?'

'Ja, het is hem echt.'

'Weet je het zeker? Want mamma denkt dat hij misschien...'

'Hij is het. Zeker weten.'

Ze knikte berustend. Ik vervolgde: 'Ik wil niet dat mamma hem zo ziet.
Dat zou... heel erg voor haar zijn, snap je?' Ze snapte het. Een paar minuten later zag ik haar met mijn jongere zusje praten. Lisa knikte door haar
tranen heen.

Tot op de dag van vandaag gelooft mijn moeder nog steeds dat iemand
anders in die kist lag, dat mijn vader iedereen had beetgenomen en gevlucht
was. Ze wist dat hij, dood of levend, nooit terug zou komen. Maar een deel
van haar klampt zich vast aan het idee dat hij ergens is, levend en wel, en dat
iemand anders was afgeslacht en in de kofferbak gepropt. Sommige waarheden zijn te pijnlijk om te kunnen accepteren. Als het haar helpt in een
leugen te geloven, dan moet dat maar. Ze had vijfentwintig jaar vol leugens
overleefd door in één waarheid te geloven: mijn vader hield van ons.

Als iets de bittere futiliteit van het leven in de maffia symboliseert is het
wel de begrafenis van een maffialid.

In films zie je nog steeds de begrafenisoptochten van de oude garde
onder de peetvaders, rijen auto's gevuld met bloemen en rouwende menig-
ten. Carlo Gambino werd zo uitgeleide gedaan, maar hij was de laatste. Met
overal surveillanten en een woekerend wantrouwen binnen de organisatie

zijn maffiabegrafenissen de laatste decennia kale bedoeningen geworden. Er
komt niemand buiten de directe familie en wat vrienden uit de gewone bur-
gerij. Al die mensen die zich in zijn hoogtijdagen rond mijn vader hadden
verdrongen, die mij met cadeautjes hadden overladen en hem respect hadden betuigd, waren verdwenen. In hun plaats stonden er politiebusjes vol
camera's en microfoons bij een lege kerk. Zelfs de sensatiezoekers bleven
weg. Mijn vader was realistisch geweest toen hij zei dat ik hem in een vuilniszak moest stoppen en moest doen alsof hij nooit had geleefd. Zijn medewerkers waren zijn bestaan al vergeten. Er kwam er slechts één, een onbeduidend iemand, die mijn vader nog uit zijn jeugd kende. Hij dook na het
donker op in de rouwkamer, met hoed en zonnebril, schrikachtig als een
konijn, maar vastbesloten om zijn respect te betuigen. Van de Gemini-bende
kwam niemand naar de begrafenis.

De volgende twee dagen leven in mijn herinnering voort als fragmenten,
scherpgekante onderdeeltjes van een mozaïek dat ik niet kan reconstrueren.
Ik herinner me oom Joe, zijn gezicht achter de grijze baard door verdriet
getekend. Hoewel hijzelf door en door eerlijk was, had hij toch intens van
mijn vader gehouden en door hem te verliezen raakte hij niet zozeer een
grote broer als wel een vader kwijt. Hij stond stil en bedroefd in de schaduw
van mijn vaders kist. Jim en Barbara waren er met hun kinderen, samen met
nog vijf andere families uit de oude buurt. Van de nieuwe buurt lieten alleen
onze naaste buren en vaders vriend de effectenmakelaar zich zien. Verder liet
niemand iets van zich horen. Tommy en Nick waren er met hun familie; zij
zagen er ongemakkelijk uit in hun donkere pakken. Tommy had werkelijk
van mijn vader gehouden en zijn sproeterige gezicht stond oprecht verdrie-
tig. Nick, altijd de beschermer, sloeg me gade met een bezorgde blik. Het
ontroerde me toen ik mevrouw Profaci de rouwkamer binnen zag komen;
haar gezicht was op hoge leeftijd nog steeds mooi. Ik begreep inmiddels
genoeg van dit soort toestanden om te weten dat dit voor haar geen plezier-
tje was. De smet van haar voormalige zwager kleefde nog aan haar zoals die
van onze vader aan ons. Niemand bleef lang. In het licht van de omstandig-
heden viel er niets te zeggen.

Mijn grootmoeder ontving haar hofhouding, eerst in de rouwkamer en
later tijdens de mis, haar kaarsrechte figuur getooid in zwarte weduwe-
dracht. Dit was haar moment. Zij had een tweede zoon verloren en het leek

haar passend en juist dat zij het middelpunt was van dit familiedrama. Zij aanvaardde de condoleances met een bedroefd gelaat, maar ik vroeg me af wat ze werkelijk voelde. Tante Marie was stil en bedroefd, maar mijn neef Benny keek alsof wij exotische exemplaren uit de dierentuin waren. Oom Louis had die ochtend namens mijn grootmoeder opgebeld om zich ervan te verzekeren dat mijn vaders dood haar ondersteuningscheque niet zou verminderen en om te weten of mijn vader hem misschien iets had nagelaten en zo ja, hoeveel? Ik stelde hem voor mijn vaders advocaat te bellen.

En boven alles uit herinner ik me mijn moeder en mijn zusjes, doodsbleek en zwijgend naast de kist. Er liepen tranen langs de wangen van mijn zusjes, maar mijn moeder huilde niet, net als ik.

Ik was nu de man in huis. Het was mijn verantwoordelijkheid mijn vader te vervangen, in zijn plaats voor mijn moeder en mijn zusjes te zorgen. Ik liep in mijn beste pak door de rouwkamer, begroette bezoekers en bedankte hen voor hun komst. Ik troostte mijn zusjes, hield mijn moeder in de gaten en controleerde keer op keer de laatste details bij de begrafenisondernemer. Ik stond waardig naast mijn vaders kist, mijn gezicht onbewogen, mijn houding kaarsrecht. Mijn stem beefde niet als ik met de rouwende mensen sprak en ik nam bewust afstand van het ontluisterde lichaam dat in de mahoniehouten kist lag, overdekt met bloemen. Ik was zeventien jaar en twee dagen oud en ik had al een heel leven achter mij.

Ze hebben me verteld dat de mis indrukwekkend was. Dat kan ik me niet herinneren. Wel herinner ik me hoe ik de dag daarop in de kapel van St. John's Cemetery in Queens stond, waar ik weer de mensen die hun rouwbeklag kwamen doen verwelkomde. Een andere priester sprak een paar woorden en het was voorbij. Mijn moeder legde een roos op mijn vaders kist en toen het mijn beurt was legde ook ik een roos op de kist en ik boog me voorover om die een laatste keer te kussen. Later die dag zou het familiegraf geopend worden en mijn vader zou bij zijn voorouders begraven worden, onder een eenvoudige steen met daarop 'DeMeo'. Carlo Gambino en Joseph Profaci lagen een paar honderd meter verderop begraven. Terwijl de limousine met mijn moeder, mijn zusjes en mij erin langzaam naar de poort reed, staarde ik uit het raampje naar de graftombes die de laan van het oude kerkhof omlijnden. Ze waren angstaanjagend mooi; tientallen, misschien wel honderden witte, marmeren engelen, die hun vleugels beschermend boven de daaronder rustende beminden uitsloegen. Ik wilde geloven dat mijn vader op de een of andere manier ook ergens rust had gevonden.

Waar wij de volgende dagen ook gingen, ik wist dat er naar ons gekeken werd, want de ogen van de autoriteiten waren overal. Ons meest persoonlijke verdriet werd tot in het kleinste detail vastgelegd door een leger van ambtenaren. Ongemarkeerde witte busjes stonden vierentwintig uur per dag aan de overkant van de straat en een federale auto volgde me elke keer als ik het huis verliet. De autoriteiten leken vooral in mij geïnteresseerd. Mijn moeder stoorde zich niet aan de surveillance en leek zich nauwelijks bewust van de aanwezigheid van die glurende blikken. Ik deed wat ik kon om te verhinderen dat mijn zusjes de ongewenste aandacht opmerkten; ik hield de kranten buiten het huis en bracht films mee om ze van de televisie weg te houden. 'De beruchte gangster Roy DeMeo vermoord gevonden...' Nee, dat hoefden zij niet te horen. Dat hoefden zij nooit te horen. Ook hoefden zij niet de krantenfoto te zien van mijn vaders bevroren lichaam in de kofferbak van onze auto, met een kristallen kandelaar die als een bizar monument op zijn lichaam rustte. Wij hadden onze vader verloren. Dat was alles wat zij ooit hoefden te weten. Inmiddels maakten Nick en Tommy zich zorgen en ze vroegen me voortdurend of het wel goed met me ging. Natuurlijk ging het goed. Ik voelde niets. Ik kon maar niet begrijpen waarom ze zo ongerust over mij waren. Mijn vader rekende op mij. Niets aan de hand.

Op maandag ging ik terug naar school en probeerde te doen alsof alles normaal was. Ik nam een douche, kleedde me aan en wandelde de campus op alsof er niets gebeurd was. Maar er was iets gebeurd en iedere leerling op mijn school wist dat. De nieuwsberichten van dat weekend hadden de sluier van geheimhouding weggetrokken die mijn huiselijk leven jarenlang had bedekt. Voor het eerst op school weken de mensen terug als ik naderbij kwam, ze draaiden zich om, keken een andere kant uit. Als ik langsliep kon ik het gefluister horen: 'Dat is de zoon van die gangster... ja, zijn naam is Al... heeft zijn vader vermoord... zijn hoofd eraf geschoten... ik heb gehoord dat het lichaam al vergaan was... ik heb gehoord dat Al ook bij de maffia zit... denk je dat hij al eens iemand vermoord heeft?' Ik negeerde hen en liep van klas naar klas, blij dat ik die dag twee klassen samen met Nick volgde. Hij zat zwijgend naast me, zijn blik daagde iedereen uit om in zijn nabijheid iets te zeggen. Ik bleef stil zitten, geconcentreerd op mijn boeken, keurig luisterend als mijn leraren eindeloos doormekkerden over geschiedenis, Engels en meetkunde. Het feit dat geen woord van wat zij zeiden tot me doordrong was onbelangrijk. Ik was er en ik was sterk. Maar de leraren vermeden mijn blik, net zo min in staat als mijn medeleerlingen om openlijk tegen het gangsterzoontje te praten over zijn vader.

Alleen mijn leraar Italiaans had de moed met mededogen met mij over mijn vader te praten. Toen de laatste les van die eindeloze dag voorbij was en mijn klasgenoten vertrokken, vroeg hij me nog een minuutje te blijven om even na te praten. Hij sloot de deur achter de laatste leerlingen, ging achter een lessenaar zitten en beduidde me tegenover hem plaats te nemen. Zijn woorden waren open en zonder bijbedoelingen: 'Al, ik heb gehoord van je vaders dood. Dat spijt me werkelijk. Ik wilde je alleen maar zeggen dat als je iets nodig hebt, iemand om mee te praten, wat dan ook, je naar mij toe kunt komen. Ik weet hoe moeilijk dit moet zijn en ik ben er voor je.' Voor het eerst sinds de begrafenis welden er, door zijn eenvoudige vriendelijkheid, tranen in me op. Ik mompelde een bedankje en schudde hem de hand. Hij stond op, legde zijn hand even op mijn schouder en keerde terug naar de voorkant van het lokaal om de papieren op zijn bureau in zijn tas te stoppen. Ik vraag me af of hij ooit heeft geweten wat zijn aandacht voor mij betekende.

Een andere persoon behandelde me eveneens hartelijk, hoewel het in zijn geval onuitgesproken bleef. Vastbesloten mezelf en de rest van de wereld te bewijzen dat ik nog steeds sterk was, ging ik na school naar het atletiekveld. Ik zei tegen de coach dat ik lid wilde worden van het footballteam. Hij keek me een ogenblik aan, zei dat ik me moest omkleden en daarna weer bij hem op het veld moest komen. We hebben er nooit over gepraat, maar ergens voelde ik dat hij het begreep. Als speler stelde ik niet veel voor, maar hij stond me toe elke dag met het team te trainen en tijdens wedstrijden op de bank te zitten.

De volgende zondag bracht ik het eerste van talloze bezoekjes aan het graf van mijn vader. Aan de overkant van het kerkhof vroeg ik de taxichauffeur mij bij een bloemenwinkel af te zetten en ik ging naar binnen om bloemen te kopen. Aan het plafond hingen tientallen kransen die liefdevol waren opgedragen aan moeders, echtgenoten, geliefde vrienden. Kruisen van anjers kondigden de hoop op verlossing aan. Ik koos mijn vaders favoriet, een dozijn langstelige rozen, dieprood als Italiaanse wijn. Ik vroeg de vrouw ze voor me in een vaas te zetten en ik voegde er een lintje aan toe met de tekst 'In liefdevolle herinnering aan mijn vader'. Maar toen het op betalen aankwam, ontdekte ik ontdaan en gegeneerd dat ik al mijn contante geld aan de taxichauffeur had gegeven. In de emotie van het moment was ik met te weinig geld van huis gegaan. Ik voelde mijn gezicht warm worden, en tranen van teleurstelling brandden achter mijn ogen toen ik beschaamd bekende dat ik de bloemen niet kon betalen, dat ik al mijn geld aan de taxi had uitgegeven. Tot mijn verbazing pakte de vrouw achter de toonbank de vaas op en duwde ze de bloemen in mijn handen.

Verward stamelde ik: 'U begrijpt het niet. Ik heb me vergist. Ik kan ze niet betalen.'

Haar vriendelijke gezicht glimlachte me toe. 'Dat begreep ik al. Neem die bloemen nu maar en ga je vader bezoeken. Maak je geen zorgen. Je komt me maar betalen wanneer het je uitkomt.'

Niet in staat om iets te zeggen knikte ik dankbaar en ging met de bloemen naar buiten. Toen ik een paar minuten later bij het graf van mijn vader knielde, bleef haar gezicht me bij, een heel klein beetje de rauwe pijn verzachtend die nu een voortdurend onderdeel van mijn bestaan was. De volgende zondag bracht ik haar het geld en de zondag daarop kwam ik terug voor nog een dozijn rozen. Achttien jaar en honderden bezoekjes aan het kerkhof later koop ik nog steeds mijn bloemen bij dezelfde vrouw, in dezelfde winkel.

Op financieel gebied ging ons leven gewoon door. Het huis en al onze belangrijkste bezittingen stonden op mijn moeders naam. Er waren levensverzekeringen voor mijn moeder en mijn grootmoeder, spaarrekeningen, fondsen voor de universiteit, allemaal legaal en goed doordacht. Mijn vader had alles prima voorbereid. Wij zaten voor de rest van ons leven gebakken. De honderdduizenden dollars die mijn vaders woekerklanten verschuldigd waren, zouden niet worden geïnd; de leningen waren kwijtgescholden door mijn vaders dood. Ik zou hebben kunnen proberen ze te innen als ik dat gewild had. Ik wist waar hij zijn aantekeningen bewaarde en veel van zijn klanten kenden mij – maar deze schulden zouden met mijn vader overlijden. Ik had geen trek in zijn criminele ondernemingen. En ik wist dat mijn vader dat ook niet had gewild.

Er was nog een laatste klus die ik moest klaren. Mijn vaders auto stond nog op het terrein voor in beslag genomen goederen, waar de auto naartoe was gesleept op de middag dat ze zijn lichaam hadden gevonden. Het was een kastanjebruine 1983 Cadillac Coupe DeVille, die heel wat geld waard was. Hij moest worden opgeëist en op een veiling worden verkocht. Ik wilde niet dat mijn moeder hem zou zien en daarom sprak ik met oom Joe af dat wij hem zouden ophalen. De politie daar behandelde ons met minachting, maar dat was ik gewend. In hun ogen was ik geen tiener, en zelfs geen menselijk wezen; ik was het gangsterzoontje en daar werd ik ook naar behandeld. Na dagenlang formulieren te hebben ingevuld en na eindeloze telefoongesprekken ging ik met Joe naar het terrein om de auto op te halen.

Daar stond ik dan met oom Joe en ik staarde vol ongeloof naar mijn vaders Cadillac. Zoiets had ik nog nooit gezien, zelfs niet op de tv. De technische recherche had elke centimeter met poeder bestrooid, van binnen en van buiten. Het kastanjebruin van de buitenkant was volledig ondergesneeuwd door een dikke laag poeder. Wij liepen er behoedzaam omheen en toen ik de deur opende om naar binnen te kijken zag ik dat de bekleding van de kussens en het dashboard met net zo'n dikke laag bedekt waren. Ik herinnerde me alle zondagmiddagen die ik als kind doorbracht met het schoonmaken van mijn vaders auto. Hij was altijd zo precies geweest met zijn auto's, hield ze glanzend en vlekkeloos, van binnen en van buiten. Oom Joe keek me aan en schudde vol ongeloof zijn hoofd. Daarna gebruikte hij zijn mouw om een smalle opening in de voorruit te vegen en liet zich achter het stuur glijden. Ik stapte naast hem in. Ondanks de kou draaiden we de raampjes naar beneden, zodat Joe kon zien waar hij reed. De motor startte soepel als altijd en Joe reed voorzichtig het terrein af, de snelweg op. Geen van beiden deden we op weg naar huis een mond open.

Bij het huis van oom Joe aangekomen parkeerde hij de wagen in de voortuin en hij zette de motor af. We stapten uit en bleven nog een tijdje in stilte naar de auto staren. Na een paar minuten zei oom Joe dat hij naar binnen ging om zich voor het eten te verkleden en hij zei dat ik dat ook moest doen. Joe ging het huis in, maar ik kon me nog niet losmaken van de auto. Deze Cadillac was de laatste band die ik met mijn vader had gehad. Met hem had ik in deze auto talloze tochtjes gemaakt. Zijn laatste dagen op aarde had hij hierin opgesloten gezeten. Ik moest afscheid nemen. Ik moest een paar laatste minuten doorbrengen in dezelfde ruimte waarin hij zich nog zo kort geleden bevond. Ik moest begrijpen hoe het voor hem gevoeld had, zelfs in zijn dood.

Ik liet me achter het stuurwiel zakken en leunde met gesloten ogen achterover. Onder de muffe geur van het chemische poeder kon ik nog mijn vaders aftershave ruiken. De leren bekleding streelde mijn hoofd. Ik probeerde me mijn vaders laatste reis in die auto voor te stellen, probeerde door de laatste twee weken heen terug te tasten naar zijn laatste momenten in deze zelfde zetel, maar wat ik ook probeerde, ik kon hem niet vinden. Ik kon hem niet voelen. Ten slotte gaf ik het op en ik besloot me bij mijn oom in huis te vervoegen. Maar toen ik wilde uitstappen kreeg ik plotseling de ingeving om de kofferbak te openen. Met een zachte klik voelde ik hem opengaan. Ik stapte uit en liep naar de achterkant van de auto.

Ik was al in het lijkenhuis geweest, had mijn vader geïdentificeerd, en ik had dus het ergst denkbare gezien. Ik dacht niet dat het me nog meer zou schaden als ik in de kofferbak keek om de ruimte te zien die zijn graf was geworden. Het was een morbide impuls; het was tevens mijn laatste kans om me dicht bij mijn vader te voelen. Wat ook de aanleiding tot deze behoefte was, ik wist dat ik in die kofferbak moest kijken.

Ik liep langzaam om de auto heen naar de achterkant. Het eerste wat me trof, was de geur van gestold bloed; het tweede was het zien van wit papier, fel contrasterend met de gestolde, donkerrode zee waarin het was achtergelaten. Heel even stond mijn verstand op nul. Wat was het? Ik stapte dichterbij om te kijken.

De kofferbak was een ondiepe poel van bloed, onbeweeglijk bevroren in het winterse licht. Ik stak voorzichtig een vinger uit om een van de papieren aan te raken die daar verspreid voor me lagen. Het kleefde aan de vloermat. Ik vond een plekje op de mat die schoon leek, drukte met één hand de mat omlaag en trok met de andere voorzichtig een van de papieren los. Het was een witte wikkel, van het soort waarin chirurgische handschoenen worden verpakt. De bak was ermee bezaaid, als een vervuilde vijver. Ik hield mijn andere hand omhoog en realiseerde me dat hij kleverig was. Ik keek ernaar. Hij was bedekt met bloed. Mijn vaders bloed.

Eensklaps, na zoveel gevoelloze dagen, voelde ik een schok door mijn lichaam gaan en ik begon te beven. Neerkijkend op de bezoedelde troep voor me kon ik het me allemaal voorstellen. Een koude, eenzame straat in Brooklyn, politiemannen die de kofferbak openden. Mijn vaders misvormde lichaam daarin, op hem de kandelaar die hij voor moeder naar Goodwill ging brengen. De mannen van het lijkenhuis die mijn vaders lichaam als vuilnis uit de kofferbak hesen. Tenslotte deden zij dit soort werk dagelijks en bovendien was hij alleen maar een gangster, het slachtoffer van de zoveelste afrekening in de onderwereld. Dan waren er de forensische rechercheurs geweest, die hun rubber handschoenen aantrokken en de wikkels lieten vallen waar mijn vaders lichaam had gelegen. Handschoenen die ze weer hadden uitgetrokken toen ze klaar waren en in de kofferbak van onze auto hadden gegooid alsof het een vuilnisbak was.

En toen ging ik verder terug en was ik weer zeven jaar; ik vond in de kofferbak van onze Cadillac het mes en de vermomming en ik vroeg me af wat mijn vader midden in de nacht met die dingen deed. Ik balde mijn vuist om geen kreet van pijn te slaken. De warmte van mijn lichaam loste de kleverige smurrie in mijn linkerhand op en toen ik daar vol misselijk makend ongeloof op neerkeek, zag ik mijn vaders bloed langs mijn pols stromen. Voor het eerst in mijn leven voelde ik hoe mijn lichaam door woede verteerd werd: blinde, allesoverheersende woede. Mijn vaders woorden kwamen terug: 'Nee, Al, je gaat geen wraak nemen. Je zult vergeten dat ik heb geleefd.' Maar ik wist dat ik het niet op deze manier kon en wilde laten eindigen.

In de stilte van dat verschrikkelijke moment hoorde ik mijn oom vanaf de veranda schreeuwen. 'Al!' riep hij fel. 'Al, ophouden! Laat het erbij! Genoeg!' Ik kon de mengeling van boosheid en angst in zijn stem horen. Ik sloot de kofferbak en liep zijn huis binnen.

Toen ik in zijn kleine, warme badkamer stond, voelde ik de winterkou uit mijn lichaam wegtrekken. Mijn ledematen begonnen te ontdooien en ik voelde hoe het bloed door mijn borst pompte. Maar hoewel mijn lichaam warm werd, verkilde mijn hart, en hoewel ik mijn vaders bloed van mijn huid schrobde, wist ik dat die vlek me nooit zou verlaten. De woede die nog steeds door mijn aderen joeg, stabiliseerde zich en ik nam mijn besluit. 'Mij is de wraak,' beloofde ik mijn vader. Ik zou zijn moordenaars vinden en ik zou ze eigenhandig doden.

negen

Dubbel spel

Mijn vader en ik op mijn vijftiende verjaardag

Dit is hoogst moedig,
Dat ik, de zoon van een vermoorde dierbare vader,
Gedreven tot wraak door hemel en hel,
Als een hoer mijn hart moet ontladen met woorden.

SHAKESPEARE, Hamlet

Ik had me vanaf mijn twaalfde voorbereid op mijn vaders dood. Ik dacht dat ik er klaar voor was en vanuit een praktisch oogpunt bezien was ik dat ook. Waar ik niet op ingesteld was, bleek de bodemloze afgrond van pijn die zich na zijn verscheiden onder mij opende. Mijn vaders laatste advies aan mij was geweest zijn bestaan te vergeten en een goed leven te leiden. Het probleem was dat ik geen flauw idee had hoe dat moest. En daarom deed ik in plaats daarvan wat de meeste mensen doen na een plotseling verlies: ik ging door zoals ik dat gewend was. En dat betekende dat ik de zaken voor mijn vader waarnam. Niet zijn maffiazaken. Mijn vader had die weg gekozen toen hij net zo oud was als ik nu, zeventien, en ik wist waarheen die weg leidde. Dat was een reis die ik niet wilde maken. Het waren de andere zaken uit zijn leven die ik op me nam.

Die lente kocht ik na het behalen van mijn rijbewijs mijn eerste auto, een zwarte Corvette. Mijn vader en ik waren van plan geweest die auto samen uit te zoeken. Mijn familie nam mijn meeste aandacht in beslag. Ik nam me voor zo vaak mogelijk thuis te zijn. Als een beschermende vader kwam ik met video's thuis om mijn zusjes bezig te houden. Ook ging ik met moeder en hen uit eten en naar de film. Ik stopte zelfs af en toe bij moeders favoriete snackbar om een hamburger met friet voor haar mee te brengen, net zoals mijn vader dat vroeger deed. Ze gaf me een droef schouderklopje, niet in staat om het meegebrachte op te eten, maar ik wist dat ze het gebaar waardeerde.

Ik probeerde ook verantwoordelijkheid op me te nemen voor mensen die van mijn vader afhankelijk waren geweest. Ik had gezien hoe mijn vader zijn leven lang voor mensen had gezorgd. Het was duidelijk dat neef Joe het niet in zijn eentje kon redden en het was al even duidelijk dat hij altijd weer in de problemen zou komen. Ik wist dat mijn vader had gewild dat er voor Joe's oude dag zou worden gezorgd. Daarom zei ik tegen hem dat hij zijn spullen moest inpakken om New York voor altijd te verlaten. Vervolgens stopte ik een aanzienlijk geldbedrag in een papieren zak en zei tegen Joe dat ik hem naar het vliegveld zou brengen om daar afscheid van hem te nemen. Ik zei dat ik niet wilde weten waarheen hij zou gaan, maar dat ik hem het beste toewenste. Ik zei ook dat ik nooit meer iets van hem wilde horen. Toen ik op het vliegveld afscheid van hem wilde nemen, vulden zijn ogen zich tot mijn verrassing met tranen. Hij zei me dat hij me een aandenken wilde geven. Het was het enige dat hij me kon nalaten, zei hij. Hij overhandigde me een gekreukt, oud schrift, vol aantekeningen en met de hand geschreven kopieën van zijn speciale recepten. Hij wist dat ik van zijn eten hield en hoopte dat ik de recepten zou gebruiken om aan hem terug te denken. Behalve de recepten stonden er kleine anekdotes, grappen en commentaren in over de mannen voor wie hij had gekookt. Dat was het laatste wat ik van neef Joe zag.

Ik voelde me ook min of meer verantwoordelijk voor Freddy, die nog steeds gevangen zat. Freddy was helemaal overstuur door mijn vaders dood. Niet in staat om te lezen – hij kon alleen zijn naam schrijven – leek Freddy na de moord op mijn vader een in de steek gelaten kind. Het werd nog erger voor Freddy toen kort na mijn vader ook zijn broer Richie werd vermoord. Richie had verscheidene jaren af en toe voor mijn vader gewerkt bij diens autodiefstalloperatie. Richie DiNome was een verbeterde versie van Freddy – donker, knap, slimmer, jonger. Hij was een getalenteerde dief die op een enkele avond wel twintig auto's kon stelen. De FBI zette Richie zwaar onder druk om informant te worden en bood hem een deal aan ten behoeve van Freddy, als hij zou willen praten. Op een avond verdween Richie en zijn lichaam werd een week later met kogels in zijn achterhoofd teruggevonden. Iemand in de maffia was zenuwachtig geworden. Richie wist te veel.

Een aantal weken na vaders begrafenis gingen Debra en ik Freddy in de gevangenis opzoeken, om te zien hoe het met hem ging. Het was een vreemd bezoek, want ik wist meteen dat er iets fout zat. In al de jaren dat ik Freddy had gekend had ik hem zich nog nooit zo vreemd zien gedragen. Hij bleef me maar vragen, alsof hij dat uit het hoofd had geleerd: 'En, Albert,

wie heeft volgens jou je vader vermoord? Denk je dat het een van zijn medewerkers is geweest?' Zo had Freddy nog nooit gepraat; het was duidelijk dat
iemand hem die woorden in de mond had gelegd. Je hoefde geen genie te
zijn om te beseffen dat Freddy de een of andere deal had gemaakt om informant te worden, maar hij was niet slim genoeg om dat geloofwaardig te
doen. Freddy zou voor mijn vader hebben willen sterven, maar nu Richie
dood was en zijn gezin hulp nodig had, wist ik dat het eenvoudig zou zijn
om Freddy om te praten als hij dacht dat hij daarmee zou kunnen helpen
om de moordenaar van mijn vader te vinden. Ik zei tegen hem dat ik er geen
idee van had wie de moord had gepleegd en hield het bezoek kort. Debra
vroeg me waarom Freddy zo vreemd deed. Ik zei dat ik het niet wist. De verandering in Freddy maakte me onzeker. Als ik hem niet kon vertrouwen,
wie dan wel?

Sinds de avond dat ik mijn vaders bloed op mijn handen had gezien,
werd het een obsessie voor me om te ontdekken wie zijn moordenaar was.
Geen onsje gezond verstand, geen gewetenswroeging, geen laatste waarschuwing uit de mond van mijn vader kon me van dat voornemen afbren-
gen. Ik had een doel nodig en ik vond dat in het wreken van mijn vaders
dood.

Ondanks mijn weigering daarover met Freddy te praten, wist ik net zo
goed als hij dat mijn vader waarschijnlijk door een van zijn medewerkers was
vermoord. Alles wees erop dat de moord door bekenden was gepleegd. De
vraag was, door wie? In de weken na mijn vaders dood kwelde die vraag me
voortdurend als ik wakker was en hij achtervolgde me vaak in mijn slaap.
Paul Castellano was de voor de hand liggende keuze als opdrachtgever, maar
wie had het uitgevoerd? Mijn ervaring zei me dat iemand uit vaders eigen
bende erbij betrokken moest zijn geweest, ook al wilde ik dat niet geloven.
Op de middag dat ik naar de Gemini ging om neef Joe op te pikken voor
het ritje naar het vliegveld, zaten Anthony en Joey met wat minder belangrijke figuren om de tafel. Anthony zat op mijn vaders stoel, rechts van hem
Joey, op mijn oude plekje. Ik voelde mijn maag verstrakken, maar de tweeling glimlachte alleen maar en zei: 'Hoe gaat-ie, Albert?'

Terwijl ik overwoog wie van mijn vaders oude bende ik zou kunnen vertrouwen, deden zij de eerste zet; zij namen contact op met mij. Ze moesten
nog wat losse eindjes aan elkaar knopen, vertelden ze me. Ze hadden wat

van mijn vaders spullen nodig om dat te kunnen doen. Zij wilden zijn 'Shylock boek', een leren grootboek waarin hij de gegevens over zijn woekerincasso's bijhield. Ze zeiden dat zij het uitstaande geld voor 'ons' zouden incasseren, maar dat ze daarvoor het boek nodig hadden. Ik wist dat dit een leugen was. Ze waren beslist niet van plan iets van het geïncasseerde geld te delen; hun belangrijkste doel was de eigen zakken te vullen. Alles bij elkaar was de bende mijn vader honderdduizenden dollars schuldig en die gingen ze zeker niet aan mijn familie uitkeren. De bende gaf altijd meer uit dan er verdiend werd en leende geld als voorschot op de volgende grote klapper. En tot slot wilden ze ook nog mijn vaders omkatgereedschap, dat een fortuin waard was als ze doorgingen met het stelen van auto's. Ik wist dat geen van hen over de hersens of de discipline beschikte om die organisatie zonder mijn vader voort te zetten, maar daarover hadden ze nog niet nagedacht. Ik stemde erin toe ze te ontmoeten om de details te bespreken, in de hoop dat dit me de kans zou bieden hen persoonlijk te taxeren.

Ik stelde voor dat we elkaar zouden ontmoeten in het restaurant waarin ze meestal met mijn vader zaten. Het restaurant was een gezellig familiebedrijf en lag aan de hoofdweg door Massapequa. Dat leek me voor zo'n bijeenkomst veilig genoeg. Ik had er geen idee van waar Freddy de omkatspullen bewaarde. Het grootboek was in de kast thuis verborgen. Ik had het gebruikt om geld te incasseren als vader was ondergedoken, maar het lag niet in mijn bedoeling het aan de bende te geven.

Zij stonden me op het parkeerterrein op te wachten toen ik die middag kwam aanrijden. De Gemini Tweeling was er, samen met een stel andere mannen die ik nauwelijks kende. Ze gebaarden dat ik in de auto moest stappen, zodat we onder het rijden konden praten. Zonder erbij na te denken ging ik tussen Anthony en Joey in zitten. Ik nam aan dat ze zich zorgen maakten over luistervinken in het restaurant. Pas toen we het parkeerterrein af reden begreep ik mijn fout. Terwijl de chauffeur zich in het verkeer op de weg mengde, trokken Anthony en Joey hun jassen naar achteren, zodat ik kon zien dat ze allebei een pistool tussen hun broekriem hadden. Ik keek naar de achterkant van het hoofd van de chauffeur en naar de gewapende man die naast hem zat, en mijn hart stond stil. Ik was in een hinderlaag gelopen. 'Shit,' dacht ik, 'ze knallen me neer en ik ben er met open ogen ingestonken.'

Terwijl we in de late namiddag door Long Island reden, begonnen Joey en Anthony me vragen te stellen over het omkatgereedschap. Ik zei ze dat ik niet wist waar dat was. Dat schenen ze te geloven. Maar toen ze naar het woekerboek vroegen, ontkende ik daar iets van af te weten. 'Ik weet niets van een boek,' hield ik vol. 'Voor zover ik weet had mijn vader al die bedragen in zijn hoofd. Als ik een incasso moest doen, zei hij bij wie. Dat is alles wat ik weet. Ik weet niets van een boek.' Ze wisten dat ik loog. Ik neem aan dat het dom was, maar ik probeerde tijd te winnen. En als ze me toch zouden doden, was ik al helemaal niet van plan iets dat zoveel waard was aan ze te geven.

'Wij proberen je te helpen, Albert,' bleef Anthony maar zeggen. Hij probeerde bedroefd te kijken, maar dat lukte hem niet echt.

Bijna een uur later besefte ik met een onbeschrijfelijk gevoel van opluchting dat ze hadden besloten me terug naar het restaurant te brengen. Ik weet nog steeds niet waarom. Ik denk dat ze me uitprobeerden in de hoop dat ik met het gevraagde voor de dag zou komen als ze het goed zouden aanpakken. Ze deden me denken aan de politie met hun tactiek van de goede tegenover de kwade smeris. Toen ze het parkeerterrein opreden en stopten om mij uit te laten stappen, keek Anthony me recht in de ogen en zei: 'O, Albert, onze oprechte deelneming met je vaders tragische dood. Als je iets nodig hebt, bel ons dan.' Ik voelde me koud worden. Ik wist dat ik met de moordenaars van mijn vader sprak.

Terwijl ik uitstapte, antwoordde ik: Natuurlijk, mannen. Wees voorzichtig. Ik bel nog wel.'

En daarna liep ik terug naar mijn auto, zoals mijn vader me dat had geleerd: zelfverzekerd, zorgeloos, arrogant. Pas toen ik het parkeerterrein had verlaten en terugreed naar de relatieve veiligheid van ons huis, gaf ik me over aan de golf van opluchting. Ik wist hoe dicht ik bij mijn dood was geweest.

Zo begon het kat-en-muisspelletje dat ik de komende weken met mijn vaders oude bende zou spelen. We wilden beiden iets wat de ander had: zij wilden alle geld-opbrengende hulpmiddelen die mijn vader in mijn bezit had gelaten, en ik wilde erachter komen wie er bij de moord op mijn vader was betrokken. In een poging hen een stap voor te blijven ging ik akkoord met vervolgafspraken in het restaurant, maar niet in de auto. Soms aten we binnen iets; maar meestal stond ik op het parkeerterrein met hen te praten. Op een paar meter afstand van waar we stonden, gleed een onophoudelijke stroom voorstedelijk verkeer voorbij en liepen vrouwen achter wandelwagentjes met hun peuters erin, zich zalig onbewust van de onderhandelingen die zich onder hun ogen afspeelden.

Voor de volgende keer had ik wat extra veiligheid ingebouwd. Ik wist dat een openbare plek niet voldoende was om mijn veiligheid te verzekeren. Ik had mijn vriend Nick verteld wat er gebeurd was en hij stond erop de volgende keer met mij mee te komen. Nick was geen zware jongen; hij was alleen maar mijn vriend en hij had vanaf de eerste klas van de middelbare school achter me gestaan zonder vragen te stellen. Ik probeerde niet hem er vanaf te brengen. Ik zou voor hem hetzelfde hebben gedaan. Ik zei dat hij een paar minuten eerder dan ik op het parkeerterrein moest zijn en dat hij me van een afstand in het oog moest houden. Ook gaf ik hem een geladen geweer dat hij op ons gericht moest houden, voor het geval dat. Ik zat er tot over mijn oren in, maar dat was nog niet echt tot me doorgedrongen.

De maffia was niet het enige spel waarin ik betrokken was. Ik was ook het doelwit van een FBI-onderzoek. Iemand – Freddy waarschijnlijk – had hen van mijn hechte band met mijn vader verteld. Op dit cruciale punt in hun onderzoek naar Paul Castellano en Nino Gaggi zagen ze mij als een potentiële goudmijn aan inlichtingen over mijn vaders criminele activiteiten, iemand die de meeste van zijn medewerkers achter de tralies kon krijgen. En ze veronderstelden dat ik wel zou willen meewerken omdat mijn vaders medewerkers bij zijn moord waren betrokken. Dat hadden ze mis.

Het is moeilijk aan een buitenstaander uit te leggen waarom ik zo onwillig was informant te worden. Per slot van rekening was mijn vastberadenheid om achter de identiteit van mijn vaders moordenaars te komen veel intenser dan die van de autoriteiten ooit kon zijn. Maar in werkelijkheid waren mijn mogelijkheden beperkt. Om te beginnen had ik niet veel van de informatie waarover ik volgens hen beschikte. Ik wist heel wat over het woekeren en ook wel het een en ander over zijn activiteiten op het gebied van autodiefstallen en porno. Maar behalve de moord op de student en enkele angstige vermoedens dat hij betrokken geweest kon zijn bij het uit de weg ruimen van andere maffiosi, wist ik niets over het geweld waar zij op doelden. Maar wat me het meest weerhield van samenwerking met de autoriteiten, was de angst voor mijn eigen veiligheid. Als ik op de een of andere manier bij hun onderzoek betrokken raakte, wist ik dat de maffia me, lang voor zo'n zaak voor de rechter kwam, zou vermoorden en dan zouden de moordenaars van mijn vader vrijuit gaan.

Mijn weigering om met de autoriteiten mee te werken zat ze niet zo lekker. In de weken na de moord op mijn vader deden ze alles wat ze konden om me tot medewerking te dwingen. Ze konden me niet dagvaarden, omdat ik nog steeds minderjarig was. Maar ze konden me wel oproepen voor 'alleen nog maar een paar vragen' over mijn vaders dood. Als ik het huis verliet, werd ik gevolgd en toen bedekte bedreigingen niet hielpen, probeerden ze het op de sympathieke manier door te spreken van mijn 'arme, vermoorde vader'. Ze gaven geen ruk om mijn vader. Ze verafschuwden hem. Ze waren blij dat hij dood was, en dat wist ik. Dus bleven ze doorgaan met het stellen van vragen en bleef ik altijd zo beleefd mogelijk ontkennen dat ik iets wist. Ten slotte belde ik een advocaat die voor mijn vader had gewerkt en hielden ze op met me lastig te vallen. Tot ik achttien werd konden ze niet veel anders doen.

Terwijl de grauwe winterdagen wegsmolten, werd de innerlijke druk steeds ondraaglijker. Ik bleef doen alsof ik een normaal bestaan leidde, maar ik kon aan niets anders denken dan aan mijn vaders dode gezicht. Ik overwoog mijn mogelijkheden. Ik liet een monteur een verborgen vakje in mijn nieuwe auto maken, waarin ik mijn pistool kon opbergen. Ook liet ik hem mijn auto opvoeren voor het geval ik in alle haast zou moeten ontsnappen. Als ik tot handelen wilde overgaan, moest ik dat snel doen, maar mijn eenpersoonsleger miste de daartoe benodigde vuurkracht. Mijn totale arsenaal aan wapens bestond uit een jachtgeweer met afgezaagde loop, een Browning 9mm, twee .38's en een voorraadje munitie. Dat zou niet genoeg zijn, bedacht ik, bij lange na niet genoeg. Ik beschouwde mijn nog niet helemaal uitgewerkte plan als een zelfmoordmissie. Als ik dat aan Tommy en Nick had gevraagd, zouden ze me waarschijnlijk hebben geholpen, maar ik wilde mijn vrienden niet meeslepen in een zekere dood. Mijn enige hoop de verraders van mijn vader uit te schakelen lag in grotere vuurkracht. Ik had mijn vader horen praten over verborgen arsenalen, die niet alleen automatische geweren bevatten, maar ook C4-granaten en kogelvrije vesten. Nu had ik die voorraden nodig maar ik wist niet waar hij ze had verstopt. Na wekenlange worstelingen besloot ik te bellen met de enige man die ik nog meende te kunnen vertrouwen: Nino Gaggi. Oom Nino had me al weken ontlopen, maar ik maakte me wijs dat hij dat voor zijn eigen veiligheid deed. Na flink wat pogingen kreeg ik hem eindelijk aan de lijn. Ik vertelde hem dat ik dacht te weten wie mijn vader had vermoord en dat ik mijn vaders oude wapenvoorraad nodig had om de zaak te regelen. Wist hij waar die was? Hij vertelde me dat hij het zou bekijken en dat hij me zou terugbellen.

Twee dagen na dat telefoontje ging ik uit met mijn vaste vriendinnetje. Na mijn vaders dood was onze relatie serieuzer geworden toen ik troost nodig had. Ik wist dat dit ons laatste afspraakje kon zijn omdat ik de aanslag zou plegen zodra oom Nino mij had teruggebeld. Die wetenschap gaf me een gevoel van rust, want ik geloofde dat wat ik ging doen juist was. Ik had niets meer te verliezen. Ik genoot van elk moment met mijn meisje. Zij was zo mooi, zo lief. We hadden een fantastische avond: een diner in mijn favoriete restaurant op Long Island, gevolgd door een lange wandeling over het strand, hand in hand, op blote voeten die wegzakten in het zand. De maan verlichtte het water en voor de eerste keer sinds mijn vaders dood voelde ik dat ik kon ademhalen. Er was een gelukzalig gevoel van beslotenheid toen we daar die avond samen liepen, haar vingers verstrengeld met de mijne en de smaak van zout op mijn tong. Later reed ik met haar door de donkere, stille straten naar huis en op de veranda van haar ouderlijk huis kusten we elkaar innig en sloot ik haar in mijn hart. Toen ik daarna over de verlaten snelweg reed, draaide ik de raampjes van de auto omlaag om de warme wind door mijn haar te laten waaien. Op dat moment slaakte mijn totale lichaam een zucht van verlichting.

Ik heb het niet zien aankomen. De ene minuut deinde ik over de donkere snelweg en luisterde ik naar Frank Sinatra op de cassetterecorder; de volgende verschenen als uit het niets vier auto's die me omsingelden en van de weg drongen. Ik zag alleen maar een groene flits toen mijn Corvette van de snelweg over een berm daarnaast denderde en met een hard, vernietigend geluid tegen de bomen tot stilstand kwam. Mijn hoofd sloeg tegen de voorruit en versplinterde het glas. In die chaos greep ik instinctief mijn pistool en rolde aan de passagierskant uit de auto. Mijn schouders raakten als eerste de bodem en ik slaagde erin blindelings twee schoten in het duister af te vuren, zo ongeveer in de richting van mijn belagers. Ik kon niets zien.

Iemand stapte op mijn pols, drukte die vast tegen de grond en ik voelde dat het pistool uit mijn hand werd gerukt. Handen grepen mij van twee kanten vast en iemand smakte me tegen de zijkant van mijn auto. Donkere gestalten doemden aan weerszijden van me op en drukten mijn handen klem tegen het dak, mijn armen gespreid als bij een kruisiging. Bloed liep in mijn ogen en ik worstelde om de figuren in het duister te ontwaren.

Ik denk dat ze met zijn vieren waren. Zij droegen allemaal zwarte kleren en ze hadden zwarte bivakmutsen over hun hoofd getrokken. Hun ogen waren nauwelijks te zien, maar ik wist wie het waren. De Gemini Tweeling. Een bekende stem zei: 'Dit keer zullen we je nog niet doden, Al, uit respect voor je vader. Maar als je nog één keer dreigt, zullen we doen wat we moeten doen.' Hij sloeg me met de kolf van zijn pistool hard op mijn linker oogkas. Ik hoorde een versplinterend geluid en daarna voelde ik een klap aan de andere kant. Het laatste wat ik me herinner is verwarring en pijn, terwijl ik buiten bewustzijn raakte.

Enkele uren later werd ik me er langzaam van bewust dat iemand mijn naam riep. Handen schudden aan mijn schouder, vriendelijk, maar dringend. Ik probeerde door het bloed heen te kijken dat op mijn ogen was vastgekoekt. 'Pappa?' fluisterde ik. Ik kende die stem. 'Nick?' mompelde ik vanuit een rode kloof van pijn. Er was iets verschrikkelijk verkeerd met mijn lichaam. Ik was ijskoud en ik leek me niet te kunnen bewegen.

Ik kon de paniek in Nicks stem horen en ik wist dat hij huilde. 'Al? Al? Ben je oké, Al?' Ongelofelijk genoeg had Nick, op weg naar huis van zijn werk, langs de weg een rokende auto gezien, vaag glanzend tussen de bomen. Hij was langzamer gaan rijden om te kijken en hij dacht dat hij een bekende auto zag. Hij had op zijn rem getrapt, was uit zijn auto gesprongen en had zich langs de ondiepe berm naar de brandende lampen beneden laten glijden. Daar vond hij mij, bewegingloos in een plas bloed. Mijn lichaam was stijf en koud, door de shock en de uren in de nachtlucht. Eerst dacht hij dat ik dood was. Hij was enorm opgelucht toen hij me hoorde antwoorden, tilde me op nam hij me in zijn armen en legde me voorzichtig op de achterbank van zijn auto.

Ik wilde alleen maar naar huis, maar hij stond erop me naar het ziekenhuis te brengen. Hij ging bij mij thuis langs om mijn moeder op te halen en minuten later droeg hij me de eerstehulp binnen, met mijn moeder huilend

achter hem aan. Het laatste wat ik me herinner is dat ik hem dringend toe-
fluisterde: 'Vertel haar niets.' Hij had niets om te vertellen, want ik was niet
in staat wat voor informatie dan ook te geven, maar desondanks knikte hij.
Daarna gleed ik weg in de gelukzalige ontspanning die bewusteloosheid
biedt.

De operatie duurde meer dan acht uur. Mijn jukbeen, oogkas en het
grootste deel van de linkerkant van mijn gezicht waren verbrijzeld. De chi-
rurg bracht een kleine kooi van draad in om mijn oogkas te vervangen en
deed zijn best mijn gezicht weer op te bouwen. Als door een wonder was
mijn oog onherstelbare schade bespaard gebleven. Ik zou mijn gezichtsver-
mogen niet verliezen. De artsen vertelden mijn moeder dat ik nog verscheidene operaties nodig zou hebben om mijn gezicht cosmetisch te herstellen,
maar ik zou genezen. Toen ik laat op de volgende dag bijkwam, vertelden de
artsen me dat ik ongelofelijk veel geluk had gehad. Als Nick ook maar een
halfuur later voorbij was gekomen, zou ik gestorven zijn door de shock en
door bloedverlies. Nick was erbij toen ik uit de verdoving ontwaakte en
kwam elke dag op bezoek, tot ik ten slotte het ziekenhuis kon verlaten.

De FBI ook. Federale agenten verschenen binnen enkele uren na mijn
opname en bleven tijdens de behandeling in de operatiekamer, klaar om
notities te maken voor het geval dat ik onder verdoving iets zei. Ze liepen
mijn kamer in en uit, stelden me soms openlijk vragen en deden zich op
andere momenten voor als verpleegkundigen. Hun gezichten zwommen in
en uit beeld. Ik had niemand verteld wat er die nacht werkelijk was gebeurd;
voor zover iedereen wist had ik een zwaar auto-ongeluk gehad en was mijn
gezicht tegen de voorruit geknald. Toch waren de politiemensen wantrouwend en ze maakten van de gelegenheid gebruik om weer eens te proberen
mijn medewerking te verkrijgen. Het was makkelijk genoeg hun vragen te
ontwijken, ook al was ik aan het ziekenhuisbed gebonden. Door de pijn, de
zware medicijnen en de zwakte gleed ik soms dagenlang in en uit de
bewusteloosheid. Het was niet moeilijk bewusteloosheid voor te wenden als
ik met rust gelaten wilde worden. Bovendien was het door de ernstige
beschadiging van mijn gezicht toch al moeilijk voor me om te praten en
daarom drongen ze niet aan.

Ik was sinds mijn vierde, toen ik geopereerd werd om mijn ogen te corrigeren, niet meer in een ziekenhuis geweest. Terwijl ik daar lag, met ver-

band over een van mijn ogen, dacht ik aan die eerste operatie. Maar dit keer zou mijn vader er niet zijn als het verband verwijderd werd. De lange weken van herstel in het ziekenhuis begonnen mij mettertijd een helderheid te verschaffen die ik niet had gehad sinds de moord op mijn vader. Pijn en onbeweeglijkheid fungeerden als een soort waarheidsserum, dat niet zozeer de waarheden opleverde die de autoriteiten wilden, als wel de waarheden die ik nodig had. Ik had mezelf wijsgemaakt dat ik het aan mijn vader verplicht was wraak te nemen, maar ik had mezelf voor de gek gehouden. Mijn vaders 'vrienden' hadden hem vermoord en mij ook bijna, uit naam van een organisatie die loyaliteit verheerlijkte. Mijn vriend Nick daarentegen, die alleen maar persoonlijk risico liep, had zich weer ingespannen om mijn leven te redden. Toen de kamer na mijn operatie weer scherper in beeld begon te komen, waren het zijn ogen die, naast die van mijn moeder en mijn zusjes, bezorgd op me neerkeken. Ik was het hun verschuldigd me nooit meer in dat soort gevaar te begeven. Ze hadden al genoeg geleden.

Nadat ik eindelijk uit het ziekenhuis ontslagen was, deed ik mijn best het verleden achter me te laten. Soms werd ik getroffen door vreselijke aanvallen van hoofdpijn, maar steeds wanneer dat gebeurde hielp het om mij eraan te herinneren hoe zinloos vergelding was. De bende liet me, nu hun waarschuwing was afgegeven, verder met rust en ik heb nooit meer met een van hen contact opgenomen. Ik stopte zelfs mijn bezoekjes aan Freddy. Het werd tijd om het verleden te begraven.

Het schooljaar eindigde terwijl ik in het ziekenhuis lag en het werd zomer op Long Island. Ik deed mijn best terug te keren naar de bezigheden van een zeventienjarige, zwom in het zwembad in de achtertuin en ging met Tommy en mijn vriendin varen in het kanaal. Over een jaar zou ik naar de universiteit gaan en ik begon aanvraagformulieren in te vullen. Ik wilde niet de rest van mijn leven doorbrengen als het gangsterzoontje.

Helaas dachten de autoriteiten daar anders over. De federale werkgroep die in het kader van de RICO-wet nu al zoveel jaren achter de maffia van New York aanzat, had in het Castellano-onderzoek een cruciaal punt bereikt. Nu de veroordelingen zich vermenigvuldigden en vooraanstaande maffialeden informant werden, roken zij de overwinning. Officier van Justitie Rudolph Guiliani en zijn aanklagers waren bezig met een heilige oorlog, waarbij persoonlijke vrijheden, zoals in alle oorlogen, onbelangrijk werden. Ik werd een geval van collaterale schade in de nietsontziende aanval op de criminele families van New York.

Nu mijn vader er niet meer was, dacht ik dat de surveillance bij ons huis zou verslappen. In plaats daarvan veranderden ze alleen van focus, van vader naar mij. Elke keer als ik het huis verliet, werd ik door iemand gevolgd. Ik nam aan dat de politie mij met rust zou laten als ze zagen dat ik geen contact meer had met mijn vaders medewerkers of ondernemingen. Dat had ik mis. Ze volgden me overal: naar school, naar de film, zelfs bij afspraakjes. Net als mijn gezicht was ook mijn auto na de botsing gerestaureerd en weer zo goed als nieuw. Hij werd een baken voor de lokale politie. Dienders hielden me keer op keer aan voor denkbeeldige verkeersovertredingen en doorzochten mijn auto naar god mag weten wat. Het was vernederend. Dan stond ik met mijn vriendin aan de kant van de snelweg, terwijl de politie mijn auto overhoophaalde en passerende chauffeurs langzamer gingen rijden om te kunnen zien wat er gaande was. Mijn vriendin was mij tot steun en bleef geduldig, maar het was bijzonder gênant. Het enige illegale voorwerp dat ik bij me had bleef onaangetast, verborgen in het vakje onder het dashboard. Ik voelde me nog steeds niet veilig genoeg om het huis zonder mijn pistool te verlaten. De aanjagers waarmee ik de auto had laten opvoeren, stelden me af en toe in staat aan de surveillancewagens te ontsnappen, maar ze leidden tevens tot een lange reeks bekeuringen wegens snelheidsovertredingen en een ingenomen rijbewijs. Toen de zomer overging in de herfst en ik voor mijn laatste jaar naar de middelbare school ging, werd ik allengs bozer en gefrustreerder. Waarom lieten ze me niet gewoon met rust? Ik deed niets verkeerds.

Het rijden met een ingenomen rijbewijs bracht me ten slotte in de rechtszaal. Boos en zonder een spoor van berouw stond ik voor de rechter, klaar voor de strijd. Ik wist dat ik alleen maar schuldig was aan het rijden zonder een geldig rijbewijs. Maar toen me werd verzocht naar voren te komen om mijn zaak te bepleiten, realiseerde ik me dat ik de griffier die daar voor me zat kende. Hij had jaren op mijn vaders loonlijst gestaan en zaken doen seponeren. Op ongeveer hetzelfde moment dat ik hem herkende, herkende hij mij. Ik zei tegen mijn advocaat dat ik een gesprek onder vier ogen met de man wilde voeren. Ik benaderde hem en zei zacht: 'Wij weten allebei wel dat deze aanklacht wordt ingetrokken, nietwaar?' Het onuitgesproken dreigement was duidelijk. Hij zou zelf aan vervolging worden blootgesteld als de autoriteiten te weten kwamen dat hij mijn vader diensten had bewezen.

Hij verschoof wat ongemakkelijk, knikte en zei: 'Inderdaad, meneer DeMeo.' De aanklacht werd ingetrokken en mijn moeder was woedend. Zij vond dat ik ongezeglijk werd en straf had verdiend. Ze had natuurlijk gelijk. Voor mij was het echter niet zo eenvoudig. Heel mijn leven had ik gezien hoe het wettelijk apparaat met twee monden praatte. Veel van mijn vaders medewerkers waren rechters of politiemensen. Als de autoriteiten erin volhardden mij te behandelen als de zoon van een gangster, zo dacht ik, dan zullen ze het weten ook. Ze konden niet van twee walletjes eten. Zij namen een loopje met allerlei regels om mij te pakken te krijgen. Waarom zou ik dat dan niet mogen?

De maanden verstreken en ze bleven me lastigvallen. Ik werd steeds bozer. Mijn hoop op een normaal leven was allang verdwenen. De autoriteiten zouden me nooit toestaan mijn vaders identiteit af te schudden. Ik voelde mij als bewijsstuk A in het gerechtshof van de publieke opinie. Op een middag werd ik weer eens aangehouden en kreeg ik te horen dat ik gezocht werd wegens een aantal onbetaalde bekeuringen Ik kreeg handboeien om en werd in een politiewagen gestopt om naar het hoofdbureau te worden gereden. Ze hadden me bijzonder strak geboeid, maar de fysieke pijn in mijn polsen was ondergeschikt aan de psychische pijn tijdens deze rit.

'Kijk eens aan, als dat niet het gangsterzoontje is,' zei de agent toen hij mij in de auto duwde. 'Voorzichtig met je hoofd!', waarschuwde hij en knalde mijn schedel tegen de dakrand van de surveillancewagen.

Zijn partner grinnikte terwijl hij voorin ging zitten. 'Wat dacht je van een ritje naar het bureau, arrogant stuk stront?' De hele weg naar het bureau treiterden ze me met mijn vader, terwijl ik gevangen zat achter het plaatgaas van de patrouillewagen. Ze sleurden me uit de auto om naar binnen te gaan en ik begon om mijn advocaat te vragen en schreeuwde: 'Dit kunnen jullie niet maken! Ik wil mijn advocaat!'

'Zo, kunnen wij dat niet? Wie denk je verdomme wel dat je bent? Wij zijn smerissen. Wij kunnen alles doen wat we willen.'

Er ontplofte iets in me en blind van woede verloor ik alle zelfbeheersing.

Ik probeerde de agent een kopstoot te geven en schopte wild om me heen toen ze me overmanden. Terwijl ze me in de houdgreep namen, spoot een van hen pepperspray in mijn gezicht en ik zakte neer op de grond, verblind en kronkelend van de pijn. Ik voelde me als een dier in de val.

Een paar minuten later werd ik in een gevangeniscel geduwd, waar ik aan de muur werd geketend, nog steeds met handboeien om. De worsteling had de verwondingen aan mijn hoofd verergerd en de pijn in mijn slechte oog was om gek van te worden. De ranzige geur van de man naast wie ze me aan de ketting hadden gelegd deed me bijna overgeven. Ik zat met een man of twintig in een overvolle cel. De meesten van hen raasden en tierden; er werd op de vloer gespuugd en gepist. Het was alsof ik in een nachtmerrie was ondergedompeld. Toen korte tijd later een politieagent langs de cel liep, opende een grote zwarte man zijn gulp en piste tegen de agent aan. Binnen enkele seconden bestormde een horde agenten de cel en brak de hel los. De man die ze wilden hebben, ging op zijn hurken zitten en vulde zijn handen met zijn eigen uitwerpselen, die hij naar de agenten gooide. Andere gevangenen volgden zijn voorbeeld. Ik zat misselijk tegen de muur. Hoe was ik in dit gekkenhuis terechtgekomen? Ten slotte overmeesterden de agenten de mannen die ze moesten hebben, maar niemand nam de moeite de urine en de uitwerpselen waarmee de vloer bezaaid was op te ruimen. De stank was overweldigend.

Nu de herrieschoppers gekalmeerd waren, werd ik voor voorbijgangers de belangrijkste attractie. Agenten en bewakers verdrongen zich aan de andere kant van de tralies en wezen me aan alsof ik een bizar soort dier was. 'Hé, maffioso!' riepen ze, 'vind je het leuk hier, gangstertje?' De uren sleepten zich voort en ik vroeg steeds weer om een advocaat, waarom ik niet geverbaliseerd werd, of voor een rechter werd gebracht. Ten slotte begon ik met de andere mannen in mijn cel te praten en ik ontdekte dat sommige van hen best wel aardig waren. Ze waren alleen gefrustreerd door de manier waarop ze werden behandeld. Ze adviseerden me geduldig te zijn en zeiden dat bonje zoeken de toestand voor mij alleen maar erger zou maken. Ik wist dat ze gelijk hadden en ik probeerde me erbij neer te leggen dat ik moest wachten.

Ik bleef die dag en het grootste deel van de nacht geketend. De verbaliserende agenten 'vergaten' me meer dan twaalf uur en ontdekten pas kort

voor het aanbreken van de volgende dag mijn papieren. Toen ik eindelijk
voor een rechter werd gebracht, vertelde deze me dat ik in eerste instantie
gearresteerd was omdat ik niet had gereageerd op een flink aantal bekeuringen wegens verkeersovertredingen. Het merkwaardige hierbij was dat ik
geen van de bekeuringen die ze me toonden ooit had gezien. God weet dat
ik me schuldig had gemaakt aan te hard rijden, maar ik betaalde altijd mijn
bekeuringen. Maar de stapel dagvaardingen die me nu werd voorgelegd –
die dingen had ik nooit eerder gezien en ik herkende ook geen van de auto's
waarin ik werd verondersteld te hebben gereden. Ik wees de rechter daarop
en hij vroeg me sarcastisch of iemand anders de andere auto's onder mijn
naam had gebruikt. Ten slotte mocht ik met mijn advocaat vertrekken, maar
ik was erg ontdaan door wat er in die rechtszaal was voorgevallen. Wat was
er aan de hand? Wie verzon er aanklachten tegen mij?

Er werd een psychologische oorlog tegen mij gevoerd en ik was aan het
verliezen. Ik was nog geen achttien, maar ik had al een maagzweer.
Thuisgekomen bracht ik meer dan een uur door in de sauna en onder de
douche, in een poging me schoon te voelen. Daarna, in bed, bracht ik in
gedachten elke misdaad die ik ooit had begaan in kaart. Te snel rijden en een
verborgen wapen meevoeren, ja. Pakjes voor mijn vader ophalen? Ja, waarschijnlijk een misdaad, want sommige daarvan bevatten zonder twijfel zwart
geld of gestolen spullen, hoewel ik er nooit een had geopend. Medeplichtige
van een misdadiger? Maar mijn vader was toen geen misdadiger; hij was
zelfs nog nooit aangeklaagd. Het niet aangeven van mij bekende misdaden?
Was dat onwettig? Maakte het enig verschil dat ik minderjarig was toen al
die dingen speelden? Ik wist het niet. Vervuld van angst, verwarring en
schuldgevoel deed ik mijn best de aard van mijn misstappen te ontleden. Ik
had me nooit als een crimineel beschouwd; ik zag me veeleer als een zoon
die zijn vader helpt. Was dat fout? En wat dan nog? Ik wist dat ik, als ik
morgen voor dezelfde keuze werd gesteld, mijn vader weer zou helpen.
Maakte ook dat mij tot een crimineel? Dat wist ik niet. Hoe lang zou dit
nog doorgaan? Hoe ver zouden ze gaan? Soms wilde ik dat ze me gewoon
zouden veroordelen en er een streep onder zouden zetten. Alles beter dan
deze voortdurende onrust.

Maar de echte vraag die mij kwelde, was niet zozeer wat ik had gedaan,
maar waarom ze mij zo haatten – en het was duidelijk dat ze dat deden. Ik

zag dat ik in hun ogen een beginnende maffioso was, een onhebbelijke, ruziezoekende puber. Dat begreep ik wel, maar dat verklaarde niet de felle verachting waarmee ze me bejegenden. Op een nacht, toen ik weer eens niet in slaap kon komen, ging ik naar de badkamer om mijn gezicht met koud water te deppen, en ik zag mezelf in de spiegel. Ik schrok. *Vreemd*, dacht ik, *ik heb me nooit gerealiseerd hoeveel ik op mijn vader lijk.* En toen pas begreep ik het. Ze haatten niet mij. Ze haatten mijn vader, en elke keer dat ze naar mij keken, zagen ze het gezicht van mijn vader. In hun ogen was ik niet alleen maar de zoon van de gangster, ik was de gangster zelf. Ik had er mijn hele leven over gedaan om te proberen precies zo te lopen, te praten en me te kleden als mijn vader. In een moment van pijnlijke helderheid besefte ik daarin te zijn geslaagd.

tien

. . . .

Collaterale schade

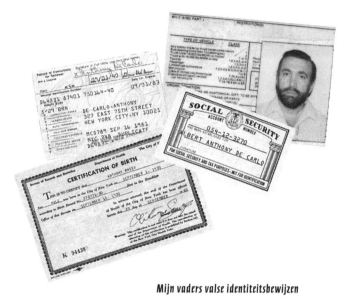

Mijn vaders valse identiteitsbewijzen

Waar het om gaat is of wreedheid goed of slecht wordt gebruikt.
Slecht gebruikte wreedheid is die welke in het begin onregelmatig
wordt toegepast,
maar die na verloop van tijd in plaats van te verdwijnen,
toeneemt in intensiteit.

MACHIAVELLI, De vorst

Tegen het einde van het jaar waarin mijn vader stierf, zat ik gevangen in een vicieuze cirkel. De advocaat die ik in de arm had genomen, was er in geslaagd de autoriteiten een stapje terug te laten doen op basis van mijn leeftijd, maar met mijn achttiende verjaardag in het verschiet wist ik dat deze onderbreking van tijdelijke aard was. Nog onheilspellender was dat mijn vaders vroegere handlangers me weer in het oog begonnen te houden. De Gemini Tweeling, die samen met Nino Gaggi was gedagvaard voor een lange lijst beschuldigingen, was gearresteerd en op borgtocht vrijgelaten. Mijn getuigenis zou hen een flink aantal jaren achter de tralies kunnen krijgen en zij wisten dat ik geen reden had om vergevingsgezind te zijn. Ook als ik aan de overlast van de autoriteiten kon ontsnappen was ik weer terug bij af: voor de loop van het pistool van een gangster. Als ik mijn achttiende wilde halen, moest ik snel een stuk slimmer worden.

Omdat ik niemand had om me te adviseren ging ik te rade bij mijn vaders oude raadsman, de zestiende-eeuwse maffioso Niccolò Machiavelli. In de nasleep van de moord op mijn vader was ik brullend uit mijn hol van pijn gestormd als Machiavelli's leeuw, de tanden ontbloot en dorstend naar bloed. Tot nu toe had dit er alleen maar toe geleid dat de dingen erger werden. Het werd tijd eens naar het andere symbool in het Siciliaanse spreekwoord te kijken, de vos. In Machiavelli's fabel staat de vos voor slimheid, het vermogen een tegenstander te slim af te zijn door manipulatie en misleiding. Als ik wilde ontsnappen aan het systeem waarin ik gevangen zat, moest ik leren hoe ik het kon manipuleren. Daarom ontsloeg ik de keurige advocaat die me had bijgestaan en huurde ik een maffia-advocaat, ene Jay Silverstein. Ik koos voor een man die vertrouwd was met de wet, maar die geen scrupules kende waar het vertrouwelijke informatie van cliënten betrof. Ik wist

zeker dat Jay op Gambino's loonlijst stond. Het was de volmaakte verdedi-
ging tegen het dilemma waarvoor ik me gesteld zag. Met een slimme en
agressieve advocaat in de rechtszaal kon ik immuniteit verkrijgen en enige
bescherming tegen de autoriteiten. En omdat Jay achter mijn rug elk woord
over mijn wettelijke problemen zou doorvertellen aan de maffia, konden zij
zich ervan vergewissen dat ik geen informant was geworden.

Op de dag af een jaar nadat de politie bij ons had aangebeld om te vertellen dat mijn vader dood was, ging de bel weer. Ik was bezig de kaarsjes
op mijn verjaardagstaart uit te blazen en probeerde naar mijn moeder te
glimlachen toen de bel luidde. Zij was bezig met haar eigen overlevings-
oorlog en dat betekende voor haar het voortzetten van familietradities waar
wij niet veel mee op hadden. Op de trap voor onze deur stond een man in
een keurig pak, een deurwaarder, die me een dagvaarding overhandigde en
zei: 'Gefeliciteerd met uw verjaardag, mijnheer DeMeo. U bent gedagvaard.' Ik moest me op maandagochtend negen uur melden op het kantoor
van Walter Mack, officier van justitie voor het zuidelijke district van New
York.

Maandagochtend vroeg reed ik naar het kantoor van Jay in de stad, twintig blokken verwijderd van het gerechtshof in Manhattan, waar Mack kantoor hield. Ik droeg mijn beste pak, een das en keurig gepoetste schoenen.
Mijn haar had ik glad naar achteren geborsteld tegen de winterse wind. Ik
probeerde er volwassen en kalm uit te zien, maar van binnen voelde ik me
bang als een joch van zes jaar. Wat gingen ze met me doen? Me bedreigen?
Arresteren? Jay stelde voor dat we lopend naar het gerechtshof zouden gaan
en hij bereidde me onderweg in de drukke straat voor op wat me te wachten stond: 'Mack leidt het Castellano-onderzoek; hij probeert hem te vangen in het kader van de RICO-wet. Ik geloof niet dat hij het op jou voorzien heeft; hij heeft alleen maar bewijzen nodig om Castellano aan te
kunnen klagen. Hij zal je waarschijnlijk veel vragen stellen over je vaders
zaken. Wees beleefd, maar geef hem geen enkele informatie. Als er problemen rijzen, neem ik die voor mijn rekening. Ik wil niet dat je ook maar iets
zegt, tenzij ze je immuniteit aanbieden.'

Terwijl hij praatte, knikte ik mechanisch, maar het viel me steeds moeilijker om naar hem te luisteren. Er gebeurde iets vreemds. Hoe verder we
liepen, hoe verder weg het gerechtshof leek. Ik kon het zien liggen, een paar

gebouwen verder voor ons, een groot imposant gebouw met Romeinse pilaren en marmeren trappen, het symbool van gerechtigheid in de staat New
York. Toch leek het zich met elke voetstap verder terug te trekken. Het trot-
toir was een bewegend lint geworden en werd onder het lopen steeds langer.
Ik had het vreemde gevoel dat ik me in een windtunnel bevond, zoals ik er
een had gezien toen ik als kind een jaarmarkt bezocht. De straten van
Manhattan zijn in januari altijd winderig, maar deze wind was een ijzige
hand die mij terugduwde. Ik leunde er tegenin. Het leek onmogelijk vooruit te komen. Jay's stem stierf volledig weg en ik begon in mezelf te praten:
'Dit is mijn lot, hier moet ik het mee doen, volhouden, aan het einde moet
ik nog overeind staan.' Een ogenblik dacht ik dat ik die woorden hardop had
gezegd, maar met een schok realiseerde ik me dat de stem alleen in mijn
hoofd bestond. Ik dwong mezelf me weer te concentreren op wat Jay zei,
maar het gedoe en de herrie om ons heen maakte hem moeilijk verstaanbaar.
Alles leek onnatuurlijk helder, abnormaal luid. Kooplieden schreeuwden:
'Hotdogs!' 'Pretzels!', zo schel dat mijn oren er pijn van deden. De geur van
schoensmeer brandde in mijn neusgaten, terwijl een donker gezicht riep:
'Schoenen poetsen?' Mijn ogen traanden door het felle licht. Ik kon niet
horen en niet denken. Wat was er met me aan de hand? Als een robot
dwong ik mijn lichaam de marmeren treden van het gerechtshof op, voetje
voor voetje vechtend tegen de zwaartekracht. Toen we eindelijk boven
waren, viel ik bijna het gebouw binnen, badend in het zweet en zwak door
uitputting.

Het felle ochtendlicht verdween abrupt toen wij een duistere hal binnen-
gingen. Het rook er naar vernis, boenwas en generaties menselijk zweet. Jay
wees naar een lift en toen wij daarheen liepen ging alles ineens duizeling-
wekkend snel. De hal verdween onder mijn voeten, de lift leek naar boven
te schieten. Toen ik bij de negende verdieping uitstapte en probeerde Jay
naar een kantoor aan het einde van de hal te volgen, werd ik door duizelig-
heid bevangen. Ik vocht tegen de neiging naar de wand te grijpen, om bij
het lopen overeind te blijven. Lang voor ik eraan toe was, bevond ik me voor
een glazen deur met goudkleurige letters: 'Walter Mack, New York State
Attorney's Office'. Achter de deur brandde licht. Jay klopte tweemaal aan en
iemand riep: 'Binnen,' en we gingen de deur door. Ik verwachtte een recep-
tioniste, maar in plaats daarvan zag ik achter een bureau een man zitten die

mij aankeek. Walter Mack. Ik stak mijn hand uit, maar hij negeerde die en gebaarde ons te gaan zitten.

Ik was gekomen om te doen wat er van me verlangd werd en ik betrad de kamer in de verwachting daar een man te vinden die hetzelfde zou doen. Mack deed gewoon zijn werk, zou mijn vader hebben gezegd; hij had niets persoonlijks tegen me. De uitdrukking op zijn gezicht verdreef die illusie. De man die mij aankeek, straalde vijandigheid uit, dezelfde vijandigheid waarop ik eerder bij rechercheurs was gestuit. Hij stond op en liep om zijn bureau heen om op me neer te kijken. Met zijn een meter tweeëntachtig torende Macks magere gestalte boven me uit. Zijn gezicht was ruw en rood en werd bekroond met blond, dun wordend haar. Toen hij zijn mond opende om tegen mij te praten, zag ik dat zijn tanden scheef en verkleurd waren en heel even vroeg ik me af waarom hij daar nooit iets aan had laten doen. Zijn kleren waren goedkoop en zaten hem niet al te best. *Wordt die man niet fatsoenlijk betaald?,* dacht ik. Plotseling werd ik mij pijnlijk bewust van mijn eigen gemanicuurde nagels en mijn Italiaanse maatpak. Ik schraapte zenuwachtig mijn keel en wachtte totdat iemand iets zou zeggen.

Weer achter zijn bureau gezeten wendde Mack zich tot Jay en opende het gesprek: 'Wij geloven dat Al heel wat weet over zijn vaders zaken, heel wat meer dan hij ons vertelt.' Zonder op een antwoord te wachten keek hij naar mij en zei: 'Wij geloven dat hij in feite actief betrokken was bij alle aspecten van zijn vaders zaken.' Ik vond het raar dat hij over mij in de derde persoon bleef praten, alsof ik er niet bij aanwezig was.

Voordat mijn advocaat de kans kreeg te antwoorden, was Mack hem voor met: 'Wij zijn echter bereid bepaalde tegemoetkomingen te bespreken als uw cliënt mocht besluiten mee te werken.' En daarna ging hij verder met het uitleggen van het getuigenbeschermingsplan. Als ik alles wat ik over mijn vader wist wilde vertellen, zou de regering mij een nieuwe identiteit geven en ervoor zorgen dat ik me ergens kon vestigen waar de medewerkers van mijn vader me niet konden vinden. *Grappig*, dacht ik, *mijn vader wilde precies hetzelfde proberen met zijn verdwijntruc.*

Ik luisterde beleefd, terwijl Mack het aanbod van de overheid nader toelichtte. Er was geen sprake van dat ik het zou accepteren, maar ik wilde hem niet verder tegen me innemen door al meteen te weigeren. Het enige wat ik wist over het getuigenbeschermingsplan was mijn vaders beschrijving: 'De plek waar ratten heengaan nadat ze hun vrienden hebben verkocht.' Dat de overheid mijn veiligheid zou garanderen vond ik een lachertje. Ik wist dat als de maffia mij werkelijk wilde vinden, ze daar ook in zou slagen. In het middenwesten, waar hij me naartoe wilde sturen, zou ik als een vis op het droge leven. Bovendien heeft iedereen zijn prijs en ik had mijn leven lang ambtenaren gezien die op de loonlijst van de maffia stonden. Niemand kon mijn veiligheid garanderen. Mijn vader had zich dat zelf gerealiseerd met betrekking tot zijn eigen ontsnappingsplannen. Soms is er maar één uitweg: blijven en de gevolgen het hoofd bieden. Trouwens, ik zou dan de enige rol die mijn leven nog wat inhoud gaf laten vallen: die van beschermer van mijn moeder en mijn zusjes. Mijn vader was omwille van hun veiligheid gestorven. Er kon geen sprake van zijn dat ik hen in de steek zou laten.

Misschien nog wel het belangrijkst van alles was dat ik door informant te worden de levensles zou laten varen die mij ten diepste was ingeprent: nooit iemand verraden. Zelfs als dat betekent dat je moet boeten voor iets wat je niet gedaan hebt, zelfs als het je het leven kost, dat doe je niet. Ik geloofde tot in het diepst van mijn wezen in de traditionele gedragscode om te zwijgen. Ik had zelf geprobeerd wraak te nemen op de moordenaars van mijn vader, maar ik zou hen nooit aan de autoriteiten kunnen uitleveren. Zelfs als ik hen had willen beschuldigen denk ik niet dat ik de woorden over mijn lippen zou kunnen krijgen. Ik zou gestikt zijn bij de poging daartoe.

Eindelijk zweeg Mack, in afwachting van een antwoord, en ik liet het niet aan mijn advocaat over om te reageren: 'Nee, dank u, mijnheer Mack. Ik ben bang dat ik niet op dit aanbod kan ingaan.'

Zijn ogen vernauwden zich een moment en ik zag een ader kloppen aan de zijkant van zijn dunne nek. Zijn ruwe huid werd nog iets roder toen hij zich tot Jay wendde.

'Als ik u was zou ik uw cliënt aanraden dit aanbod te accepteren,' zei hij, alweer mijn aanwezigheid negerend. 'Als hij dat niet doet, zal hij zelf worden vervolgd.'

'Beschuldigt u mijn cliënt op dit moment van het een of ander?' vroeg Jay tamelijk uitdagend.

'Momenteel niet,' antwoordde Mack na een korte pauze. Vervolgens veranderde hij van tactiek en zei: 'Ik moet er echter op wijzen dat, als Albert niet wil getuigen, ik mij gedwongen voel zijn zusters te dagvaarden.' Hij

zocht in wat papieren op zijn bureau en vervolgde: 'Ik geloof dat zijn oudere
zuster Debra heet, niet? En Lisa, ja, Lisa wordt volgend jaar achttien, als ik
het goed heb.' Hij wist donders goed wanneer Lisa achttien werd. Mack leek
me het soort man dat de inhoud kende van elk vel papier dat op zijn bureau
lag. Terwijl ik van binnen mijn woede voelde opspelen, worstelde ik om me
te beheersen. Mijn angst was verdwenen; ik had me niet meer zo goed
geconcentreerd sinds mijn vaders begrafenis. Ik wist nu wat me te wachten
stond. Dit was oorlog. Ik wist hoe ik me in een oorlog moest gedragen.
Kalm blijven, Al, denk na, hoorde ik mijn vaders stem tegen me zeggen. *Blijf
letten op alles om je heen. Dat is de manier om te overleven*. Geen goedge-
bekte ambtenaar zou mijn familie te na komen. Ik zou dit spel tot het einde
toe spelen.

Terwijl mijn advocaat en de aanklager doorpraatten, taxeerde ik zwijgend
mijn tegenstander. Ik denk dat mijn beleefdheid hem nog het meeste irri-
teerde. In zijn ogen was ik een arrogante boef, ijskoud en uitdagend, en mijn
zorgvuldige beleefdheid leek hem een andere vorm van gebrek aan respect.
Steeds wanneer hij naar me keek, klopte de ader aan de zijkant van zijn nek
zichtbaar.

Het leek uren te duren voordat Mack ons liet gaan, met een laatste waarschuwing aan Jay dat zijn cliënt zorgvuldig moest nadenken over de gevolgen, als hij het grootmoedige aanbod van de overheid zou weigeren. Terwijl
wij de trappen van het gerechtshof afdaalden, ademde ik de koude winter-
lucht diep in en ik zei: 'Wat nu, Jay?'

'Ze zullen je waarschijnlijk dagvaarden voor een grand jury. Maak je geen
zorgen, Al. Ik zal er voor zorgen dat ze je immuniteit verlenen.' *Immuniteit
waartegen?* vroeg ik me af.

Mijn moeder of zusjes vertelde ik niets van wat er in het kantoor van
Walter Mack was voorgevallen. Toen Debra ernaar vroeg, zei ik alleen maar
dat hij me een paar vragen wilde stellen over de moord op vader. Ik wilde
haar niet bezorgd maken.

Het weer werd warmer naar het voorjaar toe en elke dag verwachtte ik
dat er weer een deurwaarder voor mijn neus zou staan, maar dat gebeurde
niet. Ik begon al te hopen dat de ellende voorbij was, dat de aanklager wist
dat zijn dreigementen onbetekenend waren. Over een paar maanden zou ik
de middelbare school afmaken en er waren bijna elk weekend feestjes. Ik

ging daar met mijn vriendinnetje naartoe en probeerde me te amuseren, maar het viel niet mee me te ontspannen. Tommy studeerde al aan de universiteit, maar Nick zou gelijk met mij examen doen. Het schoolbal was de grootste sociale gebeurtenis van dat semester en mijn vriendinnetje had er weken over gedaan om een beslissing te nemen over haar jurk en haar kapsel. Ik wist hoe belangrijk die speciale avond voor haar was. Ik bestelde een luxe auto en was van plan met Nick en Tommy en hun vriendinnen te gaan. Tommy was weliswaar al van school af, maar hij nam een meisje uit mijn klas mee. Die avond kwamen we allemaal bij mij thuis bijeen en het laatste wat we deden alvorens in de limousine te stappen, was naast elkaar op de stoep staan, zodat mijn moeder een foto van ons kon maken in onze feestelijke uitdossing. Wij waren allemaal te druk bezig met naar het vogeltje te lachen om te merken dat er een vreemdeling naderbij kwam.

'Albert DeMeo?' vroeg hij.

Meteen op mijn hoede antwoordde ik: 'Ja. Hoezo?'

Hij trok een enveloppe uit de binnenzak van zijn jas en wierp hem naar me toe. Hij schampte mijn borst en belandde op de stoep.

'Een dagvaarding,' grinnikte hij en liep de straat uit.

Ik voelde dat ik hevig bloosde, terwijl mijn vriendin naar me keek en zei: 'Al...?'

Tommy en Nick hadden hun vriendinnetjes al bij de arm genomen en hielpen hen in de limousine, weg van mij en de vernedering van dat moment.

Ik bukte me om de enveloppe op te rapen en probeerde mijn vriendinnetje gerust te stellen: 'Niets aan de hand. Ik moet alleen heel even naar binnen om een telefoontje te plegen. Daarna gaan we er vandoor.' Haar gezicht stond droevig, onzeker. Ik kuste haar op de wang. 'Het zit wel goed. Maak je geen zorgen. Ik bel even en dan gaan we feesten.'

Ik snelde de trap op, naar mijn vaders studeerkamer en belde Jay bij hem thuis. We spraken af dat ik de volgende ochtend naar zijn kantoor zou komen. Daarna ging ik terug naar de limousine en ik stapte in. De chauffeur trok op en ik vroeg: 'Wie wil er iets drinken?' Iedereen lachte van opluchting. De volgende zes uur dansten wij met de klas van 1984 in een countryclub de nacht weg. Volgens Tommy hadden we plezier. Ik herinner me er niets van.

Er was een datum vastgesteld voor mijn eerste verschijning voor de grand jury, waar het onderzoek naar Nino Gaggi en de Gemini Tweeling zich afspeelde. Jay legde me de gang van zaken zorgvuldig uit. Wij zouden naar het gerechtshof gaan waar ik naar een kamer zou worden gebracht waar een jury zat die bestond uit burgers uit alle lagen van de bevolking. Er zou geen rechter zijn en Mack zou daar optreden als aanklager voor het zuidelijke district van New York. Ik zou waarschijnlijk uitvoerig worden ondervraagd over mijn vaders zaken. Jay zei dat ik me bij alles wat ze me vroegen moest beroepen op het vijfde amendement, waardoor ik niet tegen mezelf hoefde te getuigen, behalve dan voor het vaststellen van mijn identiteit. Hij was er nog niet in geslaagd mijn immuniteit te waarborgen, maar hij was er zeker van dat de autoriteiten me die zouden aanbieden zodra het ze duidelijk werd dat ik zonder dat geen getuigenis zou afleggen.

De psychologische oorlog met de autoriteiten waarin ik terecht was gekomen, escaleerde gestaag. Sinds de avond van het bal kwamen de surveillancewagens weer in groten getale opdagen. Toen de datum van mijn verschijning voor de grand jury naderde, begon zich een aantal vreemde incidenten voor te doen. Het begon met mijn autoradio, die op een parkeerterrein gestolen werd toen ik met mijn vriendinnetje in de bioscoop zat. Omdat we op weg daarheen gevolgd waren, liep ik naar de surveillanten om te vragen of zij iemand hadden gezien die aan mijn auto had geknoeid. Ze zeiden dat ze niet wisten waar ik het over had. Ze hadden niemand in de buurt van mijn auto gezien. Ik schonk niet al te veel aandacht aan het voorval, totdat een paar avonden later, terwijl ik met Tommy en Nick in een restaurant zat te eten, het schuifdak van mijn auto werd gestolen. Weer een paar dagen later ging ik op een ochtend naar de achtertuin en ontdekte dat de hoes van mijn speedboot verdwenen was, terwijl de boot aangelijnd lag aan de drijvende steiger achter het huis. En toen ik ten slotte op de ochtend dat ik moest gaan getuigen naar de oprit liep, trof ik mijn auto aan met vier lekke banden. Al deze incidenten deden zich voor terwijl de overheid mij voortdurend in de gaten hield. Ondanks hun alomtegenwoordigheid beweerden alle agenten niets te hebben opgemerkt. Een van hen suggereerde dat mijn 'maffiavriendjes' het wel gedaan zouden hebben. Dat was een belachelijk idee. Ik wist dat de maffia hier niets mee te maken had. Als die mijn getuigenis wilde beïnvloeden zou ik rechtstreeks bedreigd worden, of veeleer gedood. Bovendien wist ik dat Jay ze had doorverteld dat ik niet tegen hen zou getuigen. Dat was immers de belangrijkste reden waarom ik hem had ingehuurd.

Het systeem van de grand jury is in zijn geheel gericht op intimidatie. Om te beginnen mogen de advocaten niet mee in de jurykamer, zodat iedere deelnemer, getuige of beschuldigde, in zijn eentje de jurykamer binnengaat. De eerste keer dat ik mijn getuigenis ging afleggen was ik hier niet voor gewaarschuwd. Jay lichtte me pas in bij de deur van de jurykamer toen ik daar die ochtend naar binnen ging. Ik reageerde ontsteld: 'Ga je niet met me mee?' 'Nee,' antwoordde hij. Ik kon de kamer verlaten op elk moment dat ik met hem wilde overleggen, maar hij mocht niet met me mee naar binnen. Ik was van slag door deze onverwachte gang van zaken. Zelfs de deur die de gerechtsdienaar mij wees om naar binnen te gaan was intimiderend. Hoog en zwaar, met het zegel van de staat New York aan de buitenkant, straalde hij gezag uit. Ik voelde me plotseling heel kleintjes toen ik hem openduwde en naar binnen liep.

In de kamer zaten aan weerskanten van mij juryleden op gelaagde banken die er uitzagen als tribunes. Ik liep naar een tafel recht voor me en ik was me er pijnlijk van bewust dat zo'n honderd paar ogen op mij neerkeken, op de zoon van de gangster. De gezichten boven me vertegenwoordigden een doorsnede van New York City: mannen en vrouwen, oud en jong, arm en rijk, zwart, bruin en wit. Ik kreeg het onwezenlijke gevoel dat de hele stad er was. *Wat zagen ze als ze naar mij keken?*, vroeg ik me af. Ik had me voor de gelegenheid zorgvuldig gekleed, in een klassiek pak met een das, schoenen gepoetst en haren gekamd. Maar niets kon mij er doen uitzien als de bange tiener die ik in werkelijkheid was. Ik wist dat de jury zag wat de autoriteiten zagen als ze naar mij keken: de maffioso in wording, de miniatuurversie van mijn vader. Het masker van bravoure dat ik opzette om me hier doorheen te helpen, maakte het alleen maar erger, maar ik had nu eenmaal geen ander masker.

Er werd me een stoel gewezen aan het einde van een lange, zware houten tafel. Mack zat aan het andere eind en leek zich kilometers verder te bevinden. Na een lange stilte waarin ik mijn handen voelde trillen, begon hij met het verhoor. Zijn vragen stelde hij langzaam, bedachtzaam, met veel herhalingen. Nadat mijn naam en adres gecontroleerd waren begon ik mij op het vijfde amendement te beroepen: 'Ik weiger, met alle verschuldigde respect, deze vraag te beantwoorden, op basis van het feit dat ik daarmee mezelf kan beschuldigen.' Als een getuige zich vier of vijf keer achtereen op het vijfde amendement beroept, schorst de aanklager gewoonlijk de ondervraging, in afwachting van een rechterlijke uitspraak. Mack schorste niets. Hij bleef me vragen stellen.

'Wat was het beroep van je vader?'

'Ik weiger, met alle verschuldigde respect...'

'Ken je een bar met de naam Gemini Lounge?'

'Ik weiger, met alle verschuldigde respect...'

'Ken je een man die Anthony Gaggi heet?'

'Ik weiger, met alle verschuldigde respect...'

Na een tijdje fluisterde hij iets tegen zijn gerechtsdienaar, die langs de eindeloze tafel naar mij toe liep en twee foto's voor me neerlegde. De ene was een foto van mijn vader, lachend naar de camera, de andere een kiekje van mijn vader en mij toen ik klein was. *Waar hadden ze die foto's vandaan?* Mack ging door met het stellen van vragen, zonder het over de voor mij liggende foto's te hebben. De gerechtsdienaar keek naar Mack, die terloops knikte en doorging met praten, terwijl de man begon andere foto's in een halve cirkel rond de lachende kiekjes van mij en mijn vader neer te leggen. Dit waren politiefoto's, genomen naar aanleiding van de moord op mijn vader. Een stuk of tien foto's, genomen vanuit verschillende posities, waarop hij verwrongen in zijn eigen bloed in de kofferbak van onze auto lag. Er waren close-ups bij van zijn gezicht en handen, waar de kogels waren ingeslagen. Die foto's had ik nooit eerder gezien. Terwijl ik mijn vuisten balde om het trillen tegen te gaan, hoorde ik Mack vragen: 'Wie heeft jouw vader vermoord, Albert?'

De gezichten van de Gemini Tweeling, die mij in het donker hadden aangestaard onder hun bivakmutsen, flitsten voor mijn ogen. Dit is oorlog, Al, oorlog, hield ik me voor. Ik rukte mijn ogen los van de foto's en ontmoette de blik van Mack.

'Ik weiger, met alle verschuldigde respect...'

De gerechtsdienaar liep terug naar het einde van de tafel en ging weer zitten, terwijl Mack van aanpak veranderde door het stellen van een serie onschuldigere vragen.

'Wie heeft je moeder ingehuurd om haar huis te behangen?'

Waar had hij het over? De behanger? De minuten sleepten zich voort. Na nog een knikje van de aanklager hervatte de gerechtsdienaar de reis naar de kant van de tafel waar ik zat. Hij begon nieuwe foto's rond de politiefoto's van mijn vaders lichaam te leggen: Anthony, Joey, Nino, Freddy in zijn raceauto, nog een familiekiekje van mijn vader. Terwijl de man ze een voor een neerlegde vroeg Mack me: 'Herken je de persoon op deze foto?' Ten slotte legde de gerechtsdienaar een kiekje neer van de bende bij het verlaten van de Gemini. 'Wie heeft je vader vermoord, Albert?'

Dat ging zo de hele dag door. Er was een korte lunchpauze en daarna begon het weer van voren af aan. Nog meer vragen, dezelfde vragen in andere bewoordingen herhaald, nog meer foto's. Sommige waren van mensen die ik nooit eerder had gezien; andere kwamen me vaag bekend voor. Een in het bijzonder trok mijn aandacht. Mijn eerste gedachte was: 'Dat is Freddy.' Toch leek hij niet op Freddy. De gelaatstrekken waren anders. Plastische chirurgie? Jay had me verteld dat Freddy al ergens anders was ondergebracht in het kader van het getuigenbeschermingsplan. Mijn gevoel zei me dat het Freddy DeNome was, maar ik wist het niet zeker. Andere foto's waren hoogst schokkend. Mij werd een serie moordscènes getoond, onbekenden met verminkte lichamen, hun dode gezichten misvormd. Stukje bij beetje werd voor mijn ogen een mozaïek van gruwelen samengesteld. Terwijl deze politiefoto's op tafel werden gelegd, kwam Mack om ze aan te wijzen zo dicht bij me staan, dat ik zijn adem voelde. Ik rook zijn haat toen hij me vroeg de slachtoffers op de foto's te identificeren. Hij was ervan overtuigd dat ik wist wie ze waren, maar ik raakte bij elke vraag meer in de war. *Wie waren deze mensen? Wat hadden zij met mijn vader te maken?* Na wat mij meerdere levens toescheen mocht ik voor die dag gaan. Heel mijn lichaam was gevoelloos. Ik had me vaker op het vijfde amendement beroepen dan ik me kan herinneren.

De volgende ochtend belde Mack met Jay om mij immuniteit aan te bieden. Een paar dagen later, toen de administratieve rompslomp voltooid was, keerde ik terug in de jurykamer voor mijn tweede verhoor. De vragen en de foto's waren een herhaling van mijn eerdere getuigenis. Mijn antwoorden waren beleefd, vaag en lieten zo weinig mogelijk informatie los. Ik identificeerde leden van de bende als 'vrienden van mijn vader', maar ik zei dat ik

niet wist wat ze voor de kost deden. Ik realiseerde me al snel dat Mack probeerde mij te verleiden tot tegenstrijdige antwoorden, door telkens weer
dezelfde vraag anders te stellen, door me in verwarring te brengen, of me
zodanig te frustreren dat ik iets zou zeggen waarop ik niet was voorbereid.
Steeds wanneer ik me onzeker voelde, vroeg ik naar Jay te mogen gaan en
maakte ik de lange wandeling naar de deur onder de ogen van de juryleden.
Buiten in de hal overlegde ik met mijn advocaat, daarna ging ik de kamer
weer binnen. Steeds wanneer ik de deur opende, werd hij een beetje
zwaarder. Tegen de tijd dat ze mij eindelijk lieten gaan, voelde ik me een
oude man. Het was voorbij, zei Jay tegen me. Maar ik wist inmiddels dat het
nooit voorbij zou zijn.

Ik studeerde met de rest van mijn klas af en mijn moeder en zusjes waren
erbij om te glimlachen en me het beste te wensen. Ik dwong me terug te
lachen en het deed me pijn toen ik zag dat klasgenoten hun vaders omhelsden en naar idealistische toespraakjes luisterden waar ik me niet bij betrokken voelde. Onze buurman, de effectenmakelaar, regelde een zomerbaantje
voor me in de financiële wijk. Het was een vriendelijk en moedig gebaar van
hem, want het stigma van de moord op mijn vader had ons in vrijwel de hele
buurt tot paria's gemaakt. Ik werkte hard die zomer en in september begon
ik college te lopen aan de St. John's University in Queens, met bedrijfseco-
nomie als hoofdvak. Het was een prachtige kleine campus, vol historische
gebouwen en hoge oude bomen, nog steeds bestuurd door de priesters die
hem hadden opgericht. Toch voelde ik me zelfs daar niet veilig. Op een ochtend, nog maar een paar weken in het eerste semester, zag ik de professor
naar de deur kijken en hij vroeg een beetje onzeker: 'Kan ik u van dienst
zijn?' Ik draaide me met de rest van de klas om en zag twee mannen in de
deuropening staan. Mijn keel werd toegeknepen. Federale agenten.

'Wij zijn op zoek naar Albert DeMeo,' zei een van de mannen, terwijl
zijn ogen het lokaal afzochten.

Ik was al op de been voordat hij zijn zin had afgemaakt. Zo snel mogelijk naar de hal lopend mompelde ik iets tegen de professor, iets over zonder
mij doorgaan. Hij ging door met zijn college en ik verdween in de hal. Een
van de agenten zei: 'Meneer Mack wil je zien, Albert. Hij heeft nog een paar
vragen.'

'Even mijn advocaat bellen,' was mijn enige reactie. Ik haalde kalmpjes mijn boeken op in het lokaal, belde Jay op en ontmoette hem in de stad. Ik wilde deze beproeving geen minuut langer dan nodig laten duren.

Twee weken daarna gebeurde het weer. En daarna nog een keer. Mijn medestudenten begonnen me nieuwsgierig te bekijken en ik hoorde hen fluisteren als ik voorbijliep. Tegen het einde van mijn eerste semester ontbood de decaan me in zijn kantoor. Ik ging gelaten naar binnen en verwachtte het ergste, maar het gezicht dat het mijne van boven zijn priesterlijke boord bestudeerde, keek bezorgd. 'Al, je professoren hebben me bericht dat jij al verscheidene keren uit de collegezaal bent gehaald door mannen die waarschijnlijk overheidsdienaren zijn. Is er iets aan de hand? Is er iets waarmee ik je kan helpen?'

'Dank u meneer, maar er is niets dat u kunt doen. Het is een familiezaak.'

'Wil je dat ik iemand zoek om je bij te staan?'

'Nee, dank u, ik red het wel.'

Hij keek me nadenkend aan, verrast, maar hij wilde niet verder aandringen. Ten slotte zei hij: 'Goed, je kunt gaan. Als je van mening verandert, weet je waar je me kunt vinden.'

Hij kon niets doen. Niemand kon iets doen om mij te helpen. Ik was een klein onderdeeltje van een wijdvertakt strafrechtelijk onderzoek. Ik begreep de beweegredenen voor de gerechtelijke onderzoeken. Wat me stoorde waren de methoden die ze toepasten om ze rond te krijgen. Het was eenvoudigweg Machiavelli: het doel heiligt de middelen. Doe wat je moet doen om die mensen achter de tralies te krijgen, het maakt niet uit hoe meedogenloos en onrechtvaardig je het aanpakt. De maffia was tenminste eerlijk in zijn manier van aanpak. De overheid daarentegen verschool zich achter een masker van vroomheid. Het getuigenbeschermingsplan, ontworpen als een manier om de onschuldigen te beschermen, was verworden tot een pensioenplan voor gangsters, mannen die vaak slechter waren dan de verdachten tegen wie zij getuigden. Sammy 'The Bull' Gravano was het meest dramatische voorbeeld. Niet alleen was hij verantwoordelijk voor tientallen maffiamoorden, ook paradeerde hij ijdel als een pauw de rechtszaal binnen en schepte er voor de ogen van de verbijsterde toeschouwers zonder enig vertoon van berouw over op. De lokale kranten hadden het over niets anders. En toen hij klaar was met zijn getuigenverklaring ging hij met vervroegd

pensioen, met de complimenten van de federale regering. Het enige crite-
rium voor het getuigenbeschermingsplan was kennelijk de bereidheid te
zeggen wat de overheid wilde dat je zei. Het scheen niet uit te maken of het
waar was, zolang het een aanklager maar zijn gewenste veroordeling opleverde. In sommige gevallen wist ik dat bepaalde informanten logen en ik zag
een vriend van de familie naar de gevangenis gaan voor iets wat hij niet had
gedaan. Zijn enige misdaad bestond eruit dat hij een kennis van mijn vader
was. Zijn straf zat mij vreselijk dwars, omdat ik wist dat ik hem kon vrij-
pleiten. Maar om dat te doen zou ik er verscheidene andere mensen bij moeten lappen en dat wilde ik niet. Tot op de dag van vandaag vraag ik me af of
ik de juiste beslissing heb genomen.

De druk op mij om te praten liet niet af. Meestal begreep ik niet eens wat
ze me wilden laten zeggen. Veel van de namen die ze me voorlegden had ik
nooit eerder gehoord, en ook als ik wel zo'n naam of voorval herkende, was
mijn kennis uiterst beperkt. Ik had mijn leven lang in de sociëteiten en de
Gemini onsamenhangende stukjes en beetjes gehoord, maar behalve de
incasso's had mijn vader me nooit iets over de dagelijkse gang van zijn zaken
verteld.

Verstandelijk begreep ik dat ik gevangen zat in een proces dat over veel
belangrijker zaken ging dan om mijn persoon. Mijn verschijning voor de
grand jury was slechts een klein onderdeel van een wijdverbreid, ingewik-
keld onderzoek. De hoofden van alle vijf de New Yorkse misdaadfamilies
werden onder Giuliani's leiding systematisch vervolgd. Niets van deze
omvang was ooit eerder gebeurd. Tijdens mijn tweede jaar op college was
Paul Castellano vermoord, nog net op tijd om te vermijden dat hij levenslang de gevangenis in zou gaan. Het jaar dat ik afstudeerde werd John Gotti,
een van mijn vaders eerste zakenpartners en de man die Castellano had vermoord, na zijn arrestatie een medialieveling. De maffia was niet alleen verwond, maar ook kreupel; de macht die zij ooit bezat, was voor altijd geknakt.
Wat er van mijn vaders wereld was overgebleven, werd door de wijdver-
breide vervolgingen in die jaren weggevaagd.

Langzamerhand werd een oprukkend gevoel van wanhoop mijn dagelijkse metgezel. De hartstocht en hardnekkigheid van de nog steeds voortdurende federale onderzoeken achtervolgde al mijn schreden, letterlijk en
figuurlijk. Ik had mijn vader begraven, maar zijn nalatenschap kon ik niet

begraven. Mijn zusjes, tijdens zijn leven behoed voor kennis over de andere identiteit van hun vader, bleven daar ook na zijn dood voor behoed. Walter Mack deed zijn dreigementen hen te dagvaarden niet gestand en ik vertelde hen nooit iets over mijn eigen verschijning voor de grand jury. Ik liet ze geloven dat de voortdurende gerechtelijke interrupties verband hielden met het onderzoek naar de moord op onze vader. Debra studeerde met lof af aan de universiteit en trouwde, zette haar carrière als textielontwerpster in de wacht om kinderen te krijgen in een huis op een paar kilometer afstand van waar wij waren opgegroeid. Mijn jongere zusje verliet de middelbare school met lof en ging eveneens naar de universiteit.

Tijdens mijn eerste jaar op de universiteit verkocht moeder het huis dat mijn vader aan de waterkant had gebouwd en ze verhuisde naar een nieuwe buurt. Ik wist dat ze wanhopig probeerde aan het verleden te ontsnappen, een nieuw leven te beginnen, vrij van de druk en de ellende van de laatste jaren. Ik kocht een appartement op een paar kilometer afstand van mijn oude middelbare school.

Voor mij persoonlijk was de tol voor deze jaren enorm. De relatie met mijn vriendinnetje van de middelbare school was geen lang leven beschoren. Ervan overtuigd dat ik niet lang genoeg zou overleven om te trouwen en kinderen te krijgen, leefde ik als een veroordeelde. Omdat ik niet in staat bleek te zijn aan het stigma van mijn vaders maffia-imago te ontsnappen, begon ik het te koesteren. Overdag liep ik college of werkte ik, maar 's avonds werd ik een maffioso. Ik stapte winkels binnen en bestelde alles wat ik op de planken zag, alleen maar om te bewijzen dat ik dat kon. Ik vulde mijn appartement met dure meubels en alle dure technische gadgets die voor geld te koop waren. Ik overlaadde mijn vrienden met meer luxe dingen dan ze wilden of konden gebruiken. In het weekend trok ik net als in vroeger dagen per limousine Manhattan in, de zetels gevuld met meisjes voor mij en mijn vrienden en de ijsemmers volgepropt met flessen champagne.

In restaurants kreeg ik nog steeds de beste tafeltjes aangeboden door mensen die zich mijn vader herinnerden of die hoopten iets te vangen van de bundels geld waar ik mee smeet. In het weekend dronk ik me lam en werd ik vaak midden in de nacht wakker om een naakte onbekende in mijn bed te vinden. Ik kon me niet herinneren wie die vrouwen waren en dat interesseerde me ook niet. Het enige waar het om ging was dat ik niet alleen was. Mijn grootste angst was nuchter en alleen zijn.

Kerstmis 1987 was een van de grootste dieptepunten. Geïsoleerd en te gedeprimeerd om de uitnodiging van mijn zusje voor een etentje met haar en haar echtgenoot te aanvaarden, zat ik op kerstavond alleen in mijn appartement naar de tv te staren en te drinken om me de geesten van voorbije kerstvieringen van het lijf te houden. De deurbel klonk en ik moest me goed concentreren om door de nevels heen naar de deur te laveren. Ik deed het buitenlicht aan en opende de deur. Daar stond Debra, met in haar armen een acht weken oude Rottweiler met een grote, rode strik rond zijn nek. Met betraande ogen drukte Debra de pup in mijn armen en zei: 'Gelukkig kerstfeest, Al. Ik dacht dat je wel een vriend kon gebruiken.'

Ik sloeg mijn armen om haar heen en hield haar een ogenblik vast, terwijl de pup kronkelde in mijn armen.

'Weet je zeker dat je niet wilt komen dineren? Het is nog niet te laat.'

'Nee, het is goed zo. Ik blijf liever hier.'

Ze knikte met een bezorgde blik en zei dat ze weer naar huis ging. Ik wenste haar een gelukkige kerst en toen ze het pad afliep naar haar auto riep ik haar achterna: 'Ik houd van je, Deb.' Ze glimlachte mat en wuifde naar me toen ik de pup mee naar binnen nam om iets te eten voor hem te zoeken. Ik noemde hem Luca, naar Don Corleones meest vertrouwde adjudant in *The Godfather*. Hij werd mijn beste vriend.

Ik begreep niet wat er met me aan de hand was. Sinds de dag dat ik naar het lijkenhuis was gegaan om mijn vaders lichaam te identificeren had ik niet één keer gehuild. Ik wist alleen maar dat ik de pijn moest doden, zelfs als dat vergetelheid betekende. Vaak verlangde ik 's nachts naar de dood; het zou een opluchting zijn om alles achter me te laten. Mijn vader had de dood gekozen. Ik verdiende niet beter. Ik heb er geen idee van hoe ik die jaren heb overleefd. Ik zou ze niet overleefd moeten hebben.

Tijdens mijn laatste jaar op de universiteit deed zich iets voor dat op dat moment nauwelijks van belang leek. Mijn moeder ontving een brief van een misdaadverslaggever, Jerry Capeci genaamd, die vroeg haar te mogen interviewen voor een boek waaraan hij meeschreef. Een deel van het boek zou ook aan mijn vader gewijd zijn en hij hoopte dat zij hem van wat persoonlijke informatie over de familie wilde voorzien. Ze belde me op over de brief en ik zei haar dat ik het wel zou afhandelen. Ik liet haar advocaat antwoorden met een beleefde weigering namens de familie om aan het project deel te nemen en daarna vergat ik het totaal. Het leek niet voor de hand te liggen dat mijn vaders autodiefstalonderneming veel aandacht zou trekken in een boek over de maffia, wanneer huurmoordenaars als Sammy the Bull nog steeds en met grote regelmaat de krantenkoppen haalden.

De belangrijkste gebeurtenis waarmee dat jaar werd afgesloten was mijn laatste verschijning voor een grand jury. Ik had inmiddels mijn banden met Jay Silverstein verbroken. Nu de meesten van mijn vaders oude bende dood of gevangen waren en omdat ik een staat van dienst had waaruit mijn onwil om informatie los te laten bleek, was de dreiging van een aanslag van de maffia op mij minimaal geworden. Ik had me nu gewend tot een gevestigd jurist, een man die mijn vader had vertegenwoordigd wanneer het over onroerend goed en andere aspecten van zijn wettige zaken ging. Greg werd alom gerespecteerd, was bekwaam en vrij van maffiabanden en ik wilde me uit alle macht losmaken van het imago dat mijn maffia-advocaat in de rechtszaal had geprojecteerd. Greg zocht en verkreeg een verlenging van mijn immuniteitsovereenkomst alvorens hij me toestond als getuige te verschijnen. Dit keer was ook mijn moeder gedagvaard, maar zij mocht al na twintig minuten weer gaan. Toen haar vragen werden gesteld over vaders zaken beriep zij zich op haar privileges als echtgenote. Omdat zij er ook werkelijk niets vanaf wist, liet men haar al snel gaan.

Op de avond voor mijn laatste getuigenverklaring voor de grand jury dineerde ik, na een lange dag van voorbereiding met mijn advocaat, met een vriend in The Palm, in Manhattan. Ik zat aan tafel en ontspande me net met een drankje, toen ik opkeek en een bekend gezicht zag. Daar zat Anthony Senter, een van de Gemini Tweeling, slechts vier tafels van ons verwijderd. Ik kon niet geloven dat mijn verleden me nog steeds achtervolgde. Hij was op borgtocht vrij, in afwachting van het onderzoek waarvoor ik als getuige moest optreden. Ik had hem niet meer persoonlijk ontmoet sinds de avond dat hij me van de weg reed en me met de kolf van zijn pistool had neergeslagen. Een paar seconden nadat ik hem had opgemerkt zag hij mij. Hij wendde meteen zijn blik af, alsof hij me niet had gezien. Ik vouwde mijn servet op, verontschuldigde me en wandelde naar Anthony's tafel. Daar bleef ik even staan en zei toen: 'Ha, die Anthony, alles kits?'

Hij keek zonder te antwoorden naar me op, wit als een laken. Hij wist toen al dat ik ervan op de hoogte was dat hij medeplichtig was aan de moord op mijn vader. Ik stond daar en keek op hem neer. Duizend herinneringen flitsten door mijn hoofd, tot en met mijn vaders gezicht in het lijkenhuis, zijn oog uit zijn hoofd geschoten door de man hier voor mij. Een ogenblik bekroop me de overweldigende impuls het vleesmes van de tafel te pakken en recht in Anthony's hart te steken. De woorden *ik had jou zelf moeten doden* gingen door mijn gedachten. Ik zei ze niet hardop. In plaats daarvan zei ik tot ziens en ging ik terug naar mijn tafel. Een paar minuten later verliet hij het restaurant.

De volgende dag ging ik de jurykamer binnen en identificeerde Anthony alleen maar als mijn vaders vriend, een zakenpartner die ik als kind in de Gemini had gezien. Terwijl ik die verklaring aflegde, bonsde mijn linkerslaap, en de botbreuken die Anthony had veroorzaakt waren nog steeds pijnlijk als ik onder spanning stond. Aanklagers hielden me die hele dag op de getuigenbank en herhaalden mijn eerdere verhoren, maar toen ze me eindelijk lieten gaan, deden ze dat zonder waarschuwingen of insinuaties. Na met alle betrokken partijen te hebben overlegd vertelde Greg me dat mijn lange, wettelijke beproeving eindelijk voorbij leek te zijn. De aanklager was niet van plan me nogmaals te dagvaarden. Een paar maanden later las ik in de krant dat zowel Anthony als Joey Testa waren veroordeeld tot drie maal levenslang voor de moord op mannen van wie ik nog nooit had gehoord. Ik heb ze nooit meer gezien.

elf

De afgrond

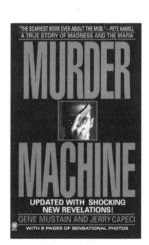

Moordmachine

Blind,
Als een die de slaap overvalt als in onmacht,
Strompelde ik de duisternis in en ging naar beneden.

DANTE, De hel

Vanaf mijn zevende jaar had ik elk wakker moment doorgebracht met leren hoe ik moest leven in een wereld die tegen de tijd dat ik drieëntwintig jaar oud was, toen ik voor de laatste keer uit een rechtzaal stapte, had opgehouden te bestaan. In zekere zin had hij eigenlijk nooit bestaan. De onderwereld is evenzeer een product van fantasie als van de een of andere werkelijkheid, zelfs in de beleving van degenen die zich erin ophouden. Op het witte doek is het leven van de maffioso verlokkelijk en opwindend, gevuld met gevaar en vurige, donkerogige vrouwen. In de echte wereld is de gangster een uitgeputte man van middelbare leeftijd, die vroeg in de ochtend thuiskomt bij een gedesillusioneerde vrouw en de voerbak van de hond die moet worden schoongemaakt. De glimmende, kastanjebruine Cadillac is het imago. Het bevroren lichaam in de kofferbak is de werkelijkheid. Ik was in die schijnwereld nooit een actieve medespeler geweest, maar mijn bestaan werd zo lang als ik me kon herinneren in zijn baan meegesleurd. Hoe illusoir ook, het bleef de enige wereld waarin ik wist hoe te functioneren.

Ik overleefde door het aanvaarden van het hedonisme van een bestaan waarin elke dag boven de grond een goede dag is. Elke maaltijd was mijn laatste maaltijd. Ik leefde elk moment op de rand van de dood, verslaafd aan de adrenalinestoot die je doet overleven. Mijn vader had me opgevoed om soldaat te worden en ik had vijftien jaar lang klaargestaan voor de strijd. Wat gebeurt er met soldaten als de oorlog voorbij is? Ze worden losgelaten in een wereld waarop niemand ze heeft voorbereid. Toen mijn vaders oorlog eindelijk voor mij voorbij was, had ik er geen idee van wat me nu te doen stond.

Overal om me heen veranderde de wereld. Mijn vriend Nick was al getrouwd en spoedig daarna vond Tommy een baan en verhuisde hij naar een andere staat. Een voor een begonnen mijn medefuifnummers aan een carrière; ze verhuisden of stichtten een gezin. Met mijn zusjes ging het goed, zij waren gelukkig en leidden een zinvol en bevredigend leven. Ik had mijn moeder geholpen aan een huis in de buurt van mijn oudste zusje, zodat ze haar kleinkinderen zo vaak ze wilde kon bezoeken. Na de lange worsteling liet ik mijn oude leventje achter me. Ik was eindelijk vrij om te doen wat ik voor mezelf wilde.

Ik had geen flauw idee waar ik moest beginnen. Daarom deed ik het enige waarin ik altijd al goed geweest was: ik speelde een rol. Dit keer was het niet de rol van maffioso. Het was die van een succesvolle, jonge zakenman, een eerzaam burger. Ik besloot mijn oude identiteit voor altijd af te schudden en aan een door mezelf ontworpen getuigenbeschermingsplan te beginnen. Na vijf zomers op Wall Street te hebben gewerkt, onder begeleiding van mijn vroegere buurman, begon ik een carrière op de aandelenmarkt. Daar, los van de oude buurt en mijn vroegere klasgenoten, kon ik mezelf opnieuw uitvinden als een succesvol effectenmakelaar.

Het lukte me werk te vinden in het financiële district en ik wist me al snel omhoog te werken door een baan op de vloer van de New York Stock Exchange. De intensiteit, de snelheid, de hoge inzetten op de beurs gaven me een adrenalinestoot die ik niet meer gevoeld had sinds de dagen met mijn vader en daar was ik blij mee. Dit keer was de stoot die ik voelde legaal en zelfs winstgevend. Zo nu en dan voelde ik een geest over mijn graf lopen, als ik iets uit mijn verleden terugvond in een krantenartikel. Op een zondag berichtte de *Post* dat Nino Gaggi na een hartaanval in een gevangenisziekenhuis was overleden. Een paar maanden later las ik dat Freddy DiNome, een half continent verder weg, opgehangen was gevonden in een hotelkamer. De politie dacht aan zelfmoord. Dat vroeg ik me af. Was mijn vaders oudste vriend aan wanhoop ten onder gegaan, of was het getuigenbeschermingsprogramma tekortgeschoten? Waar had het allemaal toe geleid, al die jaren? Al wat restte was armoe, gevangenschap en dood.

Ik bleef in contact met Tommy en Nick, maar ik ontwikkelde nieuwe vriendschappen in het financiële district, waar niemand van mijn verleden of mijn vaders banden met de maffia afwist. Toen ik een mooi jong meisje ontmoette, dat haar studie bekostigde door als serveerster te werken, werd ik op slag verliefd. Carrie was precies het soort vrouw dat ik altijd had bewonderd: hardwerkend, met beide benen op de grond, een heldere kijk op wat ze van haar leven wilde maken. Ik begon haar het hof te maken en vertelde haar niet meteen over mijn vader, maar ik voelde me verplicht haar iets daarvan te doen weten voor ik haar ten huwelijk vroeg. Op een avond zaten wij over onze families te praten en ik vertelde dat mijn vader voor de maffia een autodiefstalorganisatie had geleid en dat hij vele jaren eerder was vermoord. Zij reageerde vol begrip, maar stelde voor dat we deze informatie voor ons zouden houden en daarna veranderde ze snel van onderwerp. Ik kwam er niet op terug. We trouwden in 1991, een plechtig huwelijk in de kerk, in het bijzijn van onze familie en vrienden. Mijn familie was dolblij voor mij, Carries familie was verheugd dat zij met een zo veelbelovende jongeman trouwde. Alleen Tommy had zijn bedenkingen; hij was bang dat ze meer in mijn nieuwe imago dan in mijzelf geïnteresseerd was. Dat maakte me niet uit, ik hield van mijn nieuwe imago.

Een tijd lang leek alles prima te gaan. Maar het is iets geks met het verleden. Hoe meer je je best doet het achter je te laten, hoe vasthoudender het je op de hielen zit. Ik was dan wel bereid mijn verleden los te laten, maar dat was niet wederzijds.

Het begon onschuldig genoeg, met een opleving van belangstelling voor maffiafilms. De onthullingen van Sammy Gravano en het sensationele proces en de veroordeling van John Gotti ontketenden een artistieke wedergeboorte van de maffia. De derde *Godfather*-film werd uitgebracht, kort daarna gevolgd door *GoodFellas*, de ultieme lofzang op maffiosi. Daarna, door een maf toeval, werd mij op de beurs een plaats toegewezen naast een man met een heel eigen obsessie voor de maffia. Onbekend met mijn persoonlijke geschiedenis schepte hij voortdurend op dat zijn zoon de chauffeur was van de nieuwe *don* van een New Yorkse misdaadfamilie. Ik werd onthaald op eindeloze beschrijvingen van de misdaden waarvan zijn zoon op de hoogte was en de belangrijke gangsters waarmee zijn zoon door de stad toerde. Elke dag weer, als hij zijn verhalen aan een bewonderende kring van mijn collega's opdiste, verbaasde ik me over 's mans adembenemende stompzinnigheid. Als er ook maar een vleugje waarheid school in wat hij vertelde, stelde hij door alle hem bekende details rond te bazuinen zijn eigen leven en dat van zijn zoon bloot aan gevaar van zowel de zijde van de maffia als van de wet.

Mijn rollenspel functioneerde een tijdlang naar behoren. Mijn oude identiteit bleef verborgen. Elke ochtend nam ik de trein van Long Island naar Manhattan, ik dronk een kop koffie onder de hoog oprijzende arcade bij de uitgang van Wall Street, kocht de *Wall Street Journal*, om die te lezen terwijl mijn schoenen werden gepoetst en ik voegde me bij mijn collega's op de beursvloer. 's Avonds nam ik de trein terug naar Long Island, stapte in de auto waarmee Carrie me opwachtte en begroette mijn mooie vrouw met een zoen. Dat was voor mij het beste moment van de dag. Ik hield van haar geur. Wij reden dan samen naar de rust van ons welgelegen huis in de voorstad, waar Luca ons in extase bij de voordeur opwachtte. In de jaren sinds Debra hem bij mij aan de deur had afgeleverd, had hij zich van een kronkelende, onhandige pup ontwikkeld tot een bijna zeventig kilo zware bonk van stevige spieren, maar hij was lief en aanhankelijk als voorheen. Ik had op ongeveer een kilometer afstand van mijn oudere zusje een huis van twee verdiepingen laten bouwen, een kleinere versie van ons oude huis aan het water, inclusief marmeren vloeren en kristallen kandelaars. 's Nachts, als Carrie in mijn armen sliep, verwonderde ik me vaak over de plek waarheen het leven mij had gevoerd.

Ik was zelden gelukkig, maar ik was veilig en dat volstond. Ik kocht juwelen voor Carrie en liet haar het huis inrichten, tevreden met haar opgetogenheid. Ik was nog steeds een zware drinker, maar beperkte het drinken tot de late uurtjes. Als ik naar mijn werk ging, was ik altijd nuchter. Carrie begreep niets van mijn voortdurende slapeloosheid, of de nachtmerries die me ergens tussen een en vier uur 's nachts naar de fles deden grijpen, maar het viel haar tamelijk gemakkelijk dit te negeren, zolang ik maar bleef functioneren. De mensen in mijn nieuwe leven zagen mijn met veel inspanning opgebouwde façade en hielden die voor echt. Zowel mijn buren als mijn collega's mochten me en respecteerden me. Er kwamen dagen dat het vroegere leven met mijn vader zelfs in mijn eigen ogen onwerkelijk leek: een bizar, denkbeeldig bestaan, dat alleen maar onder de invloed van de nacht in mijn bewustzijn terugkeerde.

Een leugen is altijd kwetsbaar, en de leugen die ik leefde implodeerde eenvoudigweg op een grauwe ochtend in Manhattan. Jerry Capeci, de verslaggever die in 1988 contact met mijn moeder had gezocht, publiceerde samen met zijn mede-auteur hun boek. Dat hoorde ik van een oude vriend van de middelbare school, die eveneens in het financiële district werkte. Hij was de enige van mijn Wall Street-collega's die van mijn banden met de maffia afwist. Op een avond belde hij op om me te vertellen dat er zojuist een boek over mijn vader was gepubliceerd. Het boek droeg de titel *Murder Machine: A True Story of Madness and the Maffia*. Volgens de flaptekst was het gebaseerd op onthullingen door mijn vaders oude bende. Zonder iets tegen Carrie te zeggen ging ik de volgende dag naar een boekwinkel in Manhattan en vroeg de verkoopster of ze het boek in voorraad had. Ze hoefde er niet naar te zoeken. Op de omslag schreeuwden rode letters: 'Zij waren de bende van DeMeo – de dodelijkste huurmoordenaars in de georganiseerde misdaad... [bekend als] Moordmachine'. Een begeleidende bespreking in de *New York Post* beschreef het boek als 'het insiderverhaal van een enkele Brooklynbende die meer Amerikanen doodde dan het Irakese leger'. Mijn lichaam werd totaal gevoelloos. Ik betaalde contant en ging er zo snel mogelijk vandoor.

In mijn eentje bladerde ik die avond door het boek en ik voelde mij teruggevoerd naar bijna tien jaar geleden, naar dezelfde shocktoestand die de moord op mijn vader had teweeggebracht. Elke bladzijde was een nieuwe kwelling. Mijn vaders naam schitterde op de omslag en was te vinden op welhaast elke pagina. De ingelaste fotopagina's toonden Chris en Anthony en Joey, oom Nino, neef Joe en de afschuwwekkende foto's die de politie na de moord op mijn vader van hem had genomen. In de index werd mijn naam opgevoerd als Albert DeMeo, zoon van Roy, met daarachter de nummers van de pagina's waarin verhalen over ons familieleven te vinden waren. Het was overweldigend, bizar. Ik las pagina na pagina over ons leven thuis, geschreven door mensen die ik nooit had ontmoet, die nooit hadden gesproken met iemand die bij de door hen beschreven gelegenheden aanwezig was. Nog onwerkelijker vond ik de beschrijvingen van wat ik, mijn moeder en mijn zusjes, en in het bijzonder mijn vader, tijdens belangrijke momenten in ons leven hadden gedacht en gevoeld. Hoe konden deze schrijvers, die ons nooit hadden ontmoet, dit weten?

Ik las gedetailleerde beschrijvingen van gebeurtenissen die uitgesproken onjuist waren, gebeurtenissen waarbij ik persoonlijk aanwezig was geweest. Een deel van dit 'feitenmateriaal' was volstrekt bezijden de waarheid. De meeste informatie was afkomstig van Dominick Montiglio, Nino Gaggi's

neef. Ik herinner me Dominick zoals ik hem had gekend, de would-be
gangster, altijd verongelijkt omdat zijn oom Nino huiverig was hem de
plaats in de bende te geven waarvan Dominick vond dat die hem toekwam.
Ik herinnerde me al de jaren die Dominick in door drugs veroorzaakte nevels had doorgebracht, nauwelijks in staat te functioneren door een heroïne-
verslaving die zijn gezondheid, zijn beoordelingsvermogen en uiteindelijk
zijn persoonlijke leven vernietigde. En meer nog dan dat herinnerde ik me
hoe mijn vader Nino ervan af wist te houden Dominick te doden, omdat
mijn vader medelijden met hem had en geloofde dat Dominick recht op
mededogen had, vanwege de chemische verslaving die hem verteerde. Hij
was de 'volstrekt betrouwbare bron' van Capeci's eindeloze verhalen over het
maffialeven in de jaren zeventig en tachtig, hij en de Gemini Tweeling,
bronnen van waarheid die zij waren. Nu ze toch al voor drie moorden in de
gevangenis zaten, waarom er dan geen honderdendrie van gemaakt? Dat
klonk veel indrukwekkender.

Toch waren het niet Dominick en de Tweeling die mijn boosheid het
meest opwekten. Wat mij onuitsprekelijk woedend maakte, mij met stom-
heid sloeg, was de manier waarop mijn vader in het boek werd opgevoerd.
In de woorden van Capeci werd mijn vader getransformeerd tot een laf, vol-
gevreten creatuur, dat voor de lol doodde en zich wentelde in wellustige pleziertjes: een volvet, dronken beest, gespeend van berouw, niet in staat tot
medelijden, een onderontwikkeld misbaksel. Elke aan hem gewijde zin
droop van verachting en kleingeestige, goedkope beledigingen. Capeci leek
geobsedeerd door mijn vaders gewicht; de meest gebruikte omschrijving was
'de vette bullebak'. In alle dagen en nachten die ik met hem had doorgebracht had ik mijn vader zelden zien drinken. Hij vond dat alcohol en drugs
de zinnen verdoofden, een gevaarlijke luxe in de wereld waarin hij leefde.
Wat zijn gewicht betreft, hij deed de laatste jaren van zijn leven dagelijks aan
fitnesstraining en hoewel hij forsgebouwd was, kon je hem nooit overdreven
zwaarlijvig noemen. Wat betreft 'de vette bullebak van Brooklyn', zoals
Capeci hem als tiener beschreef, laten familiefoto's van vader tijdens de ver-
loving van mijn ouders een donkere, slanke, fitte jongeman zien. Wat had
het voor zin om constant de nadruk te leggen op het gewicht van mijn vader,
behalve dan om hem te beschimpen? En mijn moeder – het boek verwees
naar haar als de 'ijskoude weduwe' na de dood van mijn vader. Ik kende de

pijn die zij had geleden, die ze nog altijd leed. Hoe durfden deze onbekenden met zo'n gebrek aan respect over mijn moeder te spreken? Mijn gedachten gingen terug naar de politiemensen die bij ons aan de deur waren gekomen om vaders dood te melden. 'Gina', hadden ze haar genoemd, die
vreemdelingen in ons huis. Ze konden niet eens het fatsoen opbrengen haar
met mevrouw DeMeo aan te spreken.

En voor het eerst las ik over mijn vaders dood in de bewoordingen van
de mensen die de moord hadden gepleegd. Dat bevestigde wat ik al vermoedde. Paul Castellano had de opdracht tot de aanslag gegeven en liet het
oom Nino zelf doen om diens loyaliteit te testen. Nino had er moeite mee
gehad op zijn oude vriend te schieten en hij miste, raakte mijn vader in de
borst, terwijl vader instinctief zijn handen ophief. Dat verklaarde de kogelgaten die ik in het lijkenhuis in zijn handen had gezien. Het relaas kwam
van de Gemini Tweeling, die bij de aanslag betrokken waren. In hun
beschrijving van de schietpartij klonk hun minachting voor Nino's zwakte
door, terwijl zij opschepten hoe zij de fatale kogels in mijn vaders hoofd
hadden gepompt en daarna zijn lichaam in de kofferbak hadden gepropt.
Hun arrogantie leek van de bladzijde af te spatten.

Alle oude woede stroomde onder het lezen weer binnen en voor het eerst
sinds jaren wou ik dat ik Anthony en Joey had gedood. Toch was die woede
nog niet het ergste. Terwijl ik verder bladerde ging mijn woede langzaam
over in een misselijkmakend ongeloof. Ik wist dat mijn vader in het verloop
van zijn misdadige loopbaan mensen had vermoord. Ik wist dat hij de Zuid-
Amerikaanse student had gedood, ik verdacht hem ervan Chris te hebben
gedood en ik had gehoord dat hij overwoog om Paul Castellano te doden.
Ik had sinds mijn negende of tiende artikelen over maffiamoorden gelezen
en ik begreep wat het betekende dat hij in zijn kofferbak een pistool en een
mes verborgen hield. Mijn vaders beroep was gevaarlijk en soms worden er
dan mensen gedood. Toch had ik die moorden nooit gezien, nooit tot in
detail gekend en ik hield die mogelijkheden vaag in mijn achterhoofd. De
man die ik kende was zorgzaam en vol mededogen. Ik had altijd geloofd dat
mijn vader alleen in uiterste noodzaak doodde, alleen wanneer er geen
andere manier was om een probleem op te lossen; dat zij die door zijn hand
stierven soldaten waren als hij, verwikkeld in een onderlinge, bloedige strijd.
Zij kenden de regels en zo werd het spel gespeeld. Maar ook al was het boek

overdreven en onzorgvuldig, het was onmogelijk de beschuldigingen dat mijn vader een beroepsmoordenaar was te negeren.

De tekst zwom voor mijn ogen, die weigerden de woorden scherp in beeld te krijgen. Ik had het gevoel dat ik mijn lichaam verliet. Het was alsof ik van bovenaf mezelf daar zag zitten lezen. De bladzijden stroomden over van de vele moorden, sommige alleen ingegeven uit winstbejag, andere op onbeduidende figuren die ik met geen mogelijkheid medestrijders kon noemen. Gezichten op politiefoto's die Mack me had laten zien, flitsten aan mijn ogen voorbij. Was dit het waarop hij had gedoeld? Gingen deze afschuwelijke verhalen over zaken waarvan ik volgens hem op de hoogte was? Flarden van gesprekken die ik destijds in de Gemini had opgevangen, kregen een schrikaanjagende betekenis. Er waren huiveringwekkende beschrijvingen van hoe mijn vaders bende de slachtoffers liet verdwijnen, volgens wat de auteurs 'de Gemini-methode' noemden: het bloed in de douche laten weglopen en ze in de keuken van neef Joe met messen in kleine mootjes snijden, zodat de slachtoffers niet herkend konden worden. Ik had als knaapje in die keuken pasta en cannoli gegeten. Ik herinnerde me plotseling hoe vaak Joe's appartement opnieuw geschilderd was. Wat moest die verf verbergen? Bloedvlekken?

Het ergst van alles was de moord op Chris. De Gemini Tweeling waren er die nacht ook bij geweest. Castellano had gezegd dat als mijn vader Chris niet zelf uit de weg zou ruimen Big Paul mijn vader zou laten doden. Toen Chris in neef Joe's appartement arriveerde, voor de gebruikelijke vrijdagavondverdeling van het geld, had mijn vader hem nog in de deuropening neergeschoten – bij dezelfde keukentafel waar ik voor mijn mannelijkheidstest geslaagd was. Maar mijn vaders hand had zo gebeefd dat hij zijn doel miste en Chris was gewond voor mijn vaders voeten op de vloer gevallen. Anthony en Joey hadden Chris afgemaakt, maar niet snel genoeg om te voorkomen dat hij wist dat vader hiervoor verantwoordelijk was. Ze sleepten het lichaam van Chris naar zijn auto, terwijl mijn vader achterbleef. De parallellen waren overweldigend. Net zoals mijn vader Chris had gedood, had Nino mijn vader gedood, op dezelfde manier, om dezelfde redenen. Niets persoonlijks, gewoon om te overleven.

Ik las de hele nacht door, met Luca voor mijn open haard gezeten. Later zat ik in het boek naar de foto's van mijn vader te staren. Ik herkende hem niet. Hij had na zijn dood elke minuut in mijn gedachten voortgeleefd, maar toen ik het gezicht bekeek dat mij nu aanstaarde, wist ik niet eens wie hij was.

Ik kon niet verwerken wat ik zojuist had gelezen. Ik legde het boek achter op een plank, ging de volgende dag weer naar mijn werk en bad dat niemand het zou kopen. Ik zei niets tegen Carrie.

Een paar dagen later belde mijn moeder. Oom Louis had van het boek gehoord en had haar een exemplaar gebracht. Ik vroeg haar of ze het gelezen had. Haar 'ja' bleef in de lucht hangen.

'Albert?'

'Ja, mamma?'

'Je zusjes mogen dit niet lezen.'

'Natuurlijk niet, mamma. Ze hoeven er niets van te weten. Ik denk trouwens niet dat veel mensen die rotzooi zullen lezen.'

'Denk je dat echt, Albert?'

'Zeker weten, mamma. Maak je geen zorgen. Het zal allemaal wel meevallen.' Ze deed alsof ze me geloofde.

Ook ik deed alsof ik het geloofde. Misschien zou ik nooit meer hoeven nadenken over wat ik had gelezen en kon ik op de oude voet voortgaan: het succesvolle beeld van een aardige, jonge echtgenoot.

Er ging meer dan een jaar voorbij en niets scheen te veranderen. Mijn slapeloosheid werd erger dan voorheen en ik voelde me zonder aanwijsbare reden kortademig, maar dat waren kleine zorgen. Ogenschijnlijk bleef het leven rustig en ik begon te hopen dat de publicatie van *Murder Machine* veeleer een tijdelijke rimpel was dan de schokgolf waarvoor ik bang was geweest. Toen, in een oogwenk, op een ochtend op de beursvloer van de New York Stock Exchange, stortte ik in.

Ik stond zoals gebruikelijk voor mijn computer, verzonken in het dagelijkse gokwerk met hoge inzetten, terwijl ik gecompliceerde financiële transacties ontving, verwerkte en uitvoerde. Ik bleef me concentreren op het scherm voor me, om te reageren op de zich voortdurend wijzigende reeksen cijfers voor mijn ogen. Iets anders kon ik me niet permitteren. Eén keer tijdens mijn eerste jaar op de beursvloer had ik gezien hoe een oudere makelaar op een paar meter afstand van mij dood neerviel door een hartaanval. Niemand onderbrak ook maar voor een moment zijn werk, terwijl ambulancepersoneel zijn lichaam op een brancard tilde en hem door een zijdeur naar buiten bracht. Maar op deze bewuste dag wierp ik een terloopse blik op een groepje collega's, die een paar meter verderop stonden, terwijl ik naar een boodschap luisterde die op de vloer aan mij werd doorgegeven. Zij stonden rond een van mijn collega's over zijn schouder mee te lezen, terwijl hij hen op ooghoogte een boek voorhield. Met een plotselinge steek van pijn in mijn borst herkende ik de rode letters die van het zwarte boekomslag afspatten. Ik wist al wat daar stond: 'De bende van DeMeo...' Seconden die een leven lang leken te duren gingen voorbij voordat ik in staat was mijn blik weer te richten op het scherm voor me. Ik probeerde me weer te concentreren op de snel bewegende cijfers op het scherm, maar mijn geest was totaal leeg. Tegen mijn wil voelde ik dat mijn ogen teruggetrokken werden naar de zich uitbreidende groep medewerkers die fluisterend bij dat boek stonden. Een van hen wees naar mij, zag me kijken en wendde snel zijn blik af. De met papier bezaaide vloer onder me begon te draaien. Ik had nog net de tegenwoordigheid van geest de floormanager om een vervanger te vragen, alvorens door een zijdeur de hal in te rennen. Een paar meter verderop bevond zich het herentoilet. Ik had het gevoel dat mijn maag in tweeën gescheurd werd. Mijn hart klopte pijnlijk en mijn oren suisden. Met mijn rechterarm tegen mijn borst geklemd wankelde ik naar de dichtstbijzijnde lift en ging rechtstreeks naar het kleine hospitaal op de bovenste etage van de beurs. Ik was ervan overtuigd dat ik een hartaanval had.

Maar na een aantal tests zei de dokter dat er niets mis was met mijn hart. Hij zei dat wat ik zojuist had ervaren een ernstige aanval van paniek was geweest. Ik weigerde hem te geloven. Ik raakte nooit in paniek. Hij gaf me iets voor mijn maagzweer en adviseerde me een paar dagen vrij te nemen en contact op te nemen met mijn huisarts. Het belangrijkste was, zo zei hij, dat ik niemand iets over deze diagnose moest vertellen. Het was beter dat mijn chefs dachten dat het een probleem met mijn hart was. Als iemand ontdekte dat ik paniekaanvallen had, zou ik niet meer op de beurs kunnen werken. Een paniekerige makelaar was een groot risico.

Ik volgde zijn advies op en zei tegen niemand iets, zelfs niet tegen Carrie. De volgende dag ging ik naar een andere arts, die me een flesje valium gaf met nog wat reservevullingen. Ook hij adviseerde me te zwijgen over mijn toestand. Die waarschuwing was overbodig. Ik was beschaamd, onzeker en bang. Ik had in het leven dingen overleefd waarmee maar weinig mensen te maken krijgen zonder met mijn ogen te knipperen. Wat was er mis met mij? En waarom gebeurde het nu? Ik nam een paar dagen vrij om uit te rusten, onder het mom dat mijn maagzweer opspeelde, en ging de week daarop weer terug naar de beurs. Sommige van mijn collega's behandelden me nu als een beroemdheid, door de onthullingen in het boek, anderen trokken zich wantrouwend terug. Het was weer helemaal de middelbare school: ik was de zoon van de gangster. Een van hen vroeg me bij wijze van grap of ik ooit iemand had vermoord. Ik nam mijn pillen in, verdroeg hun commentaren en vragen en probeerde door te gaan alsof er niets veranderd was.

Minder dan twee weken later volgde de tweede klap. Overdag bleef ik manhaftig aan het werk, door pure wilskracht, maar 's nachts was het een heel andere kwestie. Geen enkele hoeveelheid medicijnen deed mij inslapen, en van middernacht tot het ochtendgloren zwierf ik van de ene kamer naar de andere, als een dolende ziel. Op een nacht had ik het bijzonder moeilijk en ik zette in een wanhopige poging om mijn gedachten tot stilstand te brengen rond twee uur de tv aan. Ik klikte naar het Kunst- en Ontspanningskanaal en wilde net gaan zitten toen ik midden in die beweging werd gestopt door het opkomende beeld. Daar, op het grote scherm van het apparaat, zag ik mijn vaders gezicht, trillend in het donker. Op de achtergrond was ik me vaag bewust van een stem die het begeleidende commentaar opdreunde. De stem was bekend. Dominick Montiglio. Ik liet me op de bank zakken en keek met gefascineerde verbijstering toe hoe mijn vaders leven in al zijn lugubere details aan mijn ogen voorbijtrok. Het schandelijke verhaal was omgebouwd tot een nachtmerrieachtige documentaire. Ik kon niet ademhalen.

Dit keer was er geen ontsnappen aan. De volgende ochtend vertelde ik Carrie over de documentaire en ik waarschuwde mijn moeder en mijn zusjes. Nu deze documentaire was uitgezonden zouden ze er zeker iets over horen. Carrie deinsde gekrenkt en boos voor me terug en eiste op hoge toon dat niemand dit te weten mocht komen. Maar ik zag dat mijn moeder zich terugtrok in de schaduw die ze na mijn vaders dood geworden was. Het ergste trof het Debra. Ik zag de verbijsterde pijn op het gezicht van mijn oudere zusje, toen ze het boek doorbladerde waarmee het allemaal was begonnen.

'Ik begrijp het niet, Al,' zei ze, 'ik herken die man niet. Dit is pappa niet. Waar gaat dit allemaal over? Is hier iets van waar?'

'Iets, ja.'

'Wist jij ervan?'

'Iets. Niet alles.'

'Waar was ik dan, toen dit allemaal gebeurde?' riep ze ontzet uit. 'Waarom wist ik van niets?'

'Pappa wilde niet dat jullie het te weten kwamen.'

Ik zag hoe haar geest koortsachtig rondtolde, in een poging de overblijfselen van haar kindertijd vast te houden, een illusie die in een afschuwelijk ogenblik van inzicht uiteenspatte. Ten slotte kwam er een bepaalde herinnering bij haar naar boven en keek ze me met een blik van begrip aan. 'Daarom huilde pappa, hè? Nadat we er die keer vandoor gingen? Hij huilde omdat hij die jongen had gedood.'

'Ja.'

'O, mijn god.' Ze huilde.

Ik vond geen woorden om haar te troosten. Ik staarde vol schaamte naar de vloer en in mijn gedachten ging ik terug naar de dag dat ik vader in mijn onschuld vroeg naar het ergste wat hij ooit had gedaan. Een gevoel van mislukking beving me. Ik werd verondersteld mijn moeder en zusjes te beschermen en toch was ik er niet in geslaagd ze hiervoor te behoeden.

Op de een of andere manier gingen de weken voorbij en gingen over in maanden. De vragen en blikken van mijn collega's namen in aantal toe en geruchten vulden de beursvloer. Ik zag sommigen van hen tijdens de pauzes *Murder Machine* lezen. Ik begon rondjes langs artsen te maken in een poging een verklaring te vinden voor de aandoening die me verlamde. Het viel me elke dag moeilijker te functioneren, en ik was bang dat ik op een dag niet meer in staat zou zijn in de trein te stappen die me dagelijks naar de stad bracht. Mijn lichaam was een dood ding geworden dat ik meesleepte als een ongewenste last. Iedere arts gaf me een ander medicijn en een gelijkluidend advies. 'Praat er niet over. Vertel niemand wat er met je aan de hand is. Als je het wel doet, raak je dat stigma nooit meer kwijt.'

Ik greep een laatste keer terug op mijn reserves en besloot mijn gezondheid weer in eigen handen te nemen. Ik verafschuwde de medicijnen die ik had gekregen en ik wist dat ik verslaafd raakte aan de valium die me in steeds grotere doses werd voorgeschreven. Tegen het advies van mijn dokter in meldde ik me bij de ontwenningskliniek van het plaatselijke ziekenhuis en kickte af van alle kalmerende middelen en slaappillen die ik had gekregen. Ze werkten niet en ik kon mijn strijd niet volhouden als mijn zintuigen in de war werden gebracht door chemicaliën. Twee weken later kwam ik vrij van chemische middelen naar buiten, vastbesloten weer iets dat leek op een normaal leven te gaan leiden. Ik had een lange oorlog met de maffia en de autoriteiten overleefd. Ik hield me voor dat ik niet van plan was te worden verslagen door een paar broodschrijvers en een verrader van de maffia.

Het zijn de dingen die je het minst verwacht die je de nekslag toebrengen. Die les had ik pijnlijk duidelijk geleerd in de wereld van mijn vader. Ik leerde hem weer op de vloer van de grootste financiële markt van de wereld.

Het was 1994 en Rudoph Giuliani was zojuist voor de eerste keer tot burgemeester van New York gekozen. Ik had de verkiezing niet al te nauwkeurig gevolgd, maar ik kende de naam heel goed. Die had ik de laatste jaren tientallen keren en misschien wel vaker gezien. Een angstaanjagende handtekening onder elk document waarmee de aanklagers van New York me hadden gedagvaard. Giuliani leidde het onderzoek dat de grand jury's bijeenriep waarvoor ik mijn getuigenissen moest afleggen; hij was de drijvende kracht achter de gezichten die ik in de kamers en kantoren van de rechtbank had gezien. Door de jaren heen was hij het symbool geworden van elke door de justitie gepleegde aanslag op mijn gemoedsrust. Het feit dat ik de man nooit rechtstreeks had gezien, deed hem alleen maar vervaarlijker lijken. Hij was de boeman in de kast van mijn angsten, de naam waarop ik mijn haat en mijn vrees had geplakt. En op een dag stond hij zonder voorafgaande waarschuwing voor me, de belichaming van mijn nachtmerries.

Hij was naar de beurs gebracht, gevolgd door camera's en televisieverslaggevers, om door het luiden van de ochtendbel de activiteiten van die beursdag te openen en de markt aan te jagen. Het was een eerbetoon ter viering van zijn verkiezing. Terwijl hij handenschuddend en naar de camera's lachend rondliep, reageerde de menigte op de vloer uitbundig. Temidden van die opwinding en toejuichingen trok ik me terug op mijn werkplek, vastbesloten me aan de festiviteiten om me heen te onttrekken. Er waren die dag honderden mensen aanwezig, maar door een wrede speling van het lot werd de nieuwe burgemeester door het gedrang van de menigte naar mijn werkplek geschoven. Plotseling keek ik recht in het gezicht van de man die mij tien jaar lang had gekweld. Hij glimlachte en stak zijn hand naar me uit. Ik staarde hem alleen maar aan en kon me niet verroeren. Heel even bleef hij me staan aankijken, en ik verbeeldde me dat hij in die fractie van een seconde het gezicht van mijn vader voor zich zag. Toen was het voorbij, hij liep verder en de mensen en camera's stroomden met hem mee.

Van wat daarna gebeurde staat niets me helder voor de geest. Alles werd grijs en plotseling was ik weer achttien jaar. Ik zat aan een tafel met honderd mensen die op mij, de zoon van de gangster, neerkeken. Daar was Walter Macks gezicht, met de ader in zijn hals kloppend van woede en verachting, die zich naar me toe boog. Ik greep me vast aan mijn desk om te voorkomen dat ik in elkaar zakte. Daarna wankelde ik door een zee van lawaai en verwarring en verliet ik voor het laatst de vloer van de Stock Exchange. De deur sloeg achter me dicht en alles werd duister. Een zwart gat opende zich en slokte me op.

De dag dat ik voor de laatste keer door de deur van de Stock Exchange naar buiten strompelde, was het begin van een lange reis naar de dieptepunten van een psychische aandoening. De flashback die me als een mokerslag had geveld, was de eerste van vele. Ze kwamen dag en nacht, een kwaadaardige vorm van déjà vu die het ademhalen bemoeilijkte. De twee tegengestelde werelden waarin ik sinds mijn zevende jaar had geleefd, botsten eindelijk met de kracht van een aardbeving op elkaar. De sloten op elk vakje in mijn geest werden verbroken en alle spoken kwamen naar buiten.

Ik had verlof opgenomen, een verlof dat overging in een ontslagaanvrage. Beschaamd over mijn mislukking als man en kostwinner vulde ik mijn dagen door keer op keer het huis schoon te maken, te boenen en te stofzuigen, het was me nooit schoon genoeg. Het was het tijdperk van de termijnmarkt en ik bleef via mijn computer thuis in aandelen handelen. Ook had ik nog steeds mijn inkomsten uit de verhuur van onroerend goed en uit mijn investeringen, zodat we financieel goed zaten. Toch leek het nooit genoeg. Ik voelde me nutteloos, lui. Ik moest een manier vinden om meer geld thuis te brengen. Maar hoe wilde ik dat doen als ik niet eens in staat was bij daglicht het huis te verlaten?

Dus ging ik 's nachts op pad. In de nacht, als loerende ogen door de slaap gesloten waren, kon ik onopgemerkt rondstruinen. Ik ging naar de lokale scheepswerven en verzamelde systematisch elk stukje materiaal dat gerecycleerd kon worden. Later herinnerde ik me de weggegooide filmrolletjes die ik ooit met mijn vader had verzameld en ik ging opzoek naar afval. Ik vulde vuilniszakken met deze schatten en laadde mijn BMW tot het dak toe vol. Ik vond een kringloopcentrum dat vierentwintig uur per dag geopend was en maakte er een gewoonte van om me daar voor het aanbreken van de dag te vervoegen en de in de nacht verzamelde handel te gelde te maken. Als de nachtploeg het al vreemd vond dat een ongeschoren man met een dure auto in de kleine uurtjes van de nacht afval kwam brengen, liet men daar in ieder geval niets van merken. Voor hen was ik gewoon Al, en ze aanvaardden me kritiekloos. Onder de dekking van het duister, in het gezelschap van die onbekenden, voelde ik me veilig. Carrie was ontsteld, bij voorbaat vernederd bij de gedachte dat iemand uit onze buurt mij zou zien met een auto vol vuilnis. Ondanks haar gêne ging ik door, want mijn ophaaldienst begon een paar honderd dollar per week aan extra inkomsten op te leveren. Belangrijker nog was dat ik me minder nutteloos voelde.

Maar ten slotte werden ook deze nachtelijke strooptochten onmogelijk. Ik raakte ervan overtuigd dat ik gevolgd werd, dat de autoriteiten me weer aan het zoeken waren, dat de maffia me wilde laten afschieten. Mijn prachtige huis, het symbool van mijn succes, werd een door mezelf gemaakte gevangenis. Bang dat mijn vrouw tijdens een aanval gedood zou worden versterkte ik het huis. Ik had overal wapens en ik patrouilleerde voortdurend, zoals ik dat had gedaan in het jaar na de Colombiaanse bedreiging, een geladen pistool in mijn hand en Luca aan mijn zij. Als de nacht inviel, hurkte ik bij de vensters, mijn pistool gereed, en gluurde ik kletsnat van het zweet door de jaloezieën. Angst ritselde door het duister, kroop door elk onbewaakt venster. Overal waar ik keek zag ik de gezichten van de oude vijanden van mijn vader, van de slachtoffers die ik op de foto's in de rechtszaal had gezien, van de families die mijn gezin wilden doden om de levens die mijn vader hen had afgenomen te wreken. Ik stond mijn moeder en zusjes niet toe in de buurt van mijn huis te komen, uit angst dat ze gedood zouden worden, en ik zei tegen mijn vrienden dat ze weg moesten blijven. Ik geloofde dat hun enige hoop op veiligheid erin lag dat ze zover mogelijk van mij verwijderd bleven.

Carrie was ontzet door mijn verandering en mijn familie ook. Ze konden het niet begrijpen. De succesvolle jonge zakenman met wie mijn vrouw
was getrouwd, de sterke, onverstoorbare zoon en broer die hen altijd had
beschermd, die man was verdwenen. In plaats daarvan was er een bang kind
dat zich overdag schuilhield in onverlichte vertrekken, nat van de tranen en
trillend van angst, in paniek door dingen die alleen hij kon zien. De wereld
waarin ik het grootste deel van mijn leven had verkeerd, was voor hen altijd
verborgen gebleven. Zij hadden nooit geweten van het onder mijn kleren
verstopte pistool dat ik op mijn twaalfde meenam naar school om over mijn
zusje te waken; van de nachten dat ik tijdens mijn vaders afwezigheid, als
iedereen sliep, wachtliep in het huis. Toen ze me na de overval door
Anthony en Joey in het ziekenhuis bezochten, hadden ze gemeend de wilde
zoon en broer te zien, die in een dronken bui met zijn auto van de weg was
geraakt. Ik had hen nooit verteld wat er werkelijk was gebeurd. Ze waren er
niet bij als de autoriteiten mij volgden of op politiebureaus ondervroegen en
ze waren niet in het lijkenhuis geweest om mijn vader te zien. Ik had geprobeerd hen tegen dat alles te beschermen. Ik had ze zelfs nooit van mijn verschijning voor de grand jury verteld. Daarom keken ze me nu verbijsterd aan
en vroegen zich af wat er mis was met mij. 'Waar heb je het over, Al, waar
heb je het over? Wat hadden vaders zaken met jou te maken?' vroegen mijn
zusjes me. 'Verman je, Al, wees een vent. Wat is er met je aan de hand?' zeiden mijn ooms. Zij begrepen het niet, net zomin als ikzelf. Verbijsterd en
vol afschuw voor wat zij zagen, wilden zij de oude Al terug, de Al die nooit
huilde, die voor niets bang leek te zijn. Dat wilde ik ook.

Ik besloot een eind te maken aan het lijden van iedereen. Ik bedacht dat
ik de levens van de mensen van wie ik hield op het spel zette, want ik was
degene op wie mijn vijanden het gemunt hadden. Ooit was ik de beschermer van mijn moeder en mijn zusjes geweest, maar nu geloofde ik dat ik een
gevaar voor hen was. Ik was mijn vrouw tot last geworden, niet in staat haar
te onderhouden en ik vormde bovendien een bron van schaamte en angst
voor haar. Het leek mij duidelijk dat het enige eerbare dat ik voor de mensen om wie ik gaf kon doen, was uit hun leven verdwijnen. En de enige
manier om dat te doen was mijn eigen leven opgeven; dat was voor mij toch
al een bron van ellende geworden. Daarom ging ik weloverwogen aan de
slag.

Evenals mijn vader had ik altijd een aantal verzekeringspolissen in huis, inclusief levensverzekeringen die ook dekking gaven bij moord, zelfmoord en arbeidsongeschiktheid. In het diepst van mijn gedachten had ik nooit verwacht dat ik een normale levensduur zou hebben. Ik wist wat me te doen stond, want mijn vader had me zorgvuldig voorbereid op dergelijke zaken voordat hij zijn dood tegemoetging. Zonder iemand iets over mijn plannen te vertellen verzekerde ik me er in alle rust van dat alles klopte, dat de hypotheek en de rekeningen zes maanden vooruit betaald waren en dat het huis en de auto op Carries naam stonden. Ik maakte geld over op haar persoonlijke rekening, voldoende om er een jaar van te leven, totdat het verzekeringsgeld zou zijn uitbetaald en alle bezittingen weer waren vrijgegeven. Ik controleerde zelfs of het huis schoon was en mijn spullen keurig waren opgeborgen. Toen ze op een avond naar een vriendin was, sloot ik het huis achter me, stapte in de auto en reed naar de snelweg om een eind aan mijn leven te maken. Ik wilde weer bij mijn vader zijn, waar hij zich ook mocht bevinden. De hel kon nauwelijks erger zijn dan mijn huidige leven.

De maffia had me jaren terug van de weg gereden, als laatste waarschuwing. Nu zou ik dat zelf doen. Ik koos voor dezelfde snelweg, door het zuidoosten van Long Island, waarop ik die bewuste avond had gereden. Zodra de weg vrij was van auto's verhoogde ik mijn snelheid tot boven de tweehonderdtwintig kilometer per uur en stuurde naar de bomen toe – ik had mijn autogordel niet vastgemaakt. Een paar seconden later vloog mijn auto door de berm het bos in, sloeg een paar keer over de kop en kwam ten slotte tot stilstand tegen een paar bomen. Toen het lawaai en de verwarring eindelijk voorbij waren, merkte ik tot mijn verbijstering dat ik nog steeds achter het stuur zat, duizelig, maar niet gewond. In plaats van opgelucht te zijn was ik boos en teleurgesteld. Hoe kon het dat ik nog steeds leefde? Ik kon niet eens behoorlijk zelfmoord plegen. Ik voelde me gevangen in een bestaan dat ik kon overleven noch loslaten.

In de weken die volgden zat ik elke nacht, terwijl Carrie in de slaapkamer lag te slapen, in de woonkamer met de loop van een pistool tegen mijn hoofd gedrukt, terwijl Luca's kop op mijn knie rustte. Het koude metaal en de geur van het kruit deden me goed. Ze herinnerden me aan mijn vader, aan toen ik zeven jaar oud was en van hem leerde wapens te demonteren. Het meest van alles herinnerden ze me eraan dat het in mijn vermogen lag de pijn te beëindigen door alleen maar de trekker over te halen. Ik zou mezelf in maffiastijl executeren, met een kogel achter mijn oor.

Ik wilde niet dat mijn vrouw mijn lichaam zou vinden en daarom wachtte ik tot ze me zou verlaten. Ik wist dat dat niet zo lang meer zou duren. Ik had begrepen dat ons huwelijk kapot was in de nacht dat ik in bed tegen haar aan kroop, op zoek naar troost, en zij vol afkeer van me weg schoof. Wij hadden al in geen weken de liefde bedreven en ik verdacht haar ervan dat ze een ander had. Dat nam ik haar niet kwalijk. Een maand nadat ik de auto in de prak had gereden, verliet ze me voorgoed. Ik vond het nu hoog tijd om er een eind aan te maken. Ik had het wederom zorgvuldig voorbereid. Ik wilde geen troep achterlaten die een ander moest opruimen en daarom besloot ik het in de garage te doen. Ik nam een groot stuk zeildoek en spreidde dat uit op de vloer van de garage, zodat de lijkschouwer me alleen maar als een bundel vuilnis hoefde in te pakken en in de lijkwagen kon leggen. 'Stop me maar in een vuilniszak,' had mijn vader tegen me gezegd. En ik volgde alweer zijn voorbeeld. Daarna pakte ik een paar handdoeken zodat het bloed niet alle kanten uit zou spatten. Het kwam nooit in me op dat ik bezig was systematisch na te doen wat ik had gelezen over mijn vaders moorden in de Gemini, met handdoeken en zeildoek om bloedsporen te vermijden. Ik dacht alleen maar aan het vermijden van troep voor een ander. Ik ging op het zeildoek liggen, wond de handdoeken om mijn hoofd en schoof de loop van het pistool erin, tegen mijn hoofd. Ik had maar één kogel in het magazijn, hoewel ik van plan was af te drukken totdat die kogel werkelijk kwam. Ik verlangde naar de spanning, de adrenalinestoot in afwachting van die ene kogel. Die goeie, ouwe adrenalinestoot. Ik was er nooit echt aan gewend geraakt er zonder te leven.

Ik drukte af. Er gebeurde niets. Mijn hand beefde en mijn vinger aan de trekker was glibberig van het zweet. Toch voelde ik me meer geconcentreerd, meer zelfverzekerd, dan ik in maanden was geweest. Op het moment dat ik de volgende patroonkamer wilde ontladen, hoorde ik iets bewegen in de garage. Was mijn vrouw teruggekomen? Ik hief mijn hoofd iets op en tuurde naar de doorgang tussen de garage en het huis.

Het was Luca. Hij moest gevoeld hebben dat er iets mis was en stond daar naar me te kijken, bezorgd tot in alle rimpels rond zijn ogen. Ik beval hem terug het huis in te gaan, maar hij wilde niet weg. In plaats daarvan liep hij naar me toe en jankte. Vervolgens strekte hij zich naast me uit, met zijn schouder tegen mijn borst en zijn kop onder mijn kin. Ik begon te snikken. Hoe kon ik doorgaan terwijl dat trouwe dier toekeek? Hij had niets verkeerds gedaan en toch zou hij denken dat het zijn fout was, want het was toch zijn taak om mij te beschermen. Ik legde het pistool neer, sloeg mijn armen om de hond heen en begon zijn oren te strelen en hem te troosten. Mijn ontsnapping zou moeten wachten tot een andere avond.

Ik weet niet hoeveel tijd er daarna verstreek. De nacht ging over in de dag, en met niemand in de buurt om de tijd te meten was het me allemaal om het even. Ik lag bewegingloos in het verduisterde huis en wachtte tot de dood me zou vinden. Ik dacht aan mijn vader, zoals hij al die jaren terug zwijgend in het donker van ons huis aan het water lag. Luca jankte, in de war omdat zijn vrouwtje weg was en het baasje bewegingloos. Ik wist dat ik zou sterven als ik daar langer bleef liggen. De gezichten van mijn moeder en mijn zusjes zweefden voor me, daarna die van Tommy en Nick. Dat kon ik niet laten gebeuren. Ik sleepte mijn lichaam naar de keuken en drukte me op een elleboog omhoog tot ik het koord van de telefoon kon grijpen. De hoorn knalde naar beneden toen ik er aan trok. Daar, in het donker op de keukenvloer, draaide ik Nicks nummer. Toen ik aan het andere eind zijn stem hoorde, zei ik alleen maar: 'Kom me halen.'

Hij aarzelde niet. 'Ik kom eraan,' zei hij en hij hing op. Binnen enkele minuten hoorde ik de voordeur opengaan en Nick roepen naar mij. Ik zei waar ik was. Toen hij me op de vloer zag liggen, stelde hij geen vragen. Hij legde mijn arm om zijn schouder en hielp me naar zijn auto. Te zwak om mijn hoofd op te tillen leunde ik tegen de stoel en sloot mijn ogen. Ik voelde de auto trillen toen hij wegreed, het donker in. Een tijdje later stopte de auto en ik voelde dat Nick me nogmaals optilde. Hij liep met mij de eerstehulpafdeling van het ziekenhuis binnen en zei alleen maar: 'Mijn vriend heeft hulp nodig.' En ze hielpen me.

De details daarna zijn wazig. Een dokter onderzocht me en na wat heen en weer gepraat werd ik met een ambulance overgebracht naar een gesloten afdeling in een nabijgelegen psychiatrische inrichting. Ik werd als een risico voor mezelf beschouwd. Ik ondertekende de toelatingspapieren. Ik wist dat ik zou sterven als ik dat niet deed. Op een gegeven moment reden ze me een kamer binnen met twee bedden erin. Ik hoorde deuren dichtslaan en geslo-

ten worden. Het was donker, maar ik kon de adem horen van een andere
man, die vlakbij me lag te slapen. Iemand overhandigde me een ziekenhuis-
nachthemd en vroeg of ik hulp nodig had om dat aan te trekken. Ik zei nee,
ik wilde alleen maar slapen. Een verpleegster gaf me een injectie en liet me
alleen om me om te kleden. Ik keek naar het nachthemd en het vreemde bed
waarop ze me hadden neergelegd. De verpleger had inmiddels mijn riem en
mijn schoenen meegenomen. Mijn kleren waren het enige vertrouwde in de
kamer. Ik wilde ze niet uittrekken en naakt op deze vreemde plek liggen.
Daarom liet ik het nachthemd op de vloer naast het bed vallen, kroop onder
de deken en trok het laken over mijn hoofd. Alles was donker en stil.

Daar, in die katoenen cocon gelegen, was ik te gedeprimeerd om te huilen. Toen het middel waarmee ze me hadden geïnjecteerd ten slotte begon
te werken, gleed ik weg in een rusteloze slaap.

twaalf

....

Lazarus

Mijn BMW

Onze geboorte is slechts slapen en vergeten:
De ziel die met ons rijst, ster van ons leven,
Heeft elders zijn vorm gekregen.

WORDSWORTH, 'Ode: Intimations of Immortality
from Recollections of Early Childhood'

E rgens in de bijbel staat dat een man soms zijn leven moet verliezen om het te vinden. Ik moest een leven loslaten dat nooit het mijne was geweest, voordat ik een nieuw leven kon vinden. Op die verschrikkelijke plek, in dat met zieken en krankzinnigen gevulde gesticht, begon ik aan het lange, trage proces van mijn wedergeboorte.

Ik had al kennis gemaakt met een therapeute die de gids zou worden die ik nodig had op de lange reis uit het duister. Tot die tijd had ik me aldoor tegenover Erma voorgedaan als een jonge effectenmakelaar, die worstelde met een depressie en een mislukt huwelijk. Pas in mijn uur van uiterste nood vond ik eindelijk de moed haar het afschuwelijke geheim toe te vertrouwen dat ik zo lang voor me had gehouden. 'Mijn vader,' vertelde ik haar, 'was een gangster. Hij zat bij de maffia.' Ik wachtte op haar reactie, maar zij leek te wachten tot ik verder ging. Ze begreep het kennelijk niet en daarom ging ik verder: 'Hij heeft mensen vermoord. Misschien wel een heleboel mensen.' Dat zou duidelijk genoeg moeten zijn. Ik wachtte wederom op de ver- trouwde, gevreesde reactie: de afschuw, de afkeer of, erger nog, de fascinatie. Ze wist eindelijk wie ik was: de zoon van een maffialid, niet de respectabele jongeman waarvoor ze me had gehouden.

Ik zag een kleine verandering op haar gezicht, maar niet zoals ik dat had verwacht. Droefheid, bezorgdheid en een gevoel van begrip trokken over haar gelaat. 'Wat moet dat moeilijk voor je geweest zijn, Al.' Ik was geroerd en verbaasd. Op dat moment wist ik dat zij mij noch als effectenmakelaar, noch als zoon van een maffialid zag; voor haar was ik steeds gewoon Al geweest en dat zou ik altijd blijven. Dat korte, stille ogenblik was mijn eer- ste schrede op een lange odyssee naar genezing.

Opgesloten in dat gekkenhuis, het laatste toevluchtsoord voor de krankzinnigen en de wanhopigen, begon ik mijn leven vorm te geven. De eerste zegening van mijn verblijf tussen de psychische patiënten was dat ik eindelijk een naam wist voor wat er met mij aan de hand was. Ik leed aan een posttraumatische stressstoornis, een ziekte die ooit 'oorlogsneurose' werd genoemd, omdat hij voornamelijk bij soldaten optreedt die terugkeren van het slagveld. Ik had dezelfde ziekte die vroeger oom Joe's vriend, de veteraan, in de bergen gevangen hield. Deze aandoening treedt over het algemeen pas maanden, of zelfs jaren, op na de oorspronkelijk ervaringen die haar hebben veroorzaakt. Het klassieke voorbeeld is de soldaat die dapper en goed dienst doet aan het front, onbewogen blijft in het aangezicht van dood en verderf om dan, terug in het vaderland, veel later emotioneel in te storten, als het veilig is omdat te doen. De flashbacks, zelfmoordpogingen, het schuldgevoel van de overlevende en het onvermogen om me aan te passen aan het leven van alledag waren schoolvoorbeelden. Voor het eerst hoorde ik een diagnose die me logisch leek. Ik had weliswaar nooit bij een militaire eenheid gediend, maar ik had het grootste deel van mijn jeugd en mijn puberteit doorgebracht als soldaat in het leger van mijn vader.

Eindelijk vond ik de moed naar mijn verleden te kijken, en voor het eerst voelde ik medelijden met de negen jaar oude knaap die met een leeg pistool op een zogenaamde aanvaller schoot; met de zevendeklasser die werd belast met de verantwoordelijkheid om het leven van zijn zusje met een pistool te beveiligen; met de vijftienjarige die zich erop voorbereidde dat hij een pistool tegen zijn vaders maag moest houden en de trekker overhalen om diens leven te redden. Ik begon te leren om van die jongen te gaan houden en hem alles wat hij had gedaan en nagelaten te vergeven. En ik zette de eerste, onzekere schreden die leidden naar vergiffenis voor mijn vader, die me had gevraagd al die dingen te doen, en naar het rouwen om het verlies van hem. Wat hij verder ook had gedaan, wie hij verder ook was geweest, hij was mijn vader en ik had meer van hem gehouden dan van mijn eigen leven. En hij had van mij gehouden. Wat de wereld ook van ons mocht denken, ik moest die waarheid vasthouden.

Ik moest ook een nieuwe waarheid leren inzien. Ik was niet mijn vader. Dat was ik nooit geweest. Het was niet van belang wie andere mensen zagen als ze naar mij keken. Wel van belang was wie ik zag als ik in de spiegel keek.

Nadat ik een paar weken later op eigen kracht het ziekenhuis had verlaten, begon ik aan het langzame, pijnlijke proces om een nieuw leven op te bouwen, een leven dat gebaseerd was op waarheid. Ik gaf bijna alles aan Carrie, als deel van de echtscheidingsregeling. Ik wilde die dingen niet meer. Materialisme was mijn ziektebeeld geweest en ik wilde alleen de eenvoud en veiligheid van elementaire levensbehoeften. Ik verhuisde naar een klein appartement in de buurt van Nick en zijn vrouw, niet ver van de buurt in Massapequa waar ik als kind had geleefd. Het was gedaan met de extravagante auto's en ik droeg het diamanten horloge niet meer. En het belangrijkste was dat ik geen wapen meer droeg. Dat had ik niet meer nodig.

Ik begon elk aspect van mijn leven te herwaarderen. Mijn vrouw was weg en ik besefte nu dat ons huwelijk vanaf het begin een schijnvertoning was geweest, omdat de man met wie zij trouwde nooit echt had bestaan. Ik bekeek ook mijn vrienden lang en aandachtig. Tommy en Nick bleven trouwe vrienden; zij hadden vele jaren met mij gelachen, gefeest en geleden. Ik wist dat zij er altijd voor mij zouden zijn, ik hoefde maar te bellen. Andere vrienden leverden meer problemen op. Ik realiseerde me dat ik had vastgehouden aan banden met mensen die jarenlang aan mij waren blijven hangen *omdat* ik de zoon van de gangster was en dat ik hen vooral daardoor fascineerde. Die vriendschappen waren nooit gezond of echt geweest en ik begon ze een voor een af te bouwen.

Een van de belangrijkste momenten van inzicht was voor mij een bezoek aan een Italiaanse ijssalon, niet ver van mijn oude buurt. De zaak was van een voormalig lid van de speciale eenheid tegen de georganiseerde misdaad, die tien jaar lang zijn professionele loopbaan had gewijd aan het vervolgen van de maffia in New York en daarna Italiaans ijs was gaan verkopen op Long Island. Een oude vriend stond erop dat ik een bezoek aan de winkel bracht en uiteindelijk deed ik dat. Ik had verwacht dat ik oog in oog zou komen te staan met een van de mannen die me vroeger hadden opgejaagd, dat hij me met verachting zou bekijken, zodra hij besefte wie ik was. Het was mijn vastbesloten wil om beter te worden die me de kracht gaf die dag zijn zaak binnen te stappen. Maar toen ik binnen was, trof ik een soort gedenkplaats van de maffia aan. Filmposters van *The Godfather* en *GoodFellas* bedekten de muren en de schappen waren overladen met souvenirs die de maffia verheerlijkten. Ik kocht een aardbeienijsje en genoot daar op mijn gemak van, terwijl ik luisterde naar de voormalige politieman die bewonderaars onthaalde op verhalen uit 'het Leven'. Als je naar hem luisterde was het onmogelijk vast te stellen aan welke kant van de wet hij had gestaan. Terwijl ik daar stond en alles in mij opnam, zei mijn vriend: 'Zeg hem wie je bent, Al. Hij herkent je niet. Hij zal opgetogen zijn als hij hoort dat jij de zoon van Roy bent.' Ik keek mijn vriend vol ongeloof aan. Hij kende me al zoveel jaren en hij begreep helemaal niets van mijn leven.

Een voorval dat nog indrukwekkender was deed zich korte tijd later voor. Ik had geen auto meer, maar ik had er een gewoonte van gemaakt om geregeld mijn appartement te verlaten. Mijn angst om naar buiten te gaan begon wat af te nemen, maar ik wist dat hij zou terugkomen als ik toegaf aan de drang om me schuil te houden. Op een zaterdagochtend wandelde ik naar een donutzaak om een donut en een kop koffie voor mijn ontbijt te kopen. Het was een winkel waar ik vroeger als kind af en toe kwam, en ik dwong mezelf nu om oude trefpunten te bezoeken en weer vertrouwd te raken met de persoon die ik eens was geweest. Long Island was toen bezig oude benzinestations door nieuwe te vervangen, met meer milieubewuste veilige opslagtanks. Het benzinestation naast de donutwinkel was onlangs afgebroken. Een klein artikel in de lokale krant had gemeld dat in een van de oude tanks menselijke resten waren gevonden. Ik had niet veel aandacht aan het artikel besteed, omdat het op dat moment niet belangrijk leek.

Toen ik op mijn beurt wachtte in de lange rij voor de toonbank werd ik me langzamerhand bewust van een klant die vooraan stond en tijdens het wachten met de uit het Midden-Oosten afkomstige eigenaar praatte. De stem klonk bekend en toen ik eens goed keek, herkende ik een man met wie ik op de middelbare school had gezeten. We waren nooit bevriend geweest, maar we woonden in dezelfde buurt en kenden elkaar bij naam. Hij sprak luid en met veel enthousiasme en iedereen in de rij kon horen wat hij zei. 'Weet je van dat lichaam dat ze in het benzinestation aan de overkant hebben gevonden? Ik weet zo goed als zeker wie dat heeft gedaan. Ik durf te wedden dat het Al DeMeo was. We hebben samen op school gezeten. Zijn vader was een van de grote jongens bij de maffia. Ik wed dat die dode er een van Al is.'

Ik kon niet geloven wat ik hoorde. Heel even wilde ik me omdraaien en de deur weer uitlopen, maar ik was nog nooit voor iemand weggelopen en ik was niet van plan daar nu mee te beginnen. Daarom liep ik achter de rij langs naar de toonbank, waar de twee mannen stonden te kletsen en ik ging vlak voor mijn oude klasgenoot van de middelbare school staan. Ik had een honkbalpet en een zonnebril op en ik had me niet geschoren. Daardoor zag hij me wel, maar hij herkende hij me niet meteen. Ik keek hem strak aan, nam mijn pet af en verwijderde mijn zonnebril. Toen hij me ten slotte herkende, werd hij zo wit als een laken, en heel even dacht ik dat hij flauw zou vallen. Hij staarde me verstomd aan; al zijn lef was uit hem weggetrokken.

Ik keek hem even aan en zei toen sarcastisch: 'Om eerlijk te zijn, de kerel die ze hebben gevonden is niet van mij. Ik heb het al die jaren veel te druk gehad met andere maffiazaken om ook nog tijd over te hebben om wie dan ook te vermoorden. Je weet hoe dat gaat. Soms krijg je niet alles voor elkaar.' En ik liep de deur uit, de straat op, terug naar mijn appartement. Plotseling was ik door uitputting overmand.

'En ik wilde alleen maar zo'n stomme donut gaan halen,' mopperde ik in mezelf.

Ik wist dat ik me nooit helemaal zou kunnen verzoenen met sommige gebeurtenissen uit mijn verleden als ik ze niet nog eens zou doormaken. Ik schraapte al mijn moed bijeen en besloot terug te keren. De reis die volgde was niet alleen verhelderend, maar soms ook bijtend lachwekkend.

Op een middag nam ik de trein naar de stad en stapte uit bij Forty-Second Street, waar ik ooit incasso's voor mijn vader had gedaan, in morsige seksgalerijen en armoedige theaters. In plaats van de rosse wijk waarin mijn vader en ik ons ooit voor de wet verborgen hadden gehouden, trof ik nu een bloeiende theaterbuurt aan, waar in schone straten en bij dure restaurants het puikje van Broadway werd geafficheerd. Het deed me oneindig veel plezier dat het winkeltje waar oom Joe ooit zijn seksspeeltjes kocht, nu een Disneywinkel was, waar souvenirs van Mickey Mouse te koop werden aangeboden, op een paar meter afstand van de bioscoop waar Disneys *Lion King* werd vertoond.

Op een andere middag maakte ik een uitstapje naar Brooklyn, waar zowel mijn ouders als Debra en ik geboren waren. Het huis van mijn grootouders stond in een rustige met bomen afgezette straat, goed onderhouden en bewoond door arbeidersgezinnen. Het bakstenen halfvrijstaande huis waarin mijn vader was opgegroeid, zag er nog net zo uit als op de familiefoto's. Het huis van de Profaci's daarentegen, eens een groots herenhuis, was verpauperd tot een verwaarloosd appartementengebouw, met gordijnen die uit onbeschutte ramen waaiden en met bergen rommel op de veranda. De open voordeur toonde een somber interieur en een reeks brievenbussen tegen de muur. De pracht die eens mijn grootmoeder jaloers maakte, was verleden tijd. Zij was dat jaar gestorven, tot het einde toe zelfzuchtig en weerbarstig. Zij had zich laten permanenten, haar favoriete jurk aangetrokken en had aangekondigd dat ze ging sterven. Getrouw aan haar woord werd ze dood wakker. Mijn tante Marie is na grootmoeders overlijden naar Florida verhuisd. Zij was een trouwe dochter geweest. Ik hoopte dat ook zij een nieuw, beter leven zou vinden.

Het was niet ver van de buurt van mijn ouders naar de oude Gemini Lounge, maar het duurde even voordat ik die gevonden had. Ik liep er een paar keer voorbij totdat ik er zeker van was dat ik de juiste plek had gevonden. Tot mijn verrassing was de zaak veranderd in een kerk. Onder de vermelding van de aanvangstijden van de diensten, verkondigde een opvallend bord: 'Iedereen die hier binnenkomt, wordt geestdriftig verwelkomd.' Ik herinnerde me de lugubere beschrijvingen in *Murder Machine*, van de slachtoffers die hun dood aan de andere kant van die deuren hadden gevonden, en ik voelde een onbedwingbare lust om in lachen uit te barsten. Een jongen uit de buurt, die een paar meter verder op zijn fiets zat, vertelde me dat hij naar jeugdbijeenkomsten in de kelder van de oude Gemini ging. Hij vertelde enthousiast dat je nog steeds de kogelgaten in de betonnen muren kon zien. Maar het appartement van neef Joe was uitgebroken en gerenoveerd. Het maakte nu deel uit van de kerk. Een soort verlossing, bedacht ik geamuseerd. Op de een of andere manier was het wel passend. Mijn oom Joe had me kortgeleden verteld dat Joey en Anthony – die de fatale kogels in mijn vaders hoofd hadden geschoten en die ooit hadden geprobeerd mij te doden – zich in de gevangenis hadden omgeturnd tot een rockband. Soms is het leven werkelijk vreemder dan fictie.

Ik ging ook met een paar vrienden in een taxi naar Little Italy, om nog eens te zien waar ik met mijn vader door de straten had gelopen toen ik nog een kleine jongen was. Twee kerels waren op een hoek van Mulberry Street een vrachtwagen aan het uitladen. Ik vroeg me af of hun lading 'van een vrachtwagen gevallen' was. De buurt was nauwelijks veranderd, ook al kwam hij me iets welvarender voor dan ik me herinnerde. Er werd nog steeds opgeschept over de beste espresso in de stad. De Ravenite, waar ik mijn oom Nino had bezocht, was nu een door een Japanse ontwerper geleide dure kledingzaak. Het houten standbeeldje van de paus dat ik me uit mijn kindertijd herinnerde was voorgoed verdwenen. Ik voelde me zelfs voldoende op mijn gemak om met mijn vrienden ontspannen te lunchen in het favoriete restaurant van mijn vader. De kok maakte nog steeds kreeft met roomsaus. Het eten was er nog net zo goed als ik me herinnerde en hoewel ik de ober herkende, was dat niet wederzijds. Er was nog slechts een restje van een oude gewoonte blijven hangen: ik ging aan mijn vaders tafel zitten, helemaal achterin bij de achteruitgang, met mijn rug tegen de muur.

Diezelfde middag reden we ook nog naar Greenwich Village, waar mijn vaders pizzeria ooit de occulte winkel als buur had gekregen en waar het restaurant van oom Frank, aan de overkant, me alles voorzette wat mijn hartje begeerde. Van de pizzeria was geen spoor overgebleven, maar het restaurant was er nog en toen ik er voor stond werd het me koud om het hart. Toen mijn vader de eigenaar was, heette het The Vineyard, maar nu was het herschapen in een Gothic café en heette het The Jekyll and Hyde. Rechts van het terras stond een groot kunstwerk met schedels die naar de gasten staarden, dodenmaskers om hen aan hun eigen sterfelijkheid te herinneren. Wat me echter het meeste verontrustte, was het citaat van Robert Louis Stevenson, dat opvallend op de voorgevel van het gebouw stond geschilderd en dat op alle servetten en menukaarten was afgedrukt:

In ieder van ons voeren twee eigenschappen oorlog: het Goed en het Kwaad. Heel ons leven duurt de strijd tussen hen voort en een van hen moet overwinnen. Maar in onze eigen handen ligt het vermogen om te kiezen: we zijn wat we het liefst willen zijn.

Mijn vader had zijn keus gemaakt. En ik ook.

Die nacht had ik een droom die ik al veel vaker had gehad. Ik was op mijn boot en dobberde in de baai bij Massapequa. Het was een prachtige dag, de zon bespikkelde het water met gouden vlekjes en de golven klotsten vriendelijk tegen de romp. Bij de boeg zat mijn vader in een dekstoel, een koud drankje in zijn hand. Vroeger was hij in die droom altijd droevig en stil geweest, maar dit keer draaide hij zich om en glimlachte naar me. Daarna keek hij weer naar de oceaan. Toen ik nog een keer keek was de stoel leeg.

Het verduisterde glas

1968

Thans zien wij in een spiegel, onduidelijk,
maar dan van aangezicht tot aangezicht. Thans ken ik slechts ten dele,
maar dan zal ik ten volle kennen, zoals ik zelf gekend ben.

1 Korinthiërs 13:12

Op een dag, nog niet zo lang geleden, rommelde ik wat achterin een kast en daar vond ik een oude doos. Ik pakte hem, ging op de vloer zitten en opende hem om te zien wat er in zat.

Een vage schimmelgeur steeg op, en wat ik in de doos vond waren kleren van mijn vader. Heel even werd de tijd teruggedraaid en ik realiseerde me dat ik deze doos ongeveer twintig jaar geleden moest hebben ingepakt, in de nasleep van de moord op mijn vader en dat ik hem nooit had weggedaan. Ik staarde even naar de inhoud en daarna stopte ik aarzelend mijn hand in de doos om een paar van mijn vaders schoenen te pakken. Het stug geworden leer voelde in mijn handen onbuigzaam aan.

De zwarte schoenen glommen nog net zo smetteloos als op de dag dat mijn vader ze had gepoetst, net als de honderden andere, prachtig met de hand vervaardigde, elegante Italiaanse schoenen die ik hem dagelijks had zien aantrekken. Kieskeurig als hij was, zette mijn vader zijn schoenen altijd net zo zorgvuldig gepoetst weg als een officier in het leger. Hij kocht zijn schoenen meestal in grote hoeveelheden, soms wel twintig paar per keer, want hij liep zo veel dat hij ze binnen een paar weken versleet. Net als de andere gangsters van zijn generatie was hij zich altijd bewust van het gevaar van afluisterapparatuur en had hij al vroeg de gewoonte ontwikkeld zijn zaken lopend op straat af te handelen. Ik zette een schoen op het kleed en draaide de andere in mijn hand om. De zool contrasteerde sterk met het glimmende bovenleer. Hij vertoonde onregelmatige slijtplekken en verkleuringen door het straatvuil van New York. Terwijl ik hem bekeek, vroeg ik me af welke geheimen hij bevatte. Was hij afgesleten door talloze kilometers voetstappen in Mulberry Street of Flatbush Avenue, tijdens verstolen wandelingen in de buurt van de Gemini of Ravenite en had hij wel beluisterd wat de autoriteiten niet mochten horen? Had hij op de marmeren vloer van het paleis van Paul Castellano gerust en had het bovenleer de gloed van de kroonluchters weerspiegeld? Was hij weggerend na een moord? Was die donkere vlek een triest overblijfsel van iemands levensbloed? Ik draaide hem om en daar was de glans weer, een dapper uiterlijk voor de buitenwereld. Ik liet mijn vingers over de glimmende bovenkant glijden en bedacht dat de schoenen, net als mijn vader, aan de oppervlakte trots waren en schijnbaar onaangedaan door gebeurtenissen, maar daaronder bevlekt en versleten. Ik zette de schoen op het kleed naast zijn partner en deed nog een greep in de doos.

Ik trok mijn vaders favoriete leren jasje eruit. Dat was ook zwart en zorgvuldig onderhouden. Ik opende het en keek naar de binnenzakken. Die waren nu leeg, uitgezakt en afgedragen door hun vroegere bewoners. Ik liet mijn hand in een zak glijden. Daar stopte mijn vader zijn .38 pistool in. De stof was iets dunner waar de greep hem ooit deed opbollen. Ik nam mijn hand weg en raakte de andere zak aan. Daarin had hij de bundels honderdjes bewaard die hij er uittrok wanneer ik als kind weer eens snoep wilde.

Ik stond op en liet mijn armen in de mouwen van het jasje glijden. Daarna trok ik mijn eigen sportschoenen uit en stapte voorzichtig in de schoenen van mijn vader, waarin ik onhandig naar de slaapkamerspiegel liep.

Het spiegelbeeld dat mij aanstaarde, was bleek en betrokken, trieste lichtbruine ogen boven een ongeschoren gezicht. De jongen die ooit elke beweging van zijn vader had nageaapt was weg, vervangen door een vreemdeling. Het brede gezicht en de weke kin waren die van een man op weg naar de middelbare leeftijd, maar de ogen waren die van een oude man, gekweld en vermoeid. Ik trok het jasje recht bij mijn schouders, maar wat ik ook zou proberen, het paste me niet. Ik was gegroeid en uitgedijd in de jaren na mijn vaders dood, maar het jasje zwabberde nog steeds los om me heen. Ik dacht aan mijn vaders brede borst, aan alle uren die hij had doorgebracht met gewichtheffen, om de ponden kwijt te raken die hij nooit kon verliezen. Ik legde mijn hand op het leer dat mijn borst bedekte en mijn ogen vulden zich met tranen.

Mijn ogen volgden het pad van mijn spiegelbeeld naar beneden en ik staarde naar mijn voeten. Net als het jasje waren de schoenen te wijd. Ze

gaapten bij mijn wreef. Ik zag eruit als een kleine jongen tijdens een ver-
kleedpartijtje. Ik hief mijn kin op en tuurde nog eens naar de spiegel, half in
de verwachting mijn vader te zien. Maar in plaats daarvan zag ik, misschien
voor de eerste keer in mijn leven, mezelf: een droevige jonge man in de kleren van zijn vader. Ze pasten me niet. Ze hadden me nooit gepast. En tegen
het eind had mijn vader dat ook niet gewild.

Terwijl ik naar mijn merkwaardig uitgedoste verschijning staarde, dacht
ik aan de verschrikking van dertig verloren jaren. Ze zeggen dat een beeld
duizend woorden waard is, en op de een of andere manier toonde het
levende beeld voor me iets dat woorden niet zouden hebben kunnen over-
brengen. Mijn vader had me gemaakt tot wie ik was, maar het was aan mij
te beslissen wie ik zou worden. De keuze lag in mijn handen. Ik moest mijn
eigen schoenen dragen, mijn eigen wegen vinden. Ik had een andere weg
gekozen dan mijn vader. Ik zou de man liefhebben en missen tot de dag dat
ik zou sterven, maar ik zou zijn fouten niet herhalen. Wij zijn allen verantwoordelijk voor onze eigen zonden, hij voor de zijne en ik voor de mijne.
We worden niet verondersteld die van elkaar op ons te nemen. Niemand kan
die last overleven.

Ik stapte uit de schoenen en zette ze terug in de doos. Ik deed het jasje
uit, vouwde het op, streek het glad en legde het zorgvuldig op de schoenen.
Ik vouwde de kartonnen flappen dicht en zette de doos weer achter in de
kast, waar hij ongestoord nog eens twintig jaar zal liggen. Daarna pakte ik
mijn eigen schoenen en sloot de deur achter me.